戴國煇全集

日本與亞洲卷・二

◎未結集2：邁向國際化之路

目次
contents

未結集2：邁向國際化之路

輯一　邁向國際化：以史為鑑

戴國煇全集 ⑭

日本與亞洲卷・二

未結集2：
邁向國際化之路

翻　　譯：李尚霖・李毓昭・林彩美
　　　　　陳進盛・劉俊南・劉淑如
　　　　　劉靈均・蔣智揚
日文審校：于乃明・吳文星・林水福
　　　　　林彩美・邱振瑞・徐興慶
　　　　　張隆志・湯廷池
校　　訂：許育銘

輯一

邁向國際化：以史爲鑑

從東亞看日本

◎ 劉靈均譯

（家住杉並區的）定居外國人來說句話

我在杉並區已經住了十年了。孩子們也在杉並上學，所以和杉並有著密切的關係。

決定住在日本是1966年時。當時雖然也有美國的大學圖書館邀請我過去任職，但是剛好我的恩師就任亞洲經濟研究所的所長，他說研究員裡沒有外國人，所以希望我留在日本。我說我不太需要什麼特別待遇，但是請不要歧視我。當時雖然有了學位，但研究所算是通產省管轄的特殊法人，職員算是準國家公務員，所以當了兩年的囑託〔譯註：非正職人員〕。這也是老師為我奔走而來的。

我擁有永久居住權，也有繳居民稅。我的孩子們念日本的學校，不會說中文。然而成年式的時候區公所卻沒邀請我的孩子。相較於此，之前獲邀到美國一年，因為帶著女兒一同去，所以當地的公立學校從辦理手續當天開始，就讓她進了一般的班級。因為小女不會說英文，他們還說，那麼就請個特別的老師吧——這

是因為「基於國際禮儀」。美國是個移民國家,而日本則擁有著千年的悠久歷史;但是從這樣日常生活的小事就可以看出,日本其實對於應該怎樣對待定居的外國人、應該怎麼連帶等做思考是否較重要。

相互認識的差距

究竟要怎麼做才能一方面增進相互的理解,又能促進良好關係呢?日本人最獨特,且其歷史觀與別的國家不同。美國人強調自我實現,日本人則強調團隊合作,比起展現個性更重視協調性。

在此我想要就歷史的思考方式來談。對歷史的思考方式,有道德性的觀點,也有將各種事實相互連結的看法。比如說,將「南北戰爭」當做解放奴隸戰爭而神化林肯(Abraham Lincoln)的,是前者的觀點;而把其當做因為北方工業勞動者不足,必須要將南方被奴役的農業勞動者變成自由的勞動者,則是後者的看法。

阻礙理解日本人的高牆

美國人的社交在give and take之中。中國也說「禮尚往來」。但日本人總是比較one way的。因此,日本人往往在外國人中變得比較特殊。日本「村」〔譯註:把日本社會比擬為外人不易涉入的「村」〕的結構——因為中產階級比例較多,社會結構也相

較安定——雖然有正的一面，但是若是和外國接觸的機會持續增加，恐怕也無法維持。所以必須在不改變日本人自身的生活習慣之下有自我主張。把英文說好、學好如何吃外國菜並不是國際化，那是種誤解。

在1971年，有一個兩年的企畫叫做「1970年代的睿智」〔譯註：一系列的由日本有識之士登場的座談會，逐次登載於《中日新聞》〕，思考的是亞洲與日本究竟要如何交往。當時我就預言了，如果日本再這樣不介意與亞洲的交往，勢必會自食惡果。就在我說完後一個禮拜，當時的田中首相在印尼就碰到了示威抗議。研究者或學者們都應該擁有毫無禁忌暢談自己意見的正義感。

中國人、日本人、朝鮮半島出身的人如果不能和平相處，日本便無法繁榮。

日本人的審美意識與其他國家國民不同

日本人的審美意識是「原諒而且要遺忘」。但其他國家的國民卻是「可恕而不可忘——因為這樣才能活在明天」。德國人知道猶太人雖然不可原諒德國的歷史，卻可以原諒德國的「人」。日本人現在也活在一個不能孤立生存的地球共同體時代——生產力發展使然。而「日本中的亞洲」——貧窮地區、發展遲緩的地區，像是愛奴或是沖繩問題，如果不能完全像對待一般人類那樣對待他們，要國際化是不可能的。

要求國際化的時代潮流

　　以批判日本有名的艾科卡〔譯註：Lee Iacocca, 1924～，前福特汽車、克萊斯勒汽車總裁〕在紐約的「日本協會」的演說中，曾指出日本自以為靠貿易黑字賺了不少錢，但要困住日本卻很容易。究竟要怎樣把現在的「惡性循環」變成「良性循環」呢？艾科卡說，「日本人啊，請與美國人一起來嚴以律己（如律他人）吧。」

　　還有，有關1972年中日恢復邦交，當時日本是以對蘇軍事架構為考量；但以現在日幣升值、美元貶值的狀況看來，當時「美國與日本」一同走向中國的背景，「美元體制」已經產生了太大的生產力，是日美兩國所消費不完的；因此就企圖讓中國11億的人口吸收日美兩國的生產力。可以做為證據的，包括有財經界人士因為「教科書問題的發言」向中國人道歉。

　　雖然據稱日本有500億美元的貿易黑字，但如果包括經過南韓、台灣的代工（輸出零件，在該國進行組裝並輸出），則有800億美元之譜。今後日本若要持續發展生產力而生存下去，有第一，擴大內需；第二，發展中國市場；第三，擴大軍事預算等三種方法；但方法一相當困難，若不想進行方法三，就只有方法二得以選擇了。那意味著，我們必須努力發展能夠一同展望明日的「芳鄰關係」（而非「臭鄰關係」）。

　　我在和日本人聊天時，很不可思議的是，和明治年間出生的人們比較談得來，和昭和年間出生的人，或者是大正10年（1921）前後出生的人則不然。明治年間出生的人，在建設日

本成為近代國家時，吃了白人不少虧。然而在之後，由於體制的改變，日本不得不侵略亞洲，因而進入戰爭狀態；但是大正10年以後出生的人，對於被踐踏的人們的心情——「可恕而不可忘」——似乎是不太了解的。

回應質詢

在國際上的問題，有人提出「為了避開糾結，我們怎麼辦」的問題——重要的是如何「一同思考明日的問題」。

本文是否有收入刊物內不明，係於東京杉並區教育委員會演講之演講，1986年9月12日

「中曾根出言不遜風波」雜感

　　日本首相中曾根先生，飽受「窩囊氣」整整一個月。但到目前為止，還不知這個「窩囊氣」是否將可逐漸淡化而終於消散。

　　「窩囊氣」的第一記當然是由其前任文部大臣藤尾正行在《文藝春秋》十月號所發的厥詞而引起的。

　　眾人皆知，藤尾係右派的著名元老級政治家，和台灣國府當局的關係頗為良好。不僅如此，他一直感恩先總統蔣公的「以德報怨」以及他的政治立場。

　　儘管如此，他的歷史觀，特別是他對有關近代日本與朝鮮半島以及中國關係史的看法，很難教有良知人士心服。或許是無意，他常會曲解史實來為日本人做自我辯護。他有相當濃厚的國家主義傾向，我們雖然可以把它當為民族主義的一種來看待，但它卻是「負面」且褊狹的。

　　台大某位教授說：「藤尾能出任文部省大臣，可以說是中曾根處心積慮推展日本國家主義下的一個棋子，藉由藤尾軍國主義論調，試探國內外的反應。」這看法未免過於單純和表象化。

　　中曾根任命藤尾為文部大臣的意圖不外是想用他來對付難纏的「日教組」（日本教員組合工會）才是實相。但藤尾的自負與

野心卻是超乎於文相之職位。他自許的肥缺是大藏省或通產省。

　　非常有趣的是，雜誌尚未印妥上市，在校稿階段已被送進首相官邸，但迄今沒有任何人士出來表白及承擔「密呈」的來龍去脈，有關人士都在推諉。此外消息還非常迅速地到處「洩漏」，傳遍大眾媒體。從結果來看，可以篤定的相信，真正的大贏家係《文藝春秋》。它省了不知多少百萬日圓的廣告費，還狠狠地撈了一大筆。對藤尾的史觀，我們姑且不去談它，藤尾的謬論所引起的政治風暴應該具有不少耐人尋味的陽謀和陰謀，是可窺知的。

　　中曾根之「窩囊氣」的第二記卻來自他本人之「舌禍」。

　　他冒犯美國黑人以及拉丁美洲系少數民族的不當評論，係從「自民黨全國研修會」（9月22日）所做的演講裡引出的。

　　他原本說：「日本已是如此的高學歷社會，具有相當充裕的知性普及面。就平均數而言，已大大地超過美國了。美國因有黑人以及拉丁美洲系的墨西哥人等之故，自平均的觀點而言，還非常的低水平……。美國迄今還有甚多黑人不認得字……。」

　　既往有關篡改教科書也罷，其他的失言也罷，大多數所牽涉的是亞洲國家，這一次可完全不同，反擊是來自美國老大以及西歐輿論界。

　　《紐約時報》評析，中曾根「戰後政治的總結算路線」和他的「日本單一民族國家論」欠缺對人種問題的感性襟懷。

　　著名的黑人領袖，前美國駐聯合國大使楊格（Andrew Young）嚴厲地指摘中曾根首相：「日本人該學習世界領導人的風格，別陷進國家主義者的小格局，應更上一層樓，進而成為國

際人。」

　　這些期待，可以說都是屬於善意的。但有些日本人的「本性」和「偏見」確是難改的。中曾根在國會裡向日本人民致歉的言辭中仍然是唱著「日本單一民族國家論」的老調。愛奴族的領導人已挺身出來向他提出抗議。

　　筆者在二十幾年前已在日本論壇提出，世界沒有任何一個國家是由單一民族來組成的。日本絕非是單一民族國家。它的少數民族人數以及「存在感」比起別的國家只是較微小而已。日本朋友若不能發現自己內部的少數民族問題，以及多元價值體系的存在，而仍然自我陶醉於單一民族國家的「神話」中的話，將很有可能變成世界的孤兒甚至於自討沒趣，更遑論日本人的國際化。

　　美國輿論界以及少數民族的社會追剿中曾根的不當言論之攻勢相當兇猛，似乎有「星星之火可以燎原」的態勢，直教日本官民兩界人士陷於難以招架之困境。

　　其實，只要我們冷靜地按時間順序來翻閱日本四大報（《朝日》、《讀賣》、《每日》、《日經》）的話，將不難發現，這些「批評、追究、反擊」若不是來自北美媒體的話，日本輿論界很可能連小漣漪都不會產生。

　　原來，中曾根講辭的概略早在9月23日的各大報都報導過，但獨缺這一部分的「不當言辭」。由此充分地證明，「不當言辭」在當場的日本記者們的觀念和常識裡是不曾發生過的。

　　有位權威論壇誌的資深總編輯和我談及，中曾根和藤尾的論調是80％的日本人士共同的看法，因而更顯其可怕。

　　不管任何民族、社會、國家，「事後之明的高見」總是不

少，日本大報的遲來的反應難免也有「事後之明的高見」之嫌。

　　我們不但希望，社會和學界能培養出一批有「事先之明的高見」人士來為我們老百姓服務。我們更冀望有關人士，該說話時應該挺身出來，站在民族尊嚴及學術尊嚴的立場來評析日本人和日本社會不當的一面。不然，禍水橫溢，或恐難免上身。因為日本的力量日漸壯大，正不停地往「超大」、「褊狹」之路猛衝。

　　除了朝鮮半島和美國之外，能扮演制衡日本的角色的，可能只剩下我們中國人。海峽兩岸的中國人該醒悟自己角色的時機已經成熟了。我們不該仍然囿於「批評」等同於漫罵或整人的傳統鄉愿習氣。「批評和制衡」不但幫助朋友的忙，到頭來也是幫自己的忙。不分國內外，人與人之間的關係，社會群體間，民族間的相互關係都是相類似的。

本文原刊於《日本文摘》第10期，1986年11月，頁21～22。原總題「美國・日本・台灣」

爲日本友人進一言

日本輿論界因前文部大臣藤尾〔正行〕的「失言」及中曾根的「種族歧視談話」而喧騰一時。

但是，我們這些亞洲籍外國住民的一般反應卻是冷眼旁觀，不知道他們為什麼到現在才大驚小怪。

有一次，我和一位亞洲籍的朋友在烤肉店見面，他一邊喝著啤酒，一邊提出下列的疑問及異議。

第一，如果沒有美國輿論界的圍剿在先，日本會有這麼大的反應嗎。

第二，藤尾和中曾根的談話，恐怕不只是他們個人的看法，那可能是80％的日本人埋藏在心中某個角落裡的共同意見吧。

第三，日本的輿論界似乎把箭頭指向中曾根，但是這並不公平，中曾根只是代罪羔羊。

第四，如今我們看清了日本輿論界批評「歧視談話」的原因是：太平洋對岸的歐美在夢中翻了個身；可是他們（歐美）至今仍欠缺一種有力的批判自己沒有問題意識的行動，這可能才是問題的關鍵。

第五，「歧視談話」中，中曾根提出他的「日本單一民族國

家觀」，這不是他的創見，他也沒有申請專利，「日本單一民族國家」的神話是由日本的學界、評論界、大眾傳播界所「共謀」建構及傳播的，也許正因為這理由，輿論不好意思主動下手術刀。這「結構原理」不可不明。

第六，有心的日本人主張「日本、日本人應邁向國際化」由來已久，但是一般日本民眾似乎並不了解政府所謂的「國際化」的真正目的，或許這是因為根本沒有人告訴他們「國際化」的真正目的。

第七，戰後，民主主義體制下的日本，在言論自由方面已有了完備的立法，以電腦用語做比喻的話，就是已經有了精密的硬體，但是，能與之配合的軟體建設卻沒有趕上來，也就是說，負責領導言論自由的人不夠成熟，他們也踏入大眾消費社會的陷阱，染上「日本第一症候群」，和一般民眾一樣地飄飄欲仙。

第八，而我們這些和日本相鄰的亞洲國家，至今仍是那麼的窩囊。朝鮮半島在40年前由殖民地地位解放出來，40年已經比日帝統治他們的36年還多出4年。中共的社會主義政權成立至今，也將年屆不惑。台灣脫離日本殖民地統治的桎梏，更是已有40年以上。但是我們居然搖搖晃晃地站不起來，沒有實力擔負制約與平衡（check and balance）的角色，以沉默的聲勢有效地影響我們的鄰居日本。

說來悲哀。

我同意朋友的話，入口的啤酒苦澀不堪。

記得在1970年初期，我們這些亞洲籍外國住民和來自亞洲各國的留學生，曾和一些有心的日本朋友進行了一系列共五場的座

談會，題目是「討論・1970年代的睿智」，座談內容曾發表在《中日新聞》，並由平凡社於1973年夏天，以「討論日本之中的亞洲」為名出版專書。

當時我們特別婉轉地指出日本絕非單一民族國家，日本及日本人之國際化，應從確認本身之多元性，以及克服「歧視」意識做起。

更具體地說，我甚至僭越地警告：

我以為日本的內部問題是，愛奴、沖繩與未解放部落的三個問題，如要再加一個就是朝鮮人的問題吧。

這些問題每一個都包含「歧視」。愛奴、沖繩、未解放部落──未好好掌握此三問題之前，社會科學者要研究亞洲我想是過早，忽略漠視日本內部的三個，加上朝鮮人問題的四個歧視，卻說「我們要為亞洲做事」是冒昧可笑的。（見前引書平凡社版，頁66）〔參見《全集》20・自分與他分〕

「日本之中的亞洲」這書名便是懷著上述問題意識，故意拿來反動「日本式的常識」的。

在這本書的代序中，我也寫道：「再回歸亞洲的真正理由，正是為了持續日本自身高度成長的經濟循環，無論如何都需要亞洲才提倡回歸，除此以外無他，這是大眾都承認的吧。」（見前引平凡社版，頁11）〔參見《全集》17・憂慮新亞洲主義的抬頭〕

如今想來，「眾所公認」這四字未免也太高估了，顯然了解

日本回歸亞洲及國際化的「構造原理」的日本人並不太多。

《日本第一》及《亞洲再見》〔《さよならアジア》〕是日本的暢銷書，日本人充滿了「日本戰勝美國」、「日本是高樓大廈，其他亞洲國家是垃圾場」的心情，在這情況下，具有洞察能力的政府最高領導人也就不得不害怕在國際間被孤立，他比任何新脫亞論者或新國家主義者更了解：如果國際間減少了吸收日本龐大的生產力的人，日本的經濟循環將停滯，日本的資本主義將出現危機。

給開發中國家的所謂「援助」，說來只是一種分期付款性質的提供信用，絕不是「施於人」的恩惠。我希望日本友人在現今這狀況下，更要確切地了解這點。這是我懇切的期待。

本文原刊於《思想の科学》第84號，東京：思想の科学社，1986年12月，頁79～80。此係據《日本文摘》第11期（1986年12月，頁21～22）錄入

履歷片的風波

　　編按：NHK（日本放送協會）在1985年4月任用了一位新主持人主持「住宅諮商」節目，在1986年6月，有聽眾反映該主持人和他有「金錢糾紛」，同時該主持人行蹤不明，NHK這才發出「今後拒絕其上節目」的通告。

　　所謂「金錢糾紛」，是指該主持人在節目時間後代收建築費用，總詐騙金額約2,000萬日圓以上。NHK也發現他的學歷是假報的，京都大學建築科的畢業名冊中沒有他這個人。NHK廣播製作部主任渡邊泰雄等人因而遭行政處分，日本各大報稱之為「住宅評論家騙錢」事件。（以上摘自1986年9月23日《朝日新聞》）

　　去年九月下旬，日本各大報的社會新聞版，以頭條標題報導了一件「住宅評論家騙錢」的新聞。

　　任何社會，任何國家都有騙錢的詐欺犯，同時這位「住宅評論家」騙走的金額也不大（日幣2,000萬圓上下），只因其行騙所借用的「舞台」為NHK（日本放送協會，日本唯一的半公營的廣播公司），再加上它確實有著特殊的社會、文化背景，頗值得我們拿來比較觀察。

　　日本亦與其他先進國家一樣，電視的興起與普及帶給無線電收音機的廣播界重編和創新節目的契機。

　　聽眾或觀眾因其職業的性質或其他客觀條件之差異，有些人的確無法觀賞電視節目，不得不去「遷就」收聽收音機的廣播節目。

　　收音機的不斷改良，特別是小型化與耳機的發達，給愛好收音機的聽眾甚多方便。在類似客觀環境之轉變下，日本的廣播節目中有一種頗受聽眾歡迎的「電話諮商節目」。

　　「電話諮商節目」常談到與日常生活有密切關係的事情，其中住宅方面的資訊特別受到中年以上的上班族和其太座們青睞。

　　NHK的收音機節目「您好！收音機中心」之「電話諮商──有關住宅問題的形形色色」的主持人千代新造就是這次騙局的主角。

　　千代新造著有一本《避免失敗的住宅建築法──徹底防範惡性行商騙術之測定關鍵事項》，還詐稱為「京都大學建築學科畢業，一級建築士」。

　　千代的騙局被拆穿後，不但被警察逮捕，連身為公共機關的NHK和有關人員，也遭到社會輿論批評和追究。NHK當局除透過大眾媒介公開道歉，還將有關幹部減薪，這些自我處罰是後話。

　　這一件騙局，值得我們留意的第一點是，為何NHK的人事當局會那麼輕易地讓千代的假學歷闖關？

　　據我猜想，NHK當局根本不曾詳查千代之履歷，只因其著作上的說明（一般的單行本都列有著者的簡歷）便採用他為節目主持人。

國內的讀者諸賢，看到我下述的日本生活經驗，一定將驚奇而不敢置信。

筆者在日本已有33年，除了第一次投考東京大學大學院時，繳過國內大學的畢業證書以外，迄今不曾被要求提示任何文憑過。對我這個老外都如此，遑論對他們自己日本人了。

一般而言，日本社會是相信履歷片的。因此履歷片常被要求親筆書寫、簽名蓋章以示負責。

日本的公共機關乃至公、私立大學，通常是依據履歷片來處理相關事務的。難怪用履歷片詐欺的人必須承擔「致命」般的社會懲罰。

出事後，千代的著作即刻被出版社主動收回銷毀，這也是社會懲罰之一吧！

我們可以略見端倪的第二點是，NHK在日本社會威信之高。根據我的經驗，日本人比其他國人更信任文字以及出版媒體。以學術出版為主要業務的出版社其出版品之權威更令人瞠目結舌。

受騙的一般市民，先透過千代的著作相信了他，NHK節目主持人的頭銜更使大家不疑有他。

有趣的是，千代詐稱的母校並不是東京大學而是京都大學。由此而看，千代心理上還是有些「怕鬼」。詐稱東大畢業恐怕易出破綻，因為他周到地考慮到東大比較引人注意，較容易被徵信調查。

日本社會不喜歡過多的外籍人士入境定住，這和「官尊民卑」的社會陋習一樣至今難改，其中自有理由。

寫到此，我憶起了美國著名雜誌《財星》（*Fortune*），1982

年8月23日一篇題為「履歷片之做假」（Lies on the Résumé）的小專欄。

作者凱秋（Welter Kiechel III）報導了一些有關美國佬履歷詐稱的趣事。他說，據調查，美國大公司223家之中73家，學歷詐稱有增無減，內有30％說了謊，轉職來的高級幹部履歷有問題的約占15％。公司人事室雖說查證過，但查證得不仔細亦常事。

1981年，捏造麻醉品中毒黑人少年故事而被推舉為普立茲獎（美國的新聞大獎）候選人的珍妮特庫克（Janet Cooke）也有一個假學歷，貪心的她偽造了兩個學位，一來自法薩爾（Vassar），另一來自托雷多大學（University of Toledo），而得以混進華盛頓郵報當「名記者」。可惜「好事多磨」，最後她還是被識破。假故事頓成泡影事小，被開除走路卻使她以「鬧劇」與「失糧」結束整個騙局。

我們是否可以藉日美兩面鏡子來尋出紮實、重建台灣社會心理的康莊大道？

《自立晚報》吳豐山社長＊所著《台灣社會心理改造論》告訴了我們：「美國四流大學售榮譽博士學位，全世界市場中，香港第一，台灣第二。」這事實指出台灣虛浮民性的一斑。我同意吳先生的高見：好大喜功與務虛不實的風氣，一日不改，台灣的全盤現代化是不可能有太多希望和前程的。

本文原刊於《日本文摘》第14期，1987年3月，頁8～9。原總題「美國‧日本‧台灣」

＊ 吳豐山，現任監察院監察委員（第4屆）。

日本往何處去？

　　在日本，我一直用日語、日文來批判日本的近代史，包括日本帝國主義、軍國主義。我認為身為日本近鄰，應該在必要的時候，提出相當的忠告與諍言，因為日本人一旦走錯方向，我們也不好過。所以「知日」確實有其必要性。

　　而且，了解日本有助於我們認識日本。了解日本往何處去，更可以藉此思考台灣的未來。

　　我在日本，透過報章雜誌了解到我們鄉親最近對日本的關切，主要集中在股票上漲、東京地價上漲，以及日圓升值等幾個方面。但是，我們千萬不要只惑於這些表象，而應進一步根據種種與生活息息相關的現象，追究、歸納出極具結構性、原理性的結論。因為，這些現象背後所顯示的意義是：世界各國勢力又開始重新調整了。

美日爭霸‧台灣呢？

　　第一次世界大戰之前，整個世界以英國為核心來維持和平秩序。一次戰後一直到1928年左右，就是世界經濟不景氣、金融大

恐慌那段時期，世界開始以美國為核心來維持和平秩序，這是一個世界史的轉變期。

之後，美國的軍事力慢慢消退，美元貶值。到了1960年代，歐洲以西德與美國、亞太地區則以美國與日本共同維持資本主義世界的秩序，自由世界已不再是由美國獨撐大局。另一方面，日本配合著美國，積極推動經濟成長，的確也有極為顯著的效果。

本來，美國和日本的經濟是互動、互相調整的，但兩國一旦發生利益衝突，美國就逼使日本負擔更多的軍事預算，要求日圓升值，日本因應情勢，也不斷在調整，但結果似乎並不理想。台灣近幾年來的經濟發展，就在這兩大國的調整隙縫裡求得生存，雖然經濟發展頗為快速，但也累積了某些不容忽視的問題。

我每次回到台灣，總要胖個三、四公斤回東京，然後再花一年的時間來減肥。因為我吃太多，卻沒有辦法經過循環消化吸收，一直堆積，堆積的東西如果是墨水的話還好，可是偏偏是油水，油水堆積起來不能消化的時候，我們的身體就會發生毛病。經濟亦是如此。

舉世皆變·求生存

日本經濟之所以比任何國家成功，就是日本經濟始終在循環、流動。從明治維新開始，日本就不讓油水堆積，有效率地運用資本。中國人有錢都買了金子，日本人則全部存到銀行，供政府與大企業運用。當然這個差距主要原因在於長年動盪使中國人不信任政府發行的紙幣。

今天，整個世界局勢在變，日本在變、美國在變，即使蘇聯和中共亦蠢蠢欲動。在此一變動局勢中，日本和美國非常努力地想要消化過度膨脹的總生產力，希望能把油水轉變成墨水。在普遍變動的局勢中，台灣亦應努力思考促進經濟良性循環的良策，不能再任由油水堆積了！

這幾年，不論是台灣、大陸，或是海外的中國人，有一個共同的擔心：

擔心日本會不會再來一個帝國主義？中曾根〔康弘〕為何要到靖國神社去參拜？為什麼文部省要竄改歷史，掩飾南京大屠殺不讓後代知道真相？

結果中共、韓國和台灣一抗議，日本就收斂了許多。尤其，前些日子，中曾根到大陸訪問，一共只待了25個小時，回來以後就不再到靖國神社去參拜；教科書還是改，但只是偷偷摸摸地改，不敢再像過去一樣囂張了。

很顯然地是日本的財界不願和大陸過不去，怕引發中國大陸的學生運動，使中共政權不能順利地推行「四化」的開放性政策，走上經濟現代化之路。

表面上，這一切和日本沒什麼相干，但中曾根首相和日本財界領袖卻擔心中共因此再來一次文化大革命，則日本將無法藉由大陸市場來消化生產力，經濟循環亦無法繼續，對日本資本主義是一項嚴重打擊。

雷根一直是支持國民黨政府的，但是為了選舉他還是必須到大陸訪問。另外，他也希望中國大陸能走上現代化，顯示出美國也需要大陸這個大市場。

　　從這裡我們不難看出，日本和美國急於想要利用大陸市場來消化過多的生產力。

清算歷史・重新做人

　　中曾根大概今年秋天會下台，他當上首相之後曾提出一項很重要的主張，他要為日本戰後40年做個總結，並且要建立日本人的認同感。這裡頭包含了濃厚的火藥味，也就是說，他希望日本人不要老是存有曾經侵略別人的罪惡感，日本人應該挺起胸膛，對過去40年做個清算，然後重新做人。但是重新做人，他又必須面對過去不體面的事實，這是非常難堪、也非常值得同情的事實。

　　歷史教訓並非那麼簡單就可以拋棄，我們還是要面對歷史的事實。在這種情況，他們已經注意到，明治維新剛開始，日本努力向歐洲學習，戰後則一面倒地向美國學。但是現在突然發現，他們已經沒有老師了，所以他需要開始總結。換句話說，他重新奠定日本這個國家和民族在全世界的地位。

　　大家可以看到，最近幾年到日本去，簽證較以前容易取得許多，為何日本突然講起國際化來？這表示他們的生產力已經飽和過度，他們希望和世界每一個國家建立友好的關係，然後繼續來維持他正循環的經濟體制。

本文原刊於《日本文摘》第22期，1987年11月，頁17～19

國際化時代裡青年所扮演的角色

◎ 李尚霖譯

關於用日語陳述

「안녕하십니까」（annyeong hasimunikka，你好嗎？）

韓語的「안녕」，在中國話裡叫「安寧」，發音做「anning」，而在日語裡卻唸「annnei」。總之，有「祝你平安」或「安好」的意思。

剛剛司儀提醒我，請各位翻開手上資料的第9頁（資料2「國際化時代青年之角色」）。大會分配給我的題目是「國際化時代裡青年所扮演的角色」。在東京準備演講稿的時候，我本來準備了兩樣簡單的演講大綱或主要項目，但今天暫且不理這些大綱或項目，重新把內容加以組合來做報告。請看資料2。

資料2：國際化時代青年之角色

1. 21世紀也是「國際化」青年的世紀

①如何詮釋現代？

②東亞從中、日、韓之接近

③如何培育未來的適應力

④從愛因斯坦的〈關於自由〉（1940年）談起

2.從「華僑」的立場思考「在日」的意思

①何謂華僑？

②「韓僑」與「華僑」

③少數族群問題是世界史上、全球性規模的問題

④認知有「他分」的世界與自立之努力

⑤持續審問「在日」內涵之意義何在？

　　所謂的國際化時代，是我們所期盼的今後的世界狀態，但目前我們所居住的日本，即使說得客套一點，也談不上已經是國際化了。我想稍後田所〔竹彥〕先生也會提到同樣的話題，即生活在國際化時代，特別是身為青年的我們，今後應該如何思考、如何行動，這是今天的課題。

　　我之所以刻意不打領帶，以與各位相同的打扮上台說話，是希望大眾能接納我，把我視作夥伴中的一個。青年這個概念，不能一直停留在平均壽命50歲左右的時點。現在平均壽命已經接近80。我今年54歲，雖然小腹微凸，但希望接納我為青年中的一員。

　　我在各位出生的稍早之前，也就是1955年的秋天來到日本。來日本是為了留學。在正式開講之前，先把我個人的定位明確地交代一下。

　　首先，今天我想以同為亞洲人的身分來發言。與會的人士中，有來自遙遠南方的新加坡、泰國，還有我的兒子也來了，所

以也有來自台灣的參加者。可是我認為台灣也是中國的一部分，因此也可以說有來自中國的參加者。此外，還有日本的年輕朋友，以及田所先生，再加上韓國的先生們與年輕朋友們。因此，我首先想確認，我們今天生活在身為亞洲人的某種共同結構之中，明天也勢必將生活在這樣的結構中。另外，我是出生在台灣的中國人。年輕的諸位沒有殖民地體驗。也沒有戰爭體驗。但是韓國人非常不幸，可由韓戰這同一民族的悲劇性的戰爭中，直接或間接地體驗何謂戰爭。因為這個緣故，說不定各位內心中留有深刻且悲傷的傷痕。

　　暫且不論此事，台灣比各位的父祖之國韓國、朝鮮半島早14年，就先被日本帝國主義給殖民地化。自殖民地解放後，為取回我們自己生而為人的歷史、取回自己的文化、取回自己的語言、取回自己的名字，當然隨之產生許許多多的營為。這些發諸於人的行為，可說與各位的父母、爺爺、奶奶的體驗與痛苦是共通的。

　　接下來要提及私事，有點不好意思，我私下把兩本自己的著作陳列在「青年之船」上。

　　接下來，我打算要說的，內容是綜合自這二本隨筆集與聽了各位老師演講的感想。

　　《台灣與台灣人》這本書，總之，是我身為台灣人在日本殖民地化、殖民地經驗之後，思考如何將自己取回生而為人的自己的行為、如何向自己的同胞鼓吹。更重要的是，以日語這過去被強迫習得的語言述說這樣的事，並不是因為認同「日本」價值本身，而是將「日本」、「日語」手段化，當作道具使用。面對過

去的「敵人」，我以曾是「敵人」的統治民族、日本民族的日語述說自己，以日語陳述自己與「敵人」的關係。這是非常重要的一件事。

但是，今天或明天以後，我們必須將這「敵人」變成我們的友人。因此，我們必須一邊試著改變我們的意識，一面催促「敵人」也進行意識的變革。因此，這項工作成了共同作業。

但是，在歷史上、心理上，日語本身在過去曾是我們的「敵人」。將「敵人」硬塞給我們的語言反過來手段化，並且運用來告發我們自己，同時也告發「敵人」，藉此展望明日。這樣的行動非常辛苦，並且是件困難的工作。

我另一個立場是所謂華僑的立場。請容我稍微說明一下華僑是什麼。華僑是指保有自己原有的國籍，長期居住在國外謀生，在外國生存，為生活而奮戰的中國人。大家都是中國國籍，在韓語裡聽說好像有「海外同胞」的說法，以中國話的表現方式，則是「韓僑」，即韓國的僑民。我另一個立場，便是身為一名這樣的華僑。我在日本待了30年，寫成《華僑》一書時，大概在日本待了第25年左右吧！這樣的生活，這樣身為華僑的生活，對我而言，是另一種行為。

要之，不管是各位的存在還是我的存在，都處於同一狀況。若以世界史的規模推而論之，我想無論是美國的日系美國人、韓國系美國人，還是華人系美國人，都可說處於同一狀況。再者，被烏干達的前總統阿敏（Idi Amin Dada）逐離非洲的人，被貼上非洲印度系人、英籍亞洲人的標籤，這些人事實上在世界史中，存在於與我們相同的結構之中。因此無論是華僑、韓僑、海外日

裔，還是印僑的存在，我全以世界史的角度來理解。在我們自己
思考日本帝國主義與我們存在的關係的同時，在世界史上的近代
成立之後，像我們這般境遇的人，實際上不只華僑、韓僑，以及
在美的日裔美國人，也包含很多印僑、在外印裔。如果進而回溯
的話，我認為也可將猶太人的問題包含在內。猶太人的問題歷史
相當久遠。對這樣的問題，昨天洪〔炯圭〕先生精采的演講給了
我許多啟示。今天，我想就這種有機且結構性的各項關聯，提出
我個人的看法。

　　我這一本名為「華僑」的書，正是記錄身在國外，一面保有
自己國籍，一面堅守自己的民族性，試著摸索創造出一種關係，
可以讓自己活的像個人，並在生活的過程中與定居的國家及其社
會建構正確的關係，可以共同分享明天，且相互談論光明、幸福
的明天。這本書不是專門、學術性的書。若有能供各位參考之
處，是我的榮幸。在某種意義上，是將我身為華僑的生活方式，
是我對於個人，以及我的小孩、夥伴，擴而言之與我相同境遇的
人們，以日語將我赤裸裸的思想營為與行為書寫下來，並在日本
出版的一本書。

關於國際青年年的主題

　　接著，請翻開《羅針盤》的第6頁（資料3「何謂『國際青
年』年」）。《羅針盤》編得非常好。執行委員會的各位非常努
力，值得大力稱讚。洪先生也讚譽有加，所有的人都很有禮貌且
非常周到、傑出。我建議各位首先深讀這本《羅針盤》。我讀了

內文簡介，讓人感受到從執行委員長開始，每一位工作人員都殷望整本書能夠成為指南針。因此，我希望各位做為未來的領航者、領導者，今後能好好地活躍。權同學們與各位相比，好像不過是高一、二屆的學長，現在想想我個人是否有能力在這《羅針盤》中打入一根釘〔譯註：做叮嚀意〕，不禁湧起疑問，覺得有些臉紅。

　　暫且不管這件事，第6頁（資料3「何謂『國際青年』年」）整理得很好。這裡彙整了何謂國際青年及國際青年年的三個主題、青年年的目的等。

資料3：何謂國際青年年

1976年所召開的第34次聯合國總會決定訂1985年為「國際青年年」（International Youth Year，IYY）。

聯合國內，許多關心政治、社會、文化等範疇問題之國家，訂定國際青年年的目的在於針對應該優先解決的全球性問題，謀求以國際性的合作處理予以解決。國際青年年相當於一種國際年。

國際青年年旨在謀求提高、改善人們對青年所處狀況的關心，同時促進青年積極參與社會發展為宗旨而設立，並以參與、開發、和平為主題。

國際青年年的主題

「參與」Participation

深化青年身為社會一分子對社會的關心或關係，以促使青年扮

演社會中積極之角色。

「開發」Development

在促使青年培育自我人格成長，提高個人能力的同時，也能貢獻地方和國家的發展。

「和平」Peace

促使青年透過國際交流、國際合作，加深彼此的理解，為和平做出貢獻。

青年年的目的

①提高關於青年所處的狀況以及青年權利和希望之認識

②整備青年有關之政策和事業

③促進青年及青年團積極參與社會

④推廣青年之間相互之尊敬、理解，以及對和平之認識

關於這些，首先表達我個人的看法。

事實上，在日本國際青年年的活動中，我應邀擔任講師，首先參加的是神戶青年商工會議所主辦的國際研討會。那時，神戶青年商工會議所的會長是游先生，他出身台灣，中國籍，很年輕。當然，我那時對他還不認識，但是拜託我擔任講師的是副會長，他是日本人。我去了才恍然大悟，原來日本青年商工會議所，神戶的青年商工會議所選出的會長，是出身台灣的中國籍青年。知道後我非常高興。高興的不是自己的同胞、後輩被選為會長，而是藉此得以確認這30年來日本的國際化一點一滴地在進步，雖然其速度沒有我們期待得快。

　　諸位在日南韓、北韓人青年的努力亦功不可沒，日本逐漸進步，很高興能獲知其成果之一。

　　在這層意義下，這次國際青年年的相關活動中，能夠參加韓國青年的各位所主辦的場次，我不只高興，也非常感謝。

　　若前往紐約的聯合國大廈，我去過大約兩次。那裡呈現著我們人類所應擁有的理念與理想。這理想之實現尚遙遙無期，我始終覺得因這樣的事實而黯然神傷。即使說到國際青年年的主題，首先，「參與」、「開發」、「和平」，這三個主題一定是有勝於無。而想起你們邀請我來擔任講師，聯合國這體制，畢竟也是有比沒有好。近幾年日本非常危險時的動向之一環，乃是有些人批判戰後的民主主義，認為戰後民主主義只是虛構或是虛妄的。我不是不擔心，在現在處於反戰後的活動極端強烈的時期，我若妄自批判聯合國的體制，到底會不會就此陷入「反戰後」的漩渦中？但是，在這裡我想堅決地表示，希望大家同時具備期許聯合國更上層樓的認識與重新提問的態度。對目前為止的聯合國的體制，只概括承受是不行的。

　　其次，關於這三個主題，如果我們只是稍作思索，「參與」兩字真是美麗的用語。但是在場的各位，有九成的人每天都為了自己的生存、生活奮鬥。到底這個詞語如何與各位產生直接關聯？雖說參與，但哪裡有管道？令人想稍微停下腳步來思考。

　　接下來是「開發」。其中我最中意的部分是自我開發。洪先生昨天指出，自我認同極為重要，我們要決定自己的座標軸，活著像個人，這是我個人整理、吸收洪先生的看法所得出的。在此一意義下自我開發，指的是提升自己的水準，在這方面，我想坦

率地接受此一用語。

　　但是，這也讓我想起，在許多開發的用語背後，隱藏著很多不好的經驗，只要冠上開發兩字，似乎都是好的且具有正面價值，不過至少日本在過去五年以前，類似的講法曾蠱惑我們。但是，我們漸漸注意到，希望大家留意，開發並不全是好事，開發並非全會為我們帶來幸福。我希望大家在態度上，應該留意伴隨開發而來的破壞和公害。因此我們要思考，目前的情況，如何由破壞均衡的開發，重組變成維持均衡、具有長期展望的開發。在這樣的意義下，再一次重新呼籲，對這個主題，我們似乎必須以自己的方式深入探討。

　　接著是和平。說到和平，各位的國家分裂成兩個國家。台灣也和中國大陸分離，長期以來，飽嘗民族「生離」的悲劇性對立。事實上，我們必須向各位學習。各位在嚴峻的南北對立中，雖然尚並不完全，但最近終於實現近親間的相互訪問。如果問起我們台灣是否也已辦到？答案是尚未能如此。這實在令人感傷。因此，我說我們必須好好向各位學習的意思便在於此。從事政治的人，腦筋大多很死，令人頭痛。因此，我們庶民不發出聲音不行。和平問題或反核的問題，是嚴峻的問題。我們每個人都必須清楚地明白，以為我們能倖免於核子戰爭危機的這種天真的想法是要不得的。

　　但是，現在「商品」充斥的經濟至上主義威力十足，讓人們麻痺。特別是年輕的各位，是被速食食品、自動販賣機、可口可樂、罐裝咖啡等餵養大的。只要把錢投進機器裡，東西就會出來。在這種狀況下，會讓我們產生「和平、核子戰爭？與我無關

吧！反正生活也沒什麼不便的」之類的情境，讓我們在不知不覺間自我麻痺。在這層意義上，這主題可說為我們敲起一記警鐘。我大致認為這也算給了我們一起思考的契機，應該以何種方式面對和平這議題？雖然我們力量微小。

因此，各位，讓我們放眼全世界，這確實是聯合國事務總長所發表的數字，1979年以美金計算，全球的軍事費總計4,500億美元。而第三世界，特別是非洲，卻因為饑荒而民不聊生。我們可以透過各種媒體知道這種狀況。一方面，製造了大量備而不用的武器；另一方面，又對飢餓視而不見，一再呈現人類的愚蠢。最近的數字，1985年的全年支出〔譯註：全球軍事費總計〕是一兆美元，成長了一倍。只過了五年多的時間而已。我想強調，我們是否一直在做一些愚不可及的事呢？

何謂真正的國際化時代、資訊化時代

美麗的詞語在各方闊步而行，例如國際化時代、資訊化時代。然而，我們身處資訊化時代，真的能夠充分地得到資訊、活用資訊嗎？身處國際化時代，我們是否已建構了得以充分參與的主體，並得到且共享可供參與的管道？我覺得很遺憾，答案是無法辦到。雖然無法辦到，但原因何在？我們正是為了發現這原因，所以一起搭上這條船的。

非常抱歉，一開始便給各位潑了冷水。權〔清志〕委員長希望各位與講師們「吵架」。因此，我毅然對包含執行委員在內的各位，發出挑戰宣言。我們不可做詞語的奴隸，不可自我沉醉在

詞語之中！我們不可在詞語的束縛中束手就擒！必須看穿美麗詞語背後所隱藏的東西！我們必須努力，不可一直當奴隸。

　　接下來進入下一個話題。我們是不是一直沉溺在《Friday》、《Focus》等雜誌所寫的社會、文化狀況下，一直自願被欺瞞？我們產生一種錯覺，以為透過這些膚淺的雜誌，可以看到事情真相。另一方面，傳統正經八百的論壇雜誌，卻又銷路不佳。岩波書店叫苦連天，中央公論也常處於危機之中，時代潮流變得艱辛異常。雖然身處資訊化時代，但事實上，對我們庶民而言，一般來說，正經的資訊往往傳達不到。我覺得我們生活在一種幻覺之中。雖然覺得我們全都看到了，但事實上是看不到。看到的都是無關緊要的部分。

　　各位在讀了《Friday》、《Focus》後，大多會說「原來如此、原來如此」，然後就丟掉。這些雜誌是大眾消費時代的某種媒體產物。或許也有人會帶回家。若這些雜誌只要繼續是一種遊戲、一種消耗品，也就罷了。不過我認為可以預見在遊戲與消費取代正業與生產時，似乎有什麼變化正侵襲這世界。對各位而言，感覺上只如同被丟掉的啤酒和冰咖啡的飲料罐。時代已演變成如此。因此，我想身處這樣的資訊化時代，我們必須看穿這種似見未見的幻覺狀況，試著改革社會，以符合真正資訊化時代的模樣不可。

　　所謂的國際化，在現行管理體制中看似人人得以參與，實際上是辦不到。況且我們人在國外，身處多重束縛、被管理的狀態中，重新思考如何正面突破才是真正的重大課題。

命運上的自我認同

　　讓我們先回想昨天洪先生所說的，要之，便是如何建構自我認同的問題。如果要把這問題連結到執行委員的先進們所擬定的討論計畫上，首先，我想確認一件事，來到這會場的人，包括我兒子在內，大家並非因為想出生當北韓人、南韓人，才來到這個世上。我們不管是誰，在出生前都無法選擇自己的雙親。日本人也一樣，猶太人也相同，世界所有的人類都如此。但妻子是有選擇的可能性，只要對方不拒絕的話。說不定，這艘船上，明天，或者說到14日為止，在各位之中，可能就會產生令人稱羨的情侶。但是，先決條件是對方不拒絕。與此同時，各位之中，也可以自由選擇自己丈夫。但是，也必須男性說OK才行。

　　再者，選擇國籍一事，在二戰結束後，由於《世界人權宣言》的宣布而變得很普通。但是我們並未因此便被賦予選擇父母的權利，也永遠不可能得到這樣的權利。新的自然科學說不定能夠創造出生命，但我反對這方面的嘗試。在這裡我們還是不要議論試管嬰兒的問題吧！我們一般都是父母愛的結晶，在與我們意志無關下出生的。這是不管古今中外，人類不變的命運。我認為這是所謂的宿命，是命運上的自我認同。我們要先確認，所有人的人生第一步，都只能由這裡開始。

　　然而，遺憾的是，多數人都試圖逃避這樣的宿命。在各位之中恐怕也有這種人。我們若將艾利克生有名的「自我認同危機（identity crisis）理論」與自己的日常生活相互對照，便可思考很多事情。做為現實的問題，我所屬的東京華僑社會之中，也產

生一些悲劇。愈是感受力敏銳的優秀青少年，問題愈嚴重。雙親欠缺「教養」、不合理且錯誤的對應，將會造成悲劇性的結果。

有某位非常優秀的年輕華僑女孩子，她擁有非常敏銳的感受力。在她由國中升上高中時，哭著逼問父母說「為何把我生成中國人？」父母無言以對，只有淚流滿面，不知道如何回答是好。因此請我過去。各位當中，回憶過去，恐怕也有類似的經驗吧！然而，重要的是如何超越這種心結。但是往往移民第一代、二代的父母，都回答不出來。這是因為忙於生活，因此不像我們有時間，能夠在大學好好地念心理學，悠哉地讀書。在為生活奔波之中，如果被孩子們那樣逼問時，被孩子質疑「我不想成為中國人」時，該如何應對呢？

我對自己的小孩這樣說：「爸爸、媽媽也無法選擇爺爺、奶奶。」我們也並非因為想要生在台灣而在台灣出生。我並非是為了想成為中國人而出生，也並非是為了想出生在日本殖民地下的台灣而出生，都不是，是因為宿命而出生。由正視並全盤接受這樣的宿命，以這宿命為原點，將錯就錯之後再想辦法開拓自己的道路，這是人生的課題。這是我們的主題，逃避的話會變怎樣？愈逃避只會愈淒慘。我可不想變得淒慘！

很遺憾，我還沒有機會造訪韓國，近期內無論如何都想去一趟。韓國比我們更為重視儒教。可以的話，我也希望孝順父母。但是這裡所提出的問題，已不是儒教式的思考、對應方式可以處理的。「絕對服從父母所說的事」、「父母所說的，不需要理由便是絕對真理」，如此的想法已行不通。我們面對的是一個新時代。因此做父母的生下小孩後，必須負起對小孩的責任，讓小孩

成人、具備世界的常識，能夠獨當一面後送他們進入社會。這之後，小孩自己必須超越父母。因此，孝順父母、重視父母，是身而為人的一項重責大任。

為了非洲的貧窮、為了非洲人，我們都會捐一些錢，因此我們更不應該拋棄自己的父母！

我們的愛，要超越只有以垂直關係的愛為中心的時期，再將之擴展成橫向的愛。在這樣的過程中，我認為應該擴展我們愛的行動，在認識層面上應該擴展至具備人類愛的普遍妥當性。之後，再一次回過頭來審視自己與父母的關係。我正在摸索這樣的方法和步驟。

因此，我們不可逃避命運上的自我認同。命運無從選擇，所以我們要理解，命運是必須接受並超越的實體。除此之外，國籍、妻子、丈夫，都是可以選擇的。當然，我認為也必須在充分意識後才做具主體性的選擇。因此我認為，國際青年年的第二主題開發這一部分的自我開發與自我有關的私人部分，主旨在於為了做選擇，如何鍛鍊自己具有選擇主體性的見識，以及如何鍛鍊自己。

國籍與民族

在此一意義下，以我為例的話，我向來將國籍問題與民族問題分開來思考，我寫的東西也是在這樣的邏輯脈絡下寫成的。但似乎有一部分學有專精但古板的舊世代傳統中國人不太高興。但是，身為研究者與知識分子，我有我的社會使命感。或許我是異

端，或許我沒常識。但如果說知識分子的使命在突破常識的這種說法正確的話，一時之間，我或許會當一個異類分子來挑戰正統。透過提出異議，創造對新事物的新想法、思考方式。幸好最近愈來愈多人可以接受我以這種方式提出問題。

　　美國的華僑目前急於走向華人化之路。所謂的華人化，要之便是脫離中國的國籍，成為華人系美國人。不是在美中國人，而是華人系美國人。不管怎麼說，在英語文法中，「美國人」一詞是放在語尾。拿日語類似的例子來說明的話，日裔美國人是Japanese American，以日本國籍居留美國的日本人則是American Japanese。重新選擇以美國為國籍，就是所謂的「美籍華人」化之路。但是，只因為說選擇國籍，人就會瞬間改變嗎？抑或可以改變嗎？一般來說，是無法改變！

　　美國也有與「歸化」有關的書面審查。這個制度除了會因出身地而有分配額不同之外，手續上與日本相較起來算是很簡單，似乎不像日本般的囉唆。例如，你在今天宣誓，便可成為美國公民（citizen），取得美國國籍。即便他到昨天之前都還是韓國籍的韓國人、韓僑，是各位在美國的同胞。或者是到昨天為止都擁有中國籍的華僑，擁有日本國籍的在美日本人。然而，以今日為期，從明天開始，皆變成華人系美國人、日裔美國人、韓裔美國人。這時，同一個人他的本性會突然改變嗎？我想是不會變的！

　　昨天洪先生也曾說過，在洪先生針對自己民族嚴厲地自我批判的言詞中，對於韓國也與日本一樣是單一民族國家這個神話做了批判。就我所見，日本確實是神話，朝鮮半島我則不清楚。這是我的用功不足。單一民族國家究竟是不是神話？只是我以前就

注意到，朝鮮半島為何沒有少數族群、少數民族的存在？這是怎麼回事？

事實上，近代的國家概念與國籍這東西，是法國大革命後的產物，並非超歷史的概念。指導近代國家成立的優勢民族，特別是他們的指導層，按自己的方便，決定國民的涵蓋範圍，更為了決定人的等級制定國籍，透過國籍法來區分、自己國民和其他的人，試圖統治。

因此，以英國的國籍法的為例。我們可以看到國民種類很多。由聯邦（commonwealth）到英國臣民（British subject），種類繁多。這些分別，內容上的差異主要都在於與女王的君臣關係上的等級差異，只能說是契約關係。

各位想選擇這樣的國籍嗎？不，我們主張主權在民，我們想要主權！理想的國籍，形式上要讓人確立主權、並能行使主權的形式，這樣的國籍我們才想要。因此重新審視何謂國籍、何謂國家的時期似乎到來了！我們到目前為止，都有將國家與民族放在同一層次思考的不良傾向。國家概念，尤其是被「國家」一詞所束縛。我們被國家束縛著。如果說實話，說不定主辦單位會生氣；然而，雖然說我不知道自己所說的是否正確，既然來了，就想挑戰各位。我們還是要突破常識，如果不接觸歧異，我為何而來？各位請我來是為了什麼？只是打個招呼，說聲「안녕」（你好嗎），然後喝一杯，之後說再見。這種作法還是算了吧！

克服不良的民族主義

　　如此一來，在我的想法裡，所謂的國家原本便是虛構、是人造的產物。法律也是人類製造出來的東西。但所謂的民族、人則是一種悠久的存在，也是一種有機的存在。民族是透過種種的歷史進程創造出來的產物，我們的祖先透過悠久的歷史，才創造出朝鮮民族，或者漢民族等。而現在，我們則有中華民族這一概念。

　　所謂日本民族的概念是什麼時候出現的？若各位仔細閱讀日本文學作品的話就可明白。日本人這個概念，如果我的理解沒錯的話，此概念的成形約在明治10年（1877）以後。在這之前，只有長州人、薩摩人、信州人等意識。原本所謂的州，完全與漢語的「國」相通，州便是當時的國。透過明治維新所創造的明治國家，日本才打破州的境界，變成了國，轉變為近代國家的日本，因而掀起征韓論、「征台之役」、「甲午戰爭」等。在這過程，日本人、日本民族這樣的概念逐漸明確地被建構出來。史實正是如此。因此，我們所面對的民族主義，可以如此定義為：為了重新主張自己的歷史、民族的歷史，以及民族的尊嚴，奪回被奪走的東西，我們主張新的民族主義，並為此奮戰。只要限定在這層意義上，我們的民族主義便具備有效且持久的生命力。

　　日本的民族主義，最初乃為對抗歐美列強而起，擁有其正當性。但是對外的侵略卻成了墮落的契機，最後在廣島與長崎吃了二顆原子彈而瓦解，導致現在的日本年輕人對民族主義過敏。然而，保守派的日本人，似乎試圖再創造或者再生新的日本人意

識。接下來我想將焦點放在他們主張的內容與動向上。

　　過去為了對抗歐洲的外來壓力有必要提倡民族主義，為了取消不平等條約，有必要倡導和主張民族主義。但是，在那之後情況急轉直下，轉化成侵略我們亞洲的民族主義，因此我們對日本向右傾斜以及錯誤的民族主義，應該加以彈劾和抗議。日本有良知的青年只要聽到日本的民族主義，可以說便感到一陣寒意。但光是不寒而慄只會導致維持現狀，說不定反而退步，不具生產性。然而，我們也不敢保證，我們這一方的民族主義，在某天不會轉化成戰前日本式的民族主義，轉變成侵略別人的民族主義。

　　我是中國人。坦白說，中國10億人口，若加上台灣的2,000萬人，如果這10億2,000萬人所主張的民族主義忘卻了民族主義的初衷，忘卻了具備國際性義務、貢獻普遍的妥當性的人類愛，將是非常可怕的事。一旦轉化成傲慢的民族主義，轉化成日本在戰爭時或是甲午戰爭後的民族主義型態時，我便打算起而與中國戰鬥。我們不歡迎這種負面的民族主義。要讓我們的民族主義更有益，必須積極正面地利用。同時，在與日本的關聯上，洪先生曾強調，「不用說了，已同樣經過36年〔譯註：韓國受日本殖民36年之久〕了。」然而，洪先生的說法很巧妙，沒有半句惡言。但是洪先生並沒有說不能批判。當然我們不需要口出惡言，但應當批判。我們可以原諒，但不能忘卻，因此我們才研究歷史。我們努力讓歷史的教訓成為共同的遺產。我們指出日本的歷史教科書、社會科教科書的錯誤，並不是因為想要干涉內政，只是為了促成共有歷史的教訓，只是為了共同邁向光明的未來所做的異議申訴。除此之外別無他意，希望有良知的日本人能夠理解。

　　侵略這件事是雙方面的問題，除了是被侵略者的問題外，也是侵略一方的問題。我們過去曾遭受侵略，因此為了不再被侵略，我們要站起來並變強，擁有抵抗力。因此，我主張我們必須在個人層次確立自我認同，同時在民族層次也必須確立族群認同和民族認同。

　　如果日本的各位是在不知不覺中、是在焦躁難安之際被捲入時代的負面風潮中，那麼這筆新的帳單會轉而要我們買單。日本的各位老師以及有識之士，年輕的朋友們我想說請努力吧！為了亞洲的和平也好，為了世界的和平也罷，我們必須攜手合作，共同努力。國際化不正是為了達成這個目標？如果只為了保護自己，那層次真的太低。不能如此，我要與各位共同呼籲，放大格局，提高層次！

日本國際化的條件

　　雖然有點離題，我們再回到剛才的主題，即變更國籍一事，例如，即使選擇美國國籍，事實上也並非從第二天開始便不再是日本人、中國人、韓國人。美國人理解這一點，因此不做任何要求。日本則因為明治維新以來單一民族國家的神話還活著，要求或者請求人們立刻變成日本人。因此要求改掉姓名、最好要改……政府當局以形形色色的「善意」勸說，例如，警告人們若不改姓名的話，小孩會遭受許多社會歧視。由於我沒有歸化日籍，所以不清楚狀況。這完全都是聽來的。

　　另一方面，日本的學者們出了很多書，提及在美日裔美國人

戰時被送進強制收容所，遭遇悲慘萬分，告發美國的不人道。但是提到這些問題的日本學者，幾乎沒有人思考和研究，將自己同伴的境遇，也就是入了美國籍的日本人或者在美日本人所遭逢的境遇，與幾乎同一時代的在日南韓人、北韓人的遭遇互相比較和對照。如果有這樣的書，請告訴我。很遺憾，事實上目前是沒有。

　　日本的學者們如同洪先生所說般，似乎非常不擅長處理在人類共同體的相互關聯中、在世界史之中、在與亞洲的關聯中摸索我們生而為人共同擁有的今日課題，以及更進一步的未來的課題。我認為問題有二：第一，源自於太過認真。如同丸山真男老師所說的，日本人善挖小小的章魚陶罐──拘泥於一點，洋洋自得，如果問題擴大，碰觸到全人類、全世界、全亞洲的格局就束手無策。另一點，我想是源自於日本人的性情和習性，東西發臭只要蓋上蓋子就好，日本人這種美學意識特別強烈。若無其事悄悄解決事情，或者說調解才合他們的個性。以善意解釋的話便如同上述。

　　我並不打算在這裡討論日本論、日本人論。只是，在提到國際化時代到來云云之時，我認為包含在日亞洲人的問題、韓國人朝鮮人問題、中國人問題，以及琉球和愛奴等少數民族、未解放部落等問題，日本人的各位能充分地理解這些問題是自己的內部問題之一，在同時代裡，相同精神之中能完全把握的狀況來臨時，才能開始說日本的國際化有某種程度的成功。目前，雖然稍嫌嚴厲，但我覺得日本的狀況距離達成目標還遙遙無期。

　　我打算在日本真正國際化之時，才是認真思考是否選擇日本

國籍的時候。我深信在環境還沒改善之時，身為「在日」的歷史研究者，為圖一時方便選擇日本國籍乃是邪妄之舉，也侮辱了具有良知的日本友人。以台灣為中心探討近代中日關係史是我的研究題目之一，這題目背負著歷史的包袱。我以所謂的「可恕不可忘」自我期許。我真心地認為，過去可以原諒但不能忘記，這也是我的立場。我認為應該要原諒，然後創造新的關係，也有創造的必要！

然而很多日本人說「請忘了吧」，而不是「請原諒吧」。「那種事早些付諸流水吧」才是一般的心情。這中間有認知的落差。連那善意的日本人都想把寬恕與忘卻在同一個層次做處理，真令人感到驚訝。

選美國國籍我倒無所謂，但選日本國籍，就要稍微想一下。或許有些日本先生們會誤解我這番話，說：「不管怎麼說，中國人、韓國人都是事大主義，因為美國比較大所以選美國。」我們之中或許也有類似的人，但希望大家理解事情不只如此。不思考韓國、中國與日本的近代關係史的心理投影因素，將無從理解這種心態。一般而言，自己的世代辦不到，接下來的世代如果日本更國際化，民主主義變得更穩固的話，情況自然而然會改變。

再者，美國當然有人種歧視，然而美國還是主權在民的國家。我雖然想為日本戰後的民主化做某種程度的評價，但日本主權在民的意識依舊薄弱，例如歸化日籍必須更改姓名。所謂的名字是人格權的象徵，是個人的權利。抹殺這權利，等於是叫人切掉雙手，可以說是主權在民意識薄弱的一種象徵。例如愛因斯坦（Albert Einstein）這名字原意是「一塊石頭」，這是猶太

人不幸歷史的如實陳述；季辛吉也是猶太系的名字；艾森豪（D. D. Eisenhower）是德國系的名字；夏威夷的州長，日裔美國人的Ariyoshi，日本原名是「有吉」；美國加州選出來的前參議院議員Hayakawa先生曾在岩波書店出版與語言學有關的書，他的日本原姓是「早川」。但不管是有吉先生或早川先生，他們效忠日本的天皇制嗎？雖說我沒有問過本人不大清楚，但我想即使是現在的日本憲法，他們也不可能效忠。我認為他們不會。即使在歷史上、文化上、血緣的意義上他們是日本人，但在政治上、法律上，他們是做為一個良好的美國公民實實在在地過日子。因此，美國的憲法、星條旗才是他們效忠的對象。這兩者並不矛盾。美國的社會可以讓人留下自己原來的姓氏選擇美國國籍，這才是本來應有的樣態。

糟糕的是，日本的領導者層無法理解這種邏輯。提倡國際化云云的同時，卻又不去理解這種邏輯，尤其令人遺憾。為何日本國民不能姓「金」呢？應該沒什麼不好的，在古代便有，一直到明治維新後不久，日本都還有人姓金。日本的學者有很多來自朝鮮半島、中國，這是歷史的事實。明治維新以後，在近代民族國家形成的過程中，我們也同時目睹日本民族主義的形成。隨著民族主義的發展，日本漸漸產生褊狹化的變化。日本親自以壓路機將自己原有的國際性格碾碎，並與日本軍國主義黏連，最終可說招來了兩顆原子彈。以上是我的看法。

美國這強國、美國這社會，並非全是好的。日本的治安比較好，在很多意義上，日本的社會也比較穩定，有許多優點。但是，主權在民的觀念尚未充分紮根，對外國人而言，日本更是不

易生活的褊狹社會，這類的事，大家也天天都可體驗到。

　　我提倡應該在切割國籍與民族籍的形式下，讓國家與民族兩者共存。我個人期待，在我們每個人的內心能讓兩者和平共存的那一天早日到來。我在理想上期待如同有吉先生、早川先生一般，潛在地保有民族籍，同時希望能以一個優良美國公民、美國國籍擁有者的身分生活其中，希望能確立這樣的生活型態。因此，我重新找出「indianness」一詞，要言之，倡導美國原住民意識高揚運動與自覺運動的過程所產生的這個語詞，創造了「Chineseness」（中華人特質）一語，用來表示華人的特性。亦即，其意味著中華民族成員本來具有做為民族的屬性，其中包含共通的信仰、語言、思考模式、生活型態等諸多文化上的性格。這些特質本來與國籍無直接關係，在美國表現出來亦無所謂。美國盛行不同「民族」的傳統祭典，美國的白人也欣喜地接納了亞洲人的祭典。我期待日本有朝一日也能演變至相同的境界，因為唯有不壓抑民族擁有的文化性格，始能創造出更豐富的社會生活。居留日本的外國人發展自我特性，對日本社會並無負面影響，應該反而能帶來正面的影響。

極具個性者才能聯想到普遍

　　最後，我們為人處世之時，應該首先確認的身分是：身為地球人、人類共同體及亞洲的一員，如何辨明個人的座標軸，自己的自我認同也與之有關，亦是一個課題。愛因斯坦的《愛因斯坦晚年文集》〔《晚年に想う》〕（講談社文庫）便是如此。請各

位務必閱讀該書的〈關於自由〉。這是1940年的論文。大家都知道愛因斯坦吧，他是出身德國的猶太人，一直在普林斯頓大學任教。這論文最初似乎是用德文寫的，之後翻譯成英語，再翻譯成日語，最後收錄在這本散文集裡。無須贅言，愛因斯坦是有名的物理學者，但他不僅是物理學者，他以物理學者的身分、以世界級學者的身分與德國的法西斯主義戰鬥，他關注的問題不只是猶太人問題，對黑人問題也毫無顧忌的發言。

〈關於自由〉是富含精髓的一篇隨筆散文，或許有點難，不反覆讀幾遍可能無法徹底了解。孜孜不倦地重讀三、四遍則一定能完全了解。請各位將猶太人問題與昨天洪先生所說的問題互相對照，試著尋找未來的出路。在此特別地介紹一下我對〈關於自由〉這篇文章的讀法，做為我今天演講的結尾。

愛因斯坦如此說道，對發明、創造而言，自由是不可或缺的。所謂自由首先必須得到法律的保障，但僅只如此是不夠的。自由也需要社會的寬容精神，亦即需要有能接納自由的地方。他進而強調，除了這些「外在的自由」還需要「內在的自由」相應。他斷言，思想之所以能獨立於權威或者社會偏見等的制約，獨立於非哲學的刻板思考模式與一般習慣，仍源自於精神上的這種自由，亦即人的「內在自由」。

這是與昨天洪先生所說的建構自己的自我認同有關的重要課題。愛因斯坦如此說：「先天上，一開始便被賦予自由的人極為少數。由於極為少數，所以需要努力。在自己的內心中，極力地創造思考的自由，千錘百鍊，必須將其視為努力的目標、做為崇高的課題。」我們可以指出，愛因斯坦所說的話，與洪先生所說

的自我認同，完全地一致。客觀、社會性的「外在自由」的保障是理所當然。而我們也應該努力不懈地發展相應的自己的「內在自由」。

　　說不定10年、15年後，日本社會極度國際化，我們不再受人歧視的時代將來臨。各位，我曾說過，所謂的「現代」有著讓人逐漸看不見的狀況。不管是各位還是我個人都受到歧視。由於被排擠位居邊緣之故，反而在某種層面看到一些東西。因此，今天我們在這裡集合，互相討論也樂意討論。但是，15年後，如果愛因斯坦所說的外在的法律條件完備，日本的社會也演變成「啊！韓國人、中國人，以前清國奴、支那人等稱呼早已廢棄。歡迎、歡迎！大家一起和睦相處吧」，這時，如果反而變成「那麼我在哪裡？我無法看到自己！自我消失了」就糟了。這時，在自己體內若不確保自我、自己內心的自由、創造的自由、思考的自由，不確保剛剛我所說的諸如韓國人特質（Koreaness）或是中華人特質之類的，在文化、社會、歷史層面上與自己的民族性、血緣息息相關的正面部分，將之視為自己獨特的個性，並且必須透過徹底發揮個性，以和世界、人類的普遍性連結。沒有個性的人，也不具普遍性。我們不能成為其他多數人中的一人，亦即以one of them的身分沉沒海底。必須鍛鍊、造就自己，不要成為無論何處都無形無影之人。

　　這次旅行中，各位為我們表演民族舞蹈，那是優美且擁有韓國・朝鮮獨特性的舞蹈，廣受世界的好評。與其他多數無關，因此具有個性所以才能夠具有普遍性。不管是各位還是我，我們真的要鞏固自我認同，才能具備優異的主體性，讓我們彼此加油

吧！我們的努力，可以讓日本變得更好，讓亞洲變得更好！而為證明我們具備這樣的自信，我們絕不可在歷史恩怨上打轉，向日本的友人發牢騷或抱怨。要活在當下，與日本人一起生活，並且希望能與日本的有良知之士努力思考、行動，共同營造光明的未來。

透過更加發展自己的獨特性，發展成普遍性、世界性，然後貢獻全世界、全人類。我們畢竟是客人的身分住在這裡，給許多日本友人添了麻煩。因此，我們也要貢獻日本，要報恩！我希望大家以這種方式過每一天，也應該以這種方式生活。同時，我希望大家一起努力，追求一個能讓我們安身立命的日本社會，實現應當如此的理想社會。

講了這麼久，不好意思，감사합니다（kamsa hamunida，謝謝）！

本文原刊於《'85「青年の船」報告書——新しき水平に向けて》，東京：在日本大韓民國青年会中央本部，1987年12月15日，頁33～52

一個中國人所看到的日本國際化

◎ 劉淑如譯

我的立場

　　各位或許沒有察覺到，對於我們這些生長在台灣的中國人來說，高知這個城市和我們很有緣。板垣退助先生晚年與在台灣的我祖父的那一代人一起要求，在日本殖民體制之下，以接近議會制民主主義的形式，在台灣實施明治憲法。另外他還曾經協助過一個向日本要求更多權利的運動。

　　由於國際化問題是經常被拿來討論的問題，因此這次我也試著思考除了一般專家學者所講的內容之外，還能夠以什麼樣的形式來補充具有價值的東西。與其他人不同的觀點是，我持有中國國籍，在日本的學會也待滿30年了。另外，中文、日文大致上我都同樣能讀、寫、說。就此意義來說，我是可以提出身為一個境界人的發言的。這裡所說的「境界人」，並不是社會學所說的邊際人（marginal man）的翻譯用語，而是有天我突然發現，我在台灣生活的年數，和在日本生活的年數差不多。當然以現在來看的話，在日本生活的時間是比較長的。我可以用複眼式的思考，

冷靜地看待語言、生活感覺，我就是這樣定位自己，然後在1976年開始稱自己為境界人。

在東京一帶，近年來以大學為中心的國際交流很興盛。立教大學在今年〔1987〕的4月1日也成立了國際中心，而我這個擁有外國籍的亞洲人，則被任命為中心長。這一點可以視為是一個顯示日本的狀況正在急速轉變中的事例。原本亞洲人在日本的大學維持自己原先的國籍，教授自己的專長這種情況，除了語言學之外並不多見，這是事實。換句話說，日本的狀況正在改變當中。

在這個意義之下，演講開始之前，先提出我的立場以供各位參考。首先是我的被殖民體驗。今天努力過活，明天迎接未來——在這樣的展望當中，在日本的各位日後將如何思考自己呢？今天我所要談到的自己的被殖民體驗，多少能提供大家做參考。

其次，我是留學生出身的，待在日本也已經30年。另外，目前我是華僑的一員，待會兒我也會談談這方面的經驗。

日本不是單一民族國家

我記得是在1959年，或者1960年前後，總之是我還在就讀東京大學大學院時的事。我曾經發言日本不是單一民族國家。當時我是和日本學友們一起到北海道旅行，並在北海道大學參加一個有關愛奴文物及愛奴人的講座。授課的老師雖然嘴巴上說自己很喜歡愛奴，也在從事相關的研究，但言談中卻很明顯地沒有把愛奴當作日本民族看待。在提問時間時，我提出一個問題，我說：

「老師您雖然口口聲聲說自己喜歡愛奴，也研究愛奴，但為何卻沒有將愛奴當作日本民族的一員看待的講法呢？」聽我這麼一說，那位老師相當驚訝。接著我又提出自己的看法：「我認為所謂的日本民族，是以大和民族為中心，而加上琉球民族、愛奴民族等所形成的……。」當我們站在世界史的角度去看待近代國家的形成時會發現，一般說來，任何一個國家都是由占優勢的民族來操控居劣勢的民族，並建立國家。就這個意義來說，全世界沒有一個地方存在著單一民族國家，這是歷史的事實，也是實情，然而日本人的主流，或者一般人卻一直認為近代日本，或說一直想要認為近代日本也就是明治維新以後的日本，是單一民族國家，這點頗為有趣。在我看來，老是抱著日本單一民族國家說法的神話，在心理層面上是會妨礙其國際化的。

我並不是說要將北海道從日本切割開來；也不是說因為沖繩是琉球民族，所以就要將沖繩和日本做切割，讓日本變成一個分裂的國家。我只是認為，理論上這麼想是比較好的。在上位概念上，有日本民族；在下位概念上，則有大和民族、愛奴民族、琉球民族等，我的看法是如此。實際上應該也要將愛奴民族放到近代民族概念下的日本民族，那日本人以及一般日本人所說的日本人裡面也必須包含愛奴民族。因此，將愛奴視為日本民族的一員，以及在學術上承認日本人不能對愛奴有歧視待遇這兩件事，絕對不矛盾。

大家若能用我所說的形式，像大和民族、愛奴民族那樣，去接受日本對民族的看法，就會發現單一民族國家在世界上是不可能存在的事實。以內部多元的文化，或者以美國社會學的概念來

說，它容許少數民族（ethnicity）的共存，而這將可以更進一步貼近迎向21世紀的人類對新事物的想法。

亞洲經濟研究所的體驗

我在1966年進到亞洲經濟研究所。亞洲經濟研究所主要的研究，當然是中國。例如在政治上如何解決與中國的關係，以及日本資本主義如何利用中國市場等。研究所上層的人似乎考慮到這所世界性的研究所連一個外國人研究員都沒有，並非理想狀態。但由於亞洲經濟研究所是特殊法人，職員待遇為準國家公務員，因此管轄機構通產省為了史無前例地正式採用我為正式職員而耗時許久。最後，我的恩師東畑精一所長花了兩年的時間幫我和通產省溝通，我才持著台灣護照，成為正式的職員。

我想這是因為那時政府當局開始在思考國際化的關係。雖然當時日本和中國之間並無正式的外交關係，卻在很多關係上有所連結。透過亞洲經濟研究所的工作，我漸漸發現日本的先生們對問題的掌握方式，一般都會用世界中的日本、亞洲中的日本等方式定位日本，並探討如何因應。這固然也是一個掌握方式，然而由於生活感覺、從自己的內部挖掘問題，進而連結到外部的這種邏輯方式，他們並不太注重，而其實這正是問題所在。

當時恰巧《中日新聞》開始連載「討論・1970年代的睿智」，於是我便提出該如何掌握日本與亞洲關係的議題，做為其中一個題目。日本的資本、企業以及日本人即將再度回歸亞洲，而我們該如何掌握日本人的回歸呢？這是當時的課題。用戰前那

種形式的回歸方法，應該是不妙的。

　　世界之中的日本、亞洲之中的日本，這種掌握方式當然沒有什麼不好，但在提出問題時，我覺得有從日本之中的亞洲，具體來說，就是琉球問題、在日朝鮮人問題，也就是由身邊的「亞洲」問題來探討的必要性。要如何在日本的近代結構中正確地重新審視這個問題，以及應該要如何和世界保持關係？這些將有助於日本的國際化，或者有助於使日本得以在內部形成一個更能夠連結到普遍性的體質。日本雖然有敗戰的經驗，但如果繼續採取1970年代初期那種形式，基本上將有維持明治維新以降的近代日本結構性體質去回歸的可能性。當時我提出一個警告：這麼一來，亞洲可能會發生反日暴動。有關這個部分，請參考本人與長洲一二、堀田善衞等諸位先生所編輯的《討論日本之中的亞洲》（平凡社，1973年8月）〔參見《全集》20、21〕。誠如各位所知道的，實際上東南亞之後發生了反日運動。

因欠缺猶太人、黑人問題以及被統治經驗所形成的弱點

　　雖然我經常向日本人、日本社會呼籲如上列小標題所示這一點，但他們似乎沒把我的話聽進去。其中一個原因是，日本內部並沒有黑人問題。黑人問題是對膚色的深刻體認，它包括了人種與民族問題的切身問題。若按照毛澤東式的說法，這個問題具有「反面教師」的意義。然而，在日本卻找不到。當然，沒有黑人問題應該是比較幸運的。

　　其次是猶太人問題。在歐洲的白人社會或者美國社會，猶太

人問題是非常嚴重的，和宗教問題也有關聯。然而，日本並沒有
這個問題。

　　另外，日本沒有被殖民地化的經驗。我是在昭和30年
（1955）來到日本，昭和31年進入東京大學。這段期間，曾經出
現過日本受美國帝國主義統治、被殖民地化的論調，而我在當時
批評這絕對是錯誤的，因為不可能沒有剝奪語言的殖民統治。所
謂的殖民地統治，指的是從殖民地榨取財富，破壞語言與文化。
沒有真正被統治經驗的日本人，是不會了解被統治者的痛苦的。

　　由於日本沒有猶太人問題、黑人問題以及被統治經驗，所以
日本人很難有國際理解。如果有的話，即為琉球問題、愛奴問
題，不過由於它們的重要性小，可以說，日本人不知道、不必知
道、裝作不知道。如果至少能把日本之中的亞洲問題和以上三個
問題一併思考，事情應該會看得清楚些。若評論家或新聞記者諸
位不以這樣的形式來探討這些問題，日本人是不會注意到它們
的。

和魂和才的這一天終將到來

　　我在當上立教大學教授的前一年〔1975〕，正值三木內閣誕
生，而永井道雄先生則當上文部大臣。日本的一流菁英搶先時代
的精神很了不起，當時我接受永井道雄先生的邀請，參加一個由
文部省主辦的文明懇談會。諾貝爾獎得主朝永〔振一郎〕教授、
湯川〔秀樹〕教授們都是這個懇談會的成員。當時我曾在這個會
中提到，日本和魂和才的這一天終將來臨。過去都是以和魂漢

才，總之就是以強化日本人的自我認同、日本人的精神、日本的屬性，向中國學習做為手段的學問為口號。到了明治維新，這個口號就變成了和魂洋才。

經過調查，我才發現這中間還有「和魂漢洋才」。和魂漢才到和魂洋才我們時有所聞，但明治初年前後竟然有一段時間是以和魂漢洋才為口號，這一點實在相當有意思。

戰後日本完全向美國靠攏，而我在文明懇談會上也提到，這種情況沒多久就會結束。和魂和才的日子將到來。另外，我還提出一個議題，即要如何將這個和魂和才變成世界性的，也就是變成更具備普遍性的東西，乃是當務之急。要怎麼樣型塑積極又開放的和魂和才，而非倒退的和魂和才，事實上這是有關日本人、日本社會國際化的課題。

江戶末期到明治初期的和魂漢才，那段時期所說的和魂，實際上是居住在日本列島的人們對以漢民族為主體的中原中國的某種獨立宣言，同時也是向中原中國、朝鮮半島雙方確立和魂，以及以大和民族為中心的獨立願望與主體性，同時也是一種自我確立。這個和魂由於做過頭的關係，後來就產生了倒退現象。所謂的倒退現象，就是原本「正」的民族主義的「和魂」，被重組成「負」的國粹主義的大和魂、大和民族優秀論、八紘一宇的精神等。之所以會發生這個現象，是因為掉入了民族自我中心主義（ethnocentrism），也就是文化、民族、宗教的盲目的愛國心（或作盲從的信仰，chauvinism）的陷阱。這裡的「自我」，可以是個人、團體，也可以是人種。和魂原本就是正面的東西，卻因為要將朝鮮半島與中國相對化，要抵抗歐美，才會創造出明治

維新。不過，這個和魂不久就轉化成負面的東西，向後倒退，最後走向和軍國主義勾結，向亞洲侵略的道路。它造成第二次世界大戰，也造成敗戰，這是史實。

　　目前日本人正試著為戰後40年總結，而我認為這是理所當然的。我認為日本論、日本人論的興盛，就某個意義來說是一種對前途的不安；或者，就算是把它看成有關日本民族本身不知道未來要為自己的國家做些什麼的一種不安，進而嘗試摸索的一個社會現象，也絕對不會有錯。而我則期待日本人的總結，它的形式能夠被周遭的亞洲人或者全世界的人所接受，並受到祝福。

總生產力的維持與正面循環的關聯

　　人類是經過大航海時代、產業革命、殖民地體制、第一次、第二次世界大戰，歷經許多曲折才確實連結到一個世界，而這當中，正負面都有。在戰後的40年間，資本主義陣營主要是美國、西德、日本所創造出的世界生產力的總和，相當驚人，然而實際上這股力量在目前要維持正面的循環，已經變得相當困難了，正因為如此，才會發生美元貶值的情況。幸虧G5、G7有在進行調整，而這一點則與1920年代末期，1930年代的情況不同。所謂國際化，是要去思考如何維持過去的正面循環，不要變成負面循環並跟著一起倒了下去；是要謀求共存、共生，要互相對談，互相調整的。而日本人、日本國、日本社會要如何因應這個結構性、世界性的要求？我認為這其實是最根本、最本質的國際化日本的課題。

　　不知道中國共產黨是否也終於注意到了？我在這裡希望大家留意這一點。沒有飯吃的社會主義是行不通的，他們已經開始重新思考這個問題。這次中國共產黨的政治報告，是把香港與澳門問題，或者與日本之間的關係，甚至與歐美之間的關係一併列入考量，然後重新定義自己為初級階段的社會主義，並重新審視內外關係的一項改革性的嘗試。

　　蘇聯的戈巴契夫（Mikhail Gorbachev）在革命70周年紀念時也提到了perestroika，也就是改革、重新評估。

　　1960年代初期，曾出現過意識形態終止的議論。姑且先不管意識形態是否已經消失了，像在中南美，馬克思主義仍然有效；而伊斯蘭基本教義行動，在伊斯蘭圈也仍然根深柢固地存在著。無論如何，整體來看，以美國、西德、日本為中心的世界經濟體制已經進入了調整期，而美元貶值、股票的全球性猛漲猛落應該可以說就是這個狀況的呈現。兩個社會主義國家——蘇聯與中國正努力從根本來重新審視社會主義建設，並致力於思考如何將包括資本主義的市場機制在內的刺激灌輸到自己的體內，以實現他們自己的目標——社會主義。我們所面臨的全球性狀況，應該就是剛才所提到的狀況。

　　在這種情形下，所謂的國際化除了以救濟他者為志向之外，同時也是一種自我救濟的一幅複雜構圖。中國大陸的現狀，也就是開放政策、改革政策一旦順利步上軌道，則中國一面自我救濟，一面救濟日本這個他者的機制就會形成。另外，實際上日本也正想在救濟他者當中，建立起自我救濟的機制。

　　最後我要提出全人類的課題。已開發國家的人們都太過度消

費了。我們這些住在已開發國家的人，把原本包括自己子孫在內的人們在未來好多個世紀應該使用的資源，用到幾近破壞的地步，這就是全世界的問題。過去我們曾單純地認為，高度的技術發展、自然科學將會帶給人類生活上的幸福，然而實際上並不僅止於此，人類的共生與共存周遭的諸項條件已經受到了侵害，例如美國、蘇聯發生了核能電廠的事故等。到目前為止，還好都是一些比較輕微的小事故，一旦變成大事故，全世界都將蒙受其害。世界、地球是一體的，這個事實的負面而非正面，正逼近我們而來。

在這樣的狀況之下，所謂的國際化就是日本民族要確立所謂的和魂及和才，而不要引起倒退現象，日本民族要維持日本的特性、日本人的個性，更將之連結於普遍性，以及人類的共生與共存的各項條件的機制與認識灌輸到日本的社會，以及日本人對事物的看法當中，並應用在日本的經濟上，這點是很重要的。不只是日本民族，如今世界上其他民族若還單打獨鬥地維持自我中心主義式的狹隘生存方式，是沒辦法存活下去的。互相確認並留意此點，這正是國際化課題之本意。

本文原刊於《JETRO高知貿易情報》第236號，高知：日本貿易振興会（ジェトロ）高知貿易情報センター，1987年12月・1988年1月（合併號），頁1～4

向國際化的多元接近
——與市民並駕齊驅

◎ **蔣智揚譯**

去年〔1987〕12月12日在立教大學舉辦了研討會「向國際化的多元接近——與市民並駕齊驅」。這是做為立教大學與豐島區教育委員會所主辦，每年舉辦二次的「大學公開講座」之一環而進行的。此次本誌《廣場》自研討會參與者的發言介紹一部分，希望能做為思考國際化的線索。

何謂「國際化」？

最近「國際化」高唱入雲。究竟「國際化」是什麼？恐怕尚未確立共識。不過現在世界大勢所趨，「國際化」無可避免。豐島區這二年來，外籍居民（已取得外國人登錄證者）目前也增加了5,000人。這一期《廣場》全篇幅以「國際化」為主題編了特輯。各位讀者思考此問題時，若能拋磚引玉是幸。（《廣場》編輯同仁）

所謂國際化就是發現他人

向世界宣揚日本人的美德，讓我們與市民並駕齊驅吧！（戴國煇摘自〈定居中國人如是說〉）

現在日本已成經濟大國，我們享受著相當富裕的生活。一般而言，有許多日本人認為這是只靠日本人努力的結果。如果外國不買日本的好產品的話，究竟日本會不會成為如此富裕的經濟大國。

正如剛才村瀨〔信也〕先生所說，日本人的美德，這以世界的公理來衡量也可說是世界性的美德。

就我所理解，只有極具個性者才能聯繫到普遍。沒有個性的人、不具備有個性的文化之民族——他們會沉淪下去，會消失無蹤。因而就此意義，做為日本人的美德，必須保持著傑出的東西才能與世界普遍相連接，我認為這才是正確的態度。

不過要說日本人的所為是否都是美德，就牽涉到一個問題，亦即如何建立此客觀的基準。

我十幾年前去曼谷時見識了日本人的行徑。可能是某大學的學生——大概是空手道部的吧——穿著高腳的木屐在飯店內喀嚓喀嚓地大邁闊步，我看了直覺難受。他不是在誇示日本人，而是在誇示日本人的某種負面，那是行不通的，這不是美德。

我們考慮國際化，還是得想到做為在人類共同體中的日本人角色，以及如何與世界的人們共同生活下去，而且保持我們亞洲人抑或日本人的謙虛等美德而向世界宣揚之，應該如此來考慮國

際化吧！

　　另外還有一點，所謂國際化其實就是發現他人，去發現與自己不同的他人。我認為其實發現他人是連接到發現自己，能夠發現更有深度、幅度或內涵之他人者，就能更深入地發現自我，也連接到增加自己的深度或幅度。就此意義，其實國際化也不是光喊「大家都國際化，電視也國際化，報紙也國際化」就能夠國際化了。

本文節錄自《ひろば》第44號，東京：豊島区教育委員会，1988年3月20日，頁2～4

日本視台灣為寶島

　　日本明治維新是接受西方模式，力圖富國強兵，所以，對內充實軍備，對外則展開積極的武力侵略。

　　由於日本是個島國，對中國大陸一向充滿了浪漫幻想，中國因此也成為日本向外拓展的第一個目標。因而有光緒5年（1879）併吞琉球，此為其南進路線的第一步。接著，利用朝鮮內亂駐軍朝鮮，為北進路線預作準備，終至引發甲午戰爭得以占領台灣。

　　今天想和大家談的是，日本當時向外擴展已是不爭的事實，而南進、北進政策不但不相違背並且是互為表裡，殊途同歸，目標同是對準「進占中國」。以下分兩方面來說明日本為何要奪取台灣。其一是日本內在因素；其二是台灣本身的客觀條件。

　　首先要說明的是日本的內在因素。日本在1868年明治天皇推行新政後，力求革新，富國強兵為其唯一目標。於是，向外擴張以顯國威就成了明治政府當務之急。加上日本本身是島國，基於補償心理，向中國擴張又是日本成為強國的第一步，而由北進攻雖然有朝鮮為其跳板，但因時中國北方有俄、德勢力環伺，使日本不敢輕舉妄動，所以由南進攻，經琉球、台灣，而至南洋，也是一條重要的路線。另外，清廷本身的腐敗及水師的無能，更加

強了日本向中國挑戰的決心。

由於北進阻力較強,因之南進轉移視聽成了重要的策略。在南進路線中,日本取得琉球後,台灣自然成為下一個目標。

關於日本的大陸浪漫主義,有幾個值得注意的現象,如現在在日本出版的書籍中,可找到很多懷念滿洲的書,但極少見到回想台灣的書;而得日本芥川獎及直木獎的文學作家似乎也多半是東北滿洲出生,罕見台灣出生的作家。這似乎可以說明,日本仍有很深的大陸情結。另一方面是日本視台灣為寶島,因台灣盛產的蔗糖、樟腦、茶葉、硫磺、煤炭等都是極富經濟利益的。如蔗糖,在當時日本對於糖的需求量相當大,為此每年必須支出大量外匯。因此,糖原料的取得是很重要的奪台動機。其他如樟腦、茶葉,在國際上也有很大的市場;而台灣的煤炭品質也不差,無怪乎日本會視台灣為美麗的姑娘而意圖染指了。只要台灣成為日本的殖民地,不只可省下不少支出,更可外銷他國賺取外匯。在此經濟實益的考慮下,日本對於台灣的覬覦是顯而易知的。

另外,值得我們注意的是,日本在占領台灣之前,即已對台灣做了相當正確的調查。有些報告是今天不易看到的,但也有些書是在1895年前後出版的。如1895年參謀本部編有《台灣誌》,另有《台灣》一書,這是我們在探討日本為何奪取台灣之外,又一值得我們深思的問題。

本文原刊於《日本文摘》第27期,1988年4月,頁67〜69。係於《日本文摘》與時報出版公司、台灣史研究會合辦,「日本接觸系列講座」演講紀錄,同時收錄有高陽、尹章義的講座文章,總題「日本為何要奪取台灣」。由陳靜敏記錄整理

送走昭和的感慨

昭和之初中國塗炭

1989年1月7日，是昭和元號的最後一天。當代中國人對日本天皇的去世，相信都有一份錯綜複雜的感慨。

在昭和年代最初20年間，對中國人而言，幾乎找不到美好而愉快的歲月，而是痛苦悲憤的回憶，不斷浮現在記憶裡。第一件當為1928年，昭和3年6月10日 ＊的張作霖被害事件；第二件是1930年，昭和5年10月27日，台灣霧社事件，慘遭日本有計畫地屠殺；第三件是1931年，昭和6年9月18日的瀋陽事變。從此，我們中國人一連打了15年的抗日戰爭，中間還經過1937年，昭和12年12月3日的南京大屠殺的慘劇。

不但是中國人受害，1941年，昭和16年12月8日，美國人也直接遭受了日本對珍珠港的突襲。

為了保持中國人固有的倫理道德，以及對罪行的憎惡，固然可以對事不對人，但總應保持可恕不可忘的態度，對昭和也應持

＊ 應為6月4日。

這一基本態度。

　　昭和已經走入了歷史，但昭和這一段歷史悲劇，不能就此輕
輕放過，這不僅是中國人，有心的日本人也有同感。

文化交流未保和平

　　相信日本人不敢忘掉廣島、長崎吃下的兩顆原子彈，那種慘
絕人寰的悲慘經驗，不過，戰後四十餘年，日本的和平憲法和經
濟成就，仍然值得我們肯定與欽佩。

　　我們都知道，日本天皇自近代以來的元號明治、大正，以及
昭和，都取汲於傳統中國經典，特別是昭和，來自於《尚書》：
「百姓昭明、萬邦協和」，但揆諸昭和的世代，可說虛有其表無
其內實。繼位天皇的元號平成，典出司馬遷《史記・五帝本紀》
的「內平外成」和《尚書・大禹謨篇》的「地平天成」。

　　多少年來，我個人即無法理解，為何日本人一方面高度的尊
崇中國古典文物，但卻始終藐視中國人，這包括天皇元號均來自
中國傳統典籍，卻對中國肆行侵略。文化交流原是保持善鄰關係
的有效手段，但我們實難忘懷中日近代關係史的慘痛教訓。這說
明，絕對不可能藉由文化交流的途徑，長保和平，而這極可能是
一真理。

期待平成和睦萬邦

　　從送走昭和的同時，平成時代於焉開始；昭和元號立意不能

說不好，但萬邦卻不能協和，中日兩國命運反陷於一連串的悲慘境界，而中國受創更為嚴重。在未來平成的歲月裡，唯有賴中日兩國人民不斷記取歷史悲劇教訓，共同為人類和平而奮鬥。

本文原刊於《聯合報》，1989年1月9日，2版

明治維新與日本的民主政治發展
──立足台灣，解讀中國「近代」座標軸之一個嘗試

一、前言

　　首先，我得感謝王作榮教授給我這樣的一個好機會，與諸位先進進行如此有益的學術交流。基金會給我的題目是「明治維新與日本的民主政治發展」，就這個題目而言，幾年來我一直在做這方面的總體性思考，但付諸報章雜誌的還只是一些零星的文章，要真正著手做完整的分析研究，大約仍需五至六年的耕耘。因此，今天我只能提出一些極不成熟的看法，以求得拋磚引玉的效果。

　　從主辦單位的構想來看，此題目屬於整個研討會之主題「中國民主前途之研討」之第二部分「日本的鏡子」之第一個課題。副題「立足台灣解讀中國『近代』座標軸之一個嘗試」卻是我自己揭示的。

　　必須加以說明的是，日本的近代或近代化之稱等於中國文化圈之現代或現代化之稱謂。這裡所提示之「近代」當然指的是世界史過程裡的modern age而言。就日本史而言，一般所指者為自封建制社會邁入並形成資本主義體制社會的時期而言。也就是

說，大約以明治維新（1868年）至第二次世界大戰即太平洋戰爭
敗戰終結（1945年）這段歷史的時代區分。就中國而言，這段歷
史時期該係同光新政自強運動（1860年）至太平洋戰爭勝利為
止。從總體導向而言，當然是就我們中國的近代化或是現代化課
題總結過去、正視今天、展望未來之邏輯脈絡，來嘗試進行思考
以及探討。

　　中國自古以來有鏡與鑑的傳統，即是以鏡為鑑。唐太宗曾說
過，魏徵（宰相）是他的一面鏡子。有識之士皆知，魏所以出
名，是能開展批判，特別的並不是批判一般人士，而他批判的卻
是皇帝，唐太宗其人。因而面臨魏之逝世，唐太宗很悲痛，而說
出他失去了魏徵這面寶貴的鏡子。可見，鏡子這句話一般而言，
所指者為樣板、模範，或者是參照物，是正確認識自己、反思自
己的重要手段，其正面價值多於負面價值。然而，在以明治維新
做為我們中國人的鏡子時，我們總是十分躊躇的。這是因為我們
身受近代日本侵略之多重災難，因而評估或借鑑日本近代之起點
的明治維新確實有非常複雜之心情。換句話說，自明治維新為始
的日本近代化是否給一般日本人百姓以及中國人百姓帶來過真正
的幸福以及正面價值之鏡子，係具有值得我們質疑之餘地。

　　然而，當我們本著客觀態度來看，明治維新方式之近代化，
雖然具有很大的局限性，但將這一近代化之變革等同於西洋化或
工業化之指標來談，明治維新可以說大體上是成功的，與其相
較，我們近一百多年來為近代化奮鬥，迄今仍然還在苦苦掙扎、
還在流血，係鐵一般的事實。

　　同樣屬於亞洲、屬於東方，特別是儒家文化之範疇，為何會

有如此大之差距？在此，我們就有必要從比較研究之視角來探討為何日本成功而我們挫折或失敗。

為了區別何謂成功，何謂失敗，我們必須對近代化的指標有明確之界定。我以為衡量近代化成功與否有六大指標：

第一，政治上的民主主義。

第二，經濟上的資本主義（包括市場經濟、自由競爭）。

第三，產業上從手工業或工廠制手工業（manufacture）過渡到大工業生產（包括科學技術的進步、大規模的生產、機械化的實現）。

第四，國民普通教育的普及，從最基本的識字要求來看，便以文盲率的多少為標誌，此外還有義務教育的實施水準。

第五，軍備上則要有國民軍的成立，即國家軍隊的成立。

第六，在一般國民意識方面，則應把人從舊的共同體束縛中解放出來，讓高層次的個人主義（individualism，非自私主義也就是力求自由與規律之一致，以及個人之權利與社會責任間之調適）得到充分的舒展和成熟。

用上述的六個指標來衡量日本明治維新之近代化變革，足可以看到其成功與局限之所在。

在第一個指標即政治上的民主主義而言，明治維新具有極其嚴重的缺陷，自由民權運動和大正民主主義二次大規模爭取民主主義的全國性運動遭到扼殺。治安維持法、「特高」的存在嚴重破壞了基本人權（fundamental human rights），踐踏了民眾的自由。與此相關聯，第六個指標，即國民意識的解放和「個人主義」的成熟也大致沒有實現，集團主義的精神風土依然故我，趨

向或附和雷同意識依然深重，其最可怕的後果便是走向法西斯與侵略戰爭。

然而，儘管有第一和第六指標的缺陷，所幸通過明治維新的變革，日本的近代化基本上達到了第二至第五的指標。從這個意義上說，我們承認明治維新獲得了基本的成功，特別在經濟層面。

二、研究領域之界定

如果說，上述議論是本報告的前言，下面我們將進入正式的探討。

從最一般的視角而言，我們可以從下述二個方面來分析明治維新：

第一，圍繞明治維新之國際環境。換句話說，就是從外在的前提或條件來探討明治維新的國際契機。

第二，圍繞明治維新之國內環境。換句話說，即從國內包括政治、經濟、社會之總體情況來整理日本本身醞釀並促進明治維新之國內條件。

在這二個側面中，許多可視或曰客觀存在的部分，至今已有眾多精湛的研究，並且已形成了為國際學界所公認的許多概念。在此，我認為無須做什麼錦上添花。那麼，我個人的視角究竟何在呢？用簡單的話說，今天在此所要報告者，雖然也可放在第二視角之日本國內條件的部分，但主要涉及係主觀的，也就是肩負明治維新之「日本人之精神」，來做我的分析主題，這些當然亦

可屬於精神史或社會思想史的範疇，難以在外形上顯現出來。之所以膽敢涉及這個棘手的層面，是因為痛感「人的因素在近代化過程中是何等之重要」，也就是說，在社會變革中有關人的因素，特別是人的思維與社會行為對變革之成功與失敗有其必然性及有機性的相互關聯。表現在明治維新方面，我想就近代化過程中的「日本作風」和「日本氣派」試做些整理與探討，請諸位先進加以批判與指教。這裡指的日本作風和日本氣派，主要是指在明治維新中特別承擔了重大事業之各階層人們的思維與社會行為，以及構成日本社會主流變革中人的普遍現象。對這些問題的看法雖然很不成熟，卻是我多年來孜孜以求的，我相信，通過對這些問題的進一步探討，我們可以對中國近代化的實像有一個比較清醒的認識和展望。

在進入正題之前，我希望先就如下所述以供參考：

西洋之衝擊（western impact）與西洋之樣板、模型（model）的大概構圖，以及它們給日本與中國帶來了怎樣不同的影響。

西洋近代化的過程經歷了西洋近代初期的文藝復興（renaissance）→絕對主義權力的樹立→民族的、國民的集中與政治的集中、近代民族國家雛型之成立。然後惹起產業革命，再引發資本主義而產生了近代市民社會。市民社會又繼續引發了新的人的革命或精神革命。這個過程可以稱作是世界史上西洋近代化所必經的里程碑。把歐洲的近代化之起點與日本及中國近代化之起點做比較，一個明顯的區別便浮現出來，那就是歐洲首先有人的思想解放運動。然後全歐洲分裂成為各自民族國家而在競爭對抗裡誕生出近代民族國家。而日本在受到西洋衝擊後開始走

向近代化，其反映出來的政治或國家型態的特徵便是「大政奉還」，王政復古（restoration）在絕對主義權力的形式上，日本與西洋是相似的，但在具體的內容和所處的國際環境方面卻有差異，所以我想將其定名為新絕對主義權力。由於王政復古與革命（revolution）的因素巧妙地共存在一起，這一混合過程很難用一個現成的英文詞彙加以表達。因此，他們用了Meiji Ishin＝明治維新來表達，其具體的目標便是「攘夷開國」。攘夷表明日本正面臨帝國主義東來侵略而有所反擊的國際環境，開國則表明必須用不同於封建鎖國的新方法來因應西方的衝擊。所以，明治維新便成了一場打倒持續250年的封建德川幕府體制，擁護明治天皇成立新天皇制絕對主義政府的由上而下之近代化運動，並取得了部分的成功。

反觀我們中國，不但國土龐大，等於整個歐洲，在晚清時雖然表面上仍一統於大清帝國，沒有產生像歐洲中世紀末以來的分裂與競爭格局。但實際上在大一統的虛幻光影下存在著致命的分裂割據與省區等地域性對立。此外，中國人口之多，民族、語言、宗教之分歧多元，其屬性不易做好具有民族的、國民的、政治的近代化內涵之集中。滿清之「帝權」除了不受人口數上占優勢民族即漢族之肯定與擁護，已失去實質性統治權力而只剩下統合象徵之外衣，已腐敗不堪搖搖欲墜，已不能像接受「大政奉還」的明治天皇（1852～1912）一樣能被創造性地轉化為「新絕對主義權力」，當作一種「轎子」來便於統合整個國家之各種民族、社會、政治力量。因而以康有為、梁啟超領導的戊戌變法最終只好走上失敗之路。

　　綜合中國在滿清末期的狀況，可以描繪出這樣一幅構圖：大陸國家，加上龐大的低素質人口，五千年「輝煌的」歷史包袱，「khaos」＊也就是混亂狀態，除了名存實亡，已欠缺自內面支撐的儒家君臣上下之倫理道德外，亦是個一盤散沙毫無秩序的世界，欠缺成立雛型「近代國家」前期的民族統一思想、統一信仰、統一凝聚力。但我們論者常常忘記自己的「前提或條件」，慣性地或一廂情願地想把khaos之「世界」與西方包括日本之近代統一民族國家相提並論。這就給在欲做比較研究之手續上帶來本質上的困擾及難題，使我們的論者常常陷入無法解脫的二律背反困境中。

中日近代化條件之概況比較

　　如果上述的比較是基於西方和日本、中國之各自內部社會條件的話，那麼，我們就更要看到中日開始邁向近代化過程時所面臨嚴峻之外部情況，也就是說，探討中日近代化成敗之課題時，國際環境的比較與國內環境的比較起著同樣決定性的作用。

　　到1850年代，歐美列強已基本完成其社會內部的政治革命，而受到資本主義工業發展所需之原始積累的持續性驅動其向東亞伺機侵略。然而，對日本來說，它只是列強侵略目標中的最末端。即日本地政學上的位置、條件又一次給日本帶來幸運。日本偏居於東亞之一隅，雖然馬可波羅（Marco Polo）聽信傳聞，在

＊　係希臘語，為英文chaos的來源語。

他著名的遊記《東方見聞錄》中把日本當成了「黃金國」，但經西方殖民主義的先鋒葡、西、荷諸國的實地見聞，17世紀初期以來，已明知日本之內情。從產業資本主義列強的角度看，日本全然欠缺即刻被染指的魅力。第一是其自然資源的欠缺；第二便是市場的狹小，當時日本的人口僅3,600萬左右。不但如此，當時英國忙於啃食印度與中國的兩大陸古國，帝俄忙於插手西伯利亞，美國忙於各州並向中南美擴展，法國則忙於滲透中南半島，所以當年之西方主要列強都沒有充分之軍力向日本直奔。另外，日本的文化導師中國卻開始直接面臨西方列強的無情侵略，加之滿清帝國的窮途末路，民族矛盾和民族屬性的政治危機日甚一日。昔日在日本眼中如此強大的中華帝國竟然於鴉片戰爭中慘敗於西方列強紅毛王國之手，並被迫簽訂了喪權辱國的不平等條約。之後，太平天國運動橫掃中國南部，令清廷驚慌失措。這些事件所鳴響的警鐘，叫醒了日本領導層普遍性之警覺，並著手探討應變之法。

　　與日本相比較，中國不但無法在自己內部累積資金以及準備以充實近代化之客觀條件（比如皇朝依然沉溺於豪華奢侈的享受而不惜浪費財富），而且又面臨著西方列強從領土到資源的掠奪及分割。更為嚴重的是思想層次，還停留於恢復「黃魂」（王船山語，1619～1692年，名夫之，據於華夷思想之《黃書》之政治論）反滿復明的階段，最多亦只可說停留在排滿革命思想之前近代思潮裡頭。基於此種理論根據，就很難形成近代民族主義的氛圍。而日本在德川幕府統治的250年間，雖然對外進行鎖國，但不僅打開長崎出島這樣一個重要港口，而且在內部收斂凝結，向

逐漸形成一體的四個島發展極具凝結力的「和魂」，為民族的、國民的及政治的「集中」準備條件。由此可見，日本封建制的成熟程度相當高且相對地均勻，最後轉化成「近代」之國內整體之條件。

這種整體條件的成熟特別表現在近代化資金積累方面。其國內之積累的廣度和深度暫不討論，尤其值得注意的是，它在進行近代化積累過程中便已經染上了帝國主義的濃重色彩。其主要表現便是1874年因琉球問題而出兵侵台和1894至1895年的甲午戰爭。這不但提高了日本向外擴張的野心，而且因出兵台灣和甲午戰爭獲得的巨額「賠款」充實了它的財政金融。特別值得注目者為甲午戰爭所奪取的「賠款」後來成為其「金本位制」之準備金，為其資本主義工業化生產的擴展，充實了更上層樓之條件。

如上所述，從中日兩國面臨的近代化之國際環境而言，已經有了巨大差距。日本雖然也被迫簽訂過一些形式上且短暫之不平等條約，但它基本上沒有受過列強之嚴重掠奪，反而乘其近代化初期之優勢，趁機打劫掠奪中國之國土（自然資源與勞力）及賠款（資金），以佐助其近代化的發展。而中國則是西方列強在東亞的首要掠奪目標，腐敗的滿清帝國只能在西洋勢力和人民革命的浪潮中苟延殘喘，左支右絀逢源，既無集中民族的、國民的以及政治的基本力量，又無法拋開大一統之虛像，因應滯頓，被動不堪。

透過比較可以清楚看到，中日表面上是在同一個時期——西洋之衝擊——開始發生反應以及企求變化，並且都經歷了富國強兵、殖產興業（日本）和富國強兵、洋務運動（中國），提出了

和魂洋才（日本）和中體西用（中國）的導向性口號，但因其環境及主要肩負者「精神境界」的差異而讓結果大不相同。

我們反覆提到西洋的衝擊，這是因為西洋在我們之前不但已先自人的思想解放步入近代化之途，漸趨於成熟之境界。而且他們是通過內面，也就是自發的逐漸發酵醞釀而成的。其近代化的浪潮，在19世紀中葉變成帝國主義向外擴展的洪水，向亞洲鋪天蓋地湧來，以往陶醉且閉關於虛幻夢中的中日兩國開始面向近代化而起步，實際上是對西洋衝擊的一種反應而已。也就是說，中日兩國只能就歐美列強所提示的所謂先進國之政治組織及文明型態而力求模仿、採納、折衷或選擇。

歐美近代化發源於其社會內部自發性的變革，由此給人類歷史提出了許多輝煌的顯著產物，那便是近代國家、近代社會、近代科學、產業革命、資本主義、商品經濟等。這些劃時代的東西產生並不是依靠某些賢人先哲安排計畫的。也就是說，這些東西在西歐文藝復興時期沒有任何有識之士能夠預料得到，西歐的近代化不是先有具體計畫目標，而後逐個將其實現的，它們是從無到有的一種劃時代性之巨變，這種巨變的能源便是其社會內部的近代化「躁動」，然後一步步地自發現、冒險、掠奪積累成型的。他們有充分的時間來做「自我」、「民族」的覺醒及確立其尊嚴和自主獨立之主體性。在這之前，沒有任何可供參照的模型。而中日兩國的近代化進程則顯然與歐美不同，已經被迫面臨和接受歐美近代化的樣板與模型。也就是說，歐美已開發國家之存在，已開發國家之政治組織、文明型態成為我輩之範例與理想。中日兩國領導層應該選擇的走向已經由外面所規定，近代化

的起步也將由上來向下發動和制約，如何解決問題之答案已經被先進諸國所提示。自發性的選擇因應之道可以說非常狹窄。

當時，中日近代化的關鍵似乎只在於如何尋覓出解決之方法，而給創造性之主觀能動性以及做為留下來的空間都甚少，只不過是被逼迫著在模仿、採納、折衷或選擇而掙扎而已。借用當代電腦用語來說，當時中日領導層的主要第一優先課題在於硬體之構建，也就是樹立近代國家之框架。這一個框架係自「外」與「上」而被框定，當時，企圖來自於「內」或「下」之創意而成的發展空間，可以說是等於零。這種近代化受孕之媒介差異造成了歐美近代化與中日近代化往後發展的巨大差異，甚至到今天我們還常常為其發育之畸型而困擾。這種差異之根本所在是：西洋近代化是先有人性革命或精神革命（文藝復興時期對神和禁欲的批判，恢復赤裸裸的人之原型，然後是以盧梭等近代思想家發起巨大的啟蒙運動，確立革命之理性）發展到政治革命（英國的憲政體制）以至產業革命（蒸氣機等之發明）再至資本主義，然後又把人性革命、精神革命再度提升層次（變成資產階級民主主義的法意識，並由近代國家機器來加以保證），由此形成一個進步的良性互動性循環。

四、日本近代化與精神革命

但日本近代化的特徵是：先有自上而下的政治革命（可以說是第一革命），隨著政治革命確立了明治維新絕對主義政權之後，才跟隨而來進行人的精神革命（可以說是第二革命）。有的

日本學者把這種第二革命當作文化革命來加以定位。因為日本的封建文化起了巨大的變化與變革之故。

至於第一革命，即硬體的建構——明治國家及其規章制度等的誕生，我們已經很清楚了。現在要著重探討的是明治維新過程中人性革命或精神革命，即如何造就適應硬體的軟體，培養新的日本人之主體性、主體意識來適應新的社會生活。

眾所周知，任何一個個體或群體（包括近代國家、民族、集團）都可以借過去長期的歷史累積或沉澱形成的傳統（文化、意識），來因應新生事物甚至找出開拓未來生活的新方式。傳統在外來事物之衝擊下顯示出其進步和反動、積極和消極的兩面性。新舊的對立與矛盾亟需經過揚棄才能夠有效地因應新的生活方式。對於在一個世紀內創造了二次民族振興奇蹟的日本，其成功除了外在條件之外，必然與其積極的主體性（有時常常說成是國民性）的確立與其實踐緊密相關。這種主體性當然是歷史和傳統演進的產物，它在每一個發展階段又依據不同的社會趨勢呈現不同的傾向性，在這個意義上，所謂主體性原本該係一個中性載體，賦予其色彩和意義的是該時代之政治、社會機制以及時代精神。不管這種確立主體性經歷過截然相反的經驗，在近代化發展的客觀過程中來看，日本人之主體性的近代化實踐努力和智慧，有一個相對穩定的規律在：這就是凝聚民族且保持自主獨立，自發地積極吸收異質的外來文化，把外來的異質文化與傳統有效地融合來促進近代化之改革。從全世界文明進步的時間和範圍來看，日本的的確確經過很短的時間便已達到了趕超歐美的「奇蹟」。

　　這種隱於無形之中，卻發揮了重大作用的日本作風和氣派，又該如何進行解釋？如何把它經過科學整理當成我們的教訓和借鑑呢？

1. 主要發自於民間的幾種例子

　　首先我們就應該看到「和魂洋才」與「中體西用」兩種口號之間的差異。

　　如果要我們為日本的和魂歌頌，我們便會產生一種生理性的厭煩及抗拒。這是因為自明治維新的政府誕生之後，亞洲一直受假借「大和魂」的日本軍國主義的侵略和蹂躪。但如果我們從客觀的歷史過程來看，和魂的形成卻是導源於對朝鮮和中原中國的優勢文化之反應，並以此來凝聚日本。「和魂洋才」之前的歷史是「和魂漢才」，它幾乎貫穿了整個日本中世紀，一直到德川幕府之幕藩體制。它的體制統治意識形態仍然借助於儒家特別是朱（子）學所言之忠孝及服從倫理。向中國學習似乎是當時每個日本人的共識。而也正因為如此，被日本奉為楷模的大中華帝國竟然於鴉片戰爭中敗於不見經傳的夷狄──紅毛英國人，使日本大為吃驚，由此幡然覺醒，走向近代改革之途。在原有價值系統倒塌和新價值系統未建構起的階段，便有「和魂漢洋才」之中國過渡期口號來作短暫之因應。明治政府成立之後，特別是在甲午戰爭中打敗清朝之後，日本便取掉了全部的漢才，而變成了單一的「和魂洋才」，極端者如福澤諭吉（1834～1901）之流，更想完全脫掉東洋皮而達成「脫亞入歐」。雖然有種種的偏差，但因為日本精神價值觀的轉換適應了歷史潮流的發展，因而具有很大的

凝聚力。

　　反觀中國，已經面臨著被瓜分的危機，卻仍然蜷縮在固有的傳統價值觀念裡做心理上的抵抗，中體西用的核心依然是固守中華帝國的虛幻夢想，因而欠缺內發性的精神凝聚企圖之主張力，是一種消極的與現實進行無可奈何的表面妥協式口號。這個歷史文化背景或許可追溯及《戰國策・趙》之「中國者，聰明叡知之所居也，萬物財用之所聚也，賢聖之所教也，仁義之所施也。詩書禮樂之所用也，異敏技藝之所試也，遠方之所觀赴也，蠻夷之所義行也」之中國優越意識。日本人學者命名為「中華思想」者之作祟。中國為世界經濟、文化之中心，只需以此向四圍擴散普及，何來收斂，凝集精神之課題之有？

　　加上腐朽業已徒具軀殼之科舉為中心之官僚屬性，構成了當年中國領導層的不易向「外」學習之負面主體性實踐。

　　反觀日本領導層在近代化過程之作法，他們一直堅持著「和魂」的主體性實踐。為了合理地達成近代化的目的，在初步完成硬體之建構後，便忙著利用日本社會既有之內在的傳統的價值與外來歐美的價值揉合，尋覓走出抗力最微之途徑。這種選擇方式，我們可借用韋伯之「目的合理性」（zweckrationalität）來做解釋。

　　接著，我們再舉幾個例子來加以敘述。

　　⑴在培育日本資本主義之目的意識下，日本金融財界之先驅，被尊稱為日本資本主義之父、近代化之父的澀澤榮一（1840～1931）居然以「論語與算盤」來主張「道德經濟合一論」及「士魂商才」之說（詳細請參照拙文「儒家思想與日本近

代化——澀澤榮一的個案探討並試論和魂洋才與中體西用之差異」）〔參見《全集》13〕。

　　(2)第二個例子，我們可以在明治時代之啟蒙思想家（亦是日本著名私立慶應義塾大學之創辦人）福澤諭吉的思維與社會行為來做些剖析。

　　日本學界給福澤之高度評價主要在其一貫據於在野立場的自由主義者、民主主義者、合理主義者、女性解放論者的側面。另一方面對他之傾向崇拜西洋，有時為了權宜之策而與政府妥協，對一般民眾之苛求無情，甚至於晚年有趨於「權道主義」（手段雖不正，但目的合致正道時，為了達成其目的，採取隨機應變權宜之措施一類的方便主義）之作風有所批判。尤其他對甲午戰爭定性為「文明與野蠻」之戰爭，大力發動募捐運動來支持日本當局對中國的侵略戰爭，我們是不便苟同的。

　　不過他在其主要著作《勸學篇》〔《学問のすすめ》〕（明治5～9年刊行）和《文明論之概略》（明治8年刊行）所主張的各種觀點迄今仍然可得到效應是不可否認的。特別是在《勸學篇》開頭高唱「天既不會在人之上造人，又不會在人之下造人」之「萬人平等宣言」對當年封建氣質仍然凝重的日本社會，該是莫大的衝擊，是眾人皆可肯定的。《勸學篇》在當年暢銷到350萬部（不包括盜印版）可以說是空前的，值得注意。

　　福澤除了在慶應大學培養新菁英外，還創辦《時事新報》展開了活潑的言論啟蒙活動。他的思想根柢主要來自於英國功利主義（utilitarianism）。也就是確信資本主義之合理性，並贊成立於徹底的個人主義與自由主義之基礎上，而在「私人所有」之安全

範圍內實現社會平等化的一種主張。

　　福澤雖然力主藉實學＝學問之力量來實現「自主獨立」＝獨立自尊之理想境界，卻一直沒有忘記本身尚係萌芽期新興資本主義國家之啟蒙思想家的現實立場。他主張「一身（個人）的獨立才能達到一國之獨立」，然兩者同時進展後所獲得的「日本國之獨立」才能成為與西洋諸國平起平坐之對等國家之獨立。

　　仔細觀察他的功利主義，我們可以發現，與其英國的開山鼻祖邊沁（Jeremy Bentham, 1748～1832）所主張之「企求最大多數之最大幸福之實現」做了修正。福澤常常為了實踐他獨自的功利主義觀點，不但主張官民調和政策及個人與國家關係之調適，甚至於亦與澀澤榮一同樣主張「士魂商才」論，雖然他排拒儒學，卻主張立足於傳統而促進歐化以佐助日本資本主義之發展。

　　福澤在其《文明論之概略》裡主張，國中之人民具備了獨立氣概後才能促進一國之獨立。很顯然，他已認為創造歷史之基本力量不在於英雄或政府，而在一般國民智力之整體運作。當然，這一種觀點，雖然深受西洋史家文明史觀之影響。特別是受到法國政治家、史學家基佐（F. P. G. Guizot, 1787～1874）之《英國革命史》及《歐洲文明史》之刺激與啟蒙而立言者。但福澤不曾做全盤的抄襲，而自覺地立足於當年日本所處之特殊狀況，自其內面意識到與西洋不同層次之「危機意識」，處處表現在其著作行間，教我們一讀只好感歎。不過到了晚年，他的「脫亞入歐」論升高到不僅批判自由民權論，更轉而支持國權之伸長而對明治政府之大陸侵略政策亦表明積極之支援立場，讓有識之日本人士極為痛惜。

　　(3)中村正直（1832～1891）《西國立志編》（明治4年初版）之啟示，明治初年，當然係屬於新舊交替之過渡時期。出版品原本係反映時代文化之一面鏡子。日本當然亦不例外，過渡期的出版文化的的確確是「翻刻文化」。剛自「閉關」走向「開放」時刻，日本人向歐美學習之熱潮堪稱升高到頂點。介紹西洋文物、史地、政治經濟等各方面的規章制度一類之出版品汗牛充棟，我們姑且可以不加討論。

　　但企圖促使日本列島住民人性的革命或精神的革命翻譯暢銷書，我們不該忽視它。

　　這一類書籍之頂尖者，當可推舉中村正直譯述之《西國立志編》。它的原文書為英國人斯邁爾斯（Samuel Smiles, 1812～1904）所著*Self-Help, With Illustrations of Character and Conduct*（1858年7月）。

　　據傳，這本「自助論」出版不久即銷到100萬冊，成為明治初年日本青年之探求「自我實現」以及藉以「自我鍛鍊」的典範書本。它除了被當作教科書使用外，普遍地被青少年們購為必讀之常備書。

　　特別於開頭所高舉之「天助自助者」的獨立自尊之格言，不知激勵並喚醒了多少明治時期之年輕人，因而日本學界迄今仍然給予甚高的評價。它的新譯本繼續在當今之日本保持其長銷書之地位，教人吃驚。

　　日本史學界，常常把福澤之譯著書評價為藉實學的功利思想＝知性方面資助了日本新社會之建設。另一面則把中村當為精神界之導師看待，肯定中村為日本社會灌入了道德倫理層面不可磨

減之新潮流。

　　非常有意思的倒是中村正直之心路歷程。

　　中村本來是在「昌平黌＝昌平坂學問所」（德川幕府所辦的儒學學校，現東京湯島【孔子】聖堂之前身）學儒家、朱學的。1866年赴英留學，在倫敦目擊了儒家道德倫理在紅毛英國之首都完美地被實現，深為感激，從而對基督教開始注目。1868年歸國開始翻譯《西國立志編》，1871年問市，1874年入信基督教而受洗。1877年以後，中村開始倡導儒家道德倫理之復活。他歷任了東京大學（舊時的帝大）教授、女子高等師範學校（現御茶之水女子大學）校長及貴族院議員等要職。

　　從中村正直之個案，我們可窺知，他的學問基礎樹立於儒學（朱學為核心），然與洋學通底還接受了基督教之信仰。就日本近代思想之形成在於中村之範例來言，它不外是儒家思想與西洋近代思想揉合的具體過程與其顯現。據我看它並非只是「土」「洋」結合之一種，沒有真具「生機」之一類。中村正直與澀澤榮一兩位「明治精神」之體現者在其內面處理「近代化和傳統」的課題時，並不曾發生太大矛盾或糾葛，確是值得我們留意研討。

　　另外，面臨如何處理「近代化和傳統」課題時，日本人領導層在其企業經營與勞動管理上所發揮之智慧，亦頗值得我們去深思。

　　眾人皆知，在歐美社會裡，為了採用具有普遍屬性的科學技術或活用科學技術的大工廠及公司之運作經營上，一般而言係依據個人能力而有所自由移動性格。日本人雖然站在和歐美並無太

大差異之資本主義生產方式，所採用的卻是把「封建的忠誠心」
＝「儒家式擬似家族倫理道德」創造地轉化為日本式「終身僱傭
制」來維持其企業內秩序並確保其安定成長之勞資關係。它雖然
曾被批判為壓抑「個人」及階級意識之形成和發展，大有阻礙民
主主義發展之嫌。

　　這一類把傳統的價值與近代化結合而適應新社會之成功例子
不勝枚舉。

2. 被體制框定善加活用的「通俗道德」

　　近年來，日本學者以及歐美學人加深了江戶文化之研究，已
達成了一種共識。認為江戶晚期文化係高度洗練的文化，堪稱
可與法國革命前夕之凡爾塞（Versailles）文化相比。但與其有異
者，在於巴黎等是都市，有限於上層階層文化；江戶文化除了
武士文化，並已普及到「町人（商人）文化」，甚至於已下達
到庶民亦能同享的一般性文化。這種看法雖被評為有過高的評
估之嫌，但斯時之普通教育相當普遍、識字率很高是眾人可接
受的事實。一般來言，從德川幕府的江戶中期起，日本中產階
級以上的階層便已經有了相當成熟的「求道」思維。其所謂的道
有：茶道、香道、華道、書畫道、歌道、劍道、杖道、柔道、醫
道，一直到武士道。其範圍之遍及社會文化之所有方面。這些道
之產生，從歷史起源講，當然與中原中國文化尤其儒家文化密不
可分。但我以為，本來應該只是屬於私人的、實際生活技術的，
自發性行為範疇者，後來經過江戶時期之學者把它與「高深的宇
宙原理」結合，變為一般庶民在精神境界及形而上當該追求之理

念，還廣被接受成為社會風尚持續至今，確是我們該下功夫，用新的目光審視此側面的。這些道本來亦屬於日常生活行為的一部分，但其之所以能發展到「道」，不管其優劣或能否達成，都表明日本社會內部存在著一種精神規範，它得以隔絕日常的功利層面，而將其提升到自我追求精神境界之道，在獨特的精神境界中確立其目標。好比茶道，日本人把遊藝和美學意識之追求結合在一起，達到「茶禪一味」之理念世界。這種求道性與趣味性的渾然一體體現了日本人的求「道」精神。心學的貢獻涉及到求道精神，因此我們必須介紹心學在江戶時期的發展。

　　特別值得一提的係江戶中期以降，石門心學之普遍開展是相當突出的。

　　心學原本係中國的。它是與程朱理學相對立的理學派別之稱謂。由南宋陸九淵創立，明代王守仁集其大成。

　　石門心學為江戶中期的石田梅岩（1685～1744）所創的實踐哲學。他採擷日本江戶初期「町人」（住在都市的商人和工匠們）的生活體驗，結合了來自於中國的心學並添加了日本當地的神道，換句話說，他基於庶民之生活體驗而應用了儒、道、仙（禪宗為主）、神道之四教來探究人的本性而創立的人生哲學。從1729年，石田在京都開講後，門徒雲集，在各地陸續地開設了「心學講舍」。它雖發自於一般庶民倫理自覺之學，但因受到了幕府當局之保護，一方面向上層武士及大名（諸侯），另一方面又向農村教化浸透，加上得意門生之弘法得力，逐漸廣泛地普及到全國，遂形成為江戶中後期思想界的一大潮流。

　　石門心學思想之特色，我們可舉七點如下。

　　第一，向一般庶民鼓勵並教化，在道德上看待卑視庶民的江戶時尚是錯誤的。他倡導「道義」之實踐上庶民和武士應該是對等的存在。石田認為，現實社會生活上，町人常常受不當之卑視是有其來由的。一般來言，町人們在道義實踐上常具有些缺點和劣勢是難以否認之事實。主要因為町人無暇接觸真正的學問，因而他立志為教化庶民社會而奉獻一生。他同時認為要體會何為道義，只有求之於真正的學問。何謂真正之學問呢？他主張學問該係依據於生活體驗並完成於實踐的活的學問才能算數。他批判只玩弄文字遊戲者為「文字藝伎」。石田及其門生講學時，還不斷借用素材於朱學及老莊思想。向平民百姓講道時，則有意識地利用平易的日常用語，借用庶民易懂之譬喻並常舉一般通行的淺近生活例子，揭示海報圖畫之類，來道出當代應實踐的倫理觀。因而被當代學者高評為日本社會平民教育之創始人。

　　第二，具體地把四民（士農工商）之社會功能與角色及其存在意義明確化，尤其否定了當年的社會通念之「賤商觀」。石門心學同時強力地訴求以「自他和合（賣者高興，買者歡喜）」為基本的商業道德之自覺及樹立。梅田甚至於主張「商人之田地為天下之萬人」，商人好比農民耕耘大地一般，應該耕耘天下萬人之心。

　　他亦一貫地主張，如武士有「武士道」一樣，商人也應該有「商人道」。把「取財」當成卑賤行為之武士價值觀為主導的社會風尚是不對的。商人之「利」該等同於武士之「祿」來看待。因而商人亦應該自我覺悟各自本身之社會責任，並積極地肩負能盡到「安撫萬民之心」的社會行為有所努力之使命感。

第三，石門心學除了以一般庶民之社會教化為己任外，還積極地輔助「私塾」教育而編選課本以及以兒童為主要對象實施特別講座。更值得我們耳目一新者是，雖有男女不同席之規定，但對婦女亦已開始一視同仁地講道。

第四，石門心學之門徒不但前赴各地之教諭所以及貧窮勞工之會聚處所實施教導工作，還積極地展開救急和救貧之救濟活動。特別在饑荒發生時，因而獲得官民之擁護。可見石門因應社會現實之主體性實踐活動給社會帶來的示範意義，是不可輕視的。

第五，石門心學運動之開展過程中，初期之主要課題在於人之本性的哲學性探究。繼起的是以「正直」和「節儉」的二「德」來支持町人，特別是商人應享的社會地位之樹立而有所強調。然一部分門生弟子，還把心學轉化到形而上學之如何獲得「本心」平安為主題之「心」之「學」。

第六，石田梅岩主張「正直之哲學」與「節儉之哲學」。他把「正直」定為道義之根本，並主張「我的東西為我者，他人的東西為他人之所有也。貸出者該要收回，借來者亦應該還回對方。這一種公正行為稱謂正直也」。在此他不外是在主張尊重「所有關係」與「契約（合同）關係」，他把這兩者當為商業社會之必備基礎看待。

他又認為，節儉之實踐可取回天賦正直之德。能行正直，自然地可轉而實行節儉。在石田之實踐哲學裡頭，「正直」和「節儉」係互動相輔的。

第七，石田在其「節儉的哲學」裡頭，甚至用上節儉等同於

經濟合理主義，為儒家之「仁」下了他獨特的解釋。他說「為己之節儉不過係基於私欲的吝嗇而已，節儉必須具有社會意義才算數。但只是為了社會而作之節儉仍是不足的，發自於正直之心而所成的節儉才夠稱謂真正的節儉。另外，對東西的節儉該通到東西之活用，應該繼而讓有關人員亦一起活性化起來。再者，若能治癒讓他人不悅之惡癖，這一種行為亦可歸為節儉」。從上述的石田之思想與社會實踐，我們不但可窺知石田已懷有「欲使東西之效用，發揮為最高境界之合理主義」以及擴大萬民平等，各自在其位謀其業之思想。著重於「心」的自我修養和打坐的自我修練心學之全國性普及，不但給德川幕府體制補強其支配意識形態，當然亦對明治維新新體制之催生提供了一定的條件。澀澤榮一、福澤諭吉、中村正直等人之思維和社會行為不難類推為與石門心學有過不淺的關係。

　　由石門心學強化了的自我修練和求道精神及其所提倡之「正直」和「節儉」的實踐哲學，遂被明治新體制轉化且編進「通俗道德」裡去。它發揮了支撐明治政府推展近代化運動之具有草根性及主體性的社會功能。

　　這一類通俗道德也就是廣泛日本社會之日常生活規範，雖然不能百分之百被實踐，不過史實已明示，這些通俗道德相當大部分被當成一般日本人自明應遵守的生活規範者。另則，具有自發性積極實踐之例亦不勝枚舉，使我們不得不相信，它曾經規制了日本庶民之社會行為，自發地走上明治政府所演出，自上而下的西洋化之軌道。日本的一般平民百姓，有時甚至於自囿於體制所框定的支配性意識形態。維新過程中，通俗道德發揮了五方面的

作用：第一，使認真嚴謹、精益求精變成一種普遍的日常生活規範；第二，給明治政府進行自上而下的近代化運動提供了一種均勻，普遍守法的社會基礎；第三，求道精神轉化為一種支持明治維新的「順民」心理秩序；第四，精神至上克服並補償了部分物質落後的自卑心理，幫助了民族主義的高揚；第五，各自社會生活圈內的禮貌與和諧的人際關係。

五、教育敕語之功能

日本的道德修養並不限於滿足老一輩和有錢人的散心逸志。對所得很低的階層或年輕人來說，他們是通過教育敕語的推廣來接受通俗道德之規範。

明治政府由上框定的通俗道德最典型者莫過於教育敕語。

教育敕語發布於1890年1月30日，正值明治23年，明治天皇年齡已達中年，圍繞著他的神格化的體制方的作業日見成功及圓熟。

教育敕語之宗旨在於明示：第一，國民道德之根源；第二，國民教育之基本理念；第三，國民教育之根本方針。

發布前已有過「教學聖旨」之起草（1879年）、幼學綱要的頒布（1882年）等舉動。這些都是出自於反對民權運動以及恐懼文部省（教育部）之歐化政策走過頭之天皇親信集團，藉著傳統主義及儒家主義強化德育運動的一連串對抗行動。

有意思的是，首先被委託起草案的係前述中村正直（發布當年其為女子高等師範學校校長）。中村之草案受到當年之法制局

長官井上毅（1843～1895）之批判。他之前幫了伊藤博文起草明治憲法因而得信於當局。井上直指草案只是宗教、哲學等知識拼湊之文，絕不能當作「至尊」聖旨而發布，遂改由井上起草、樞密顧問官元田永孚協助完成。其實中村之草案確是立足於個人主義，並充滿了敬天愛人之基督教精神者，當然不可能合乎於擁護天皇制之首腦們要求。全文一共315字之敕語，只要仔細一讀，任何有識之士都可認出，其基本精神是來自於儒學之「忠信孝悌」的倫理規範。但日本當局自發布前後以來，不承認其起源於中國，一直強詞奪理地強調，其為日本自有之道德，倒是滿富史趣的小插曲。他們為方便強調其天皇制為萬世一系之國體菁華只能扯謊到1945年8月15日，也就是敗戰之日。

教育敕語變成最具天皇權威背書之通俗道德，規制了一般日本人生活整整半個世紀之多，是眾人皆知之事實。

但從維持明治體制之秩序來言，雖然是屬於被迫接受或無意識之自圍屬性之道德規範，它給日本自上而下，尤其是在政治體制方面之近代化運動提供了價值體系上之條件，確是難以否認的史實。

六、結語

明治期對近代化有貢獻的日本精神，我暫時定義為「向著單一國家目標之衝勁負載克己、捨私、奉獻等語詞所能代表之道義上的純粹屬性。換句話說，『克己復禮』即是其根源」。

明治維新對其民主政治發展之成就度可以斷言係差強人意

的，但對近代化變革中的「人的因素」確有過重視及主體性的努力培養之過程。

他們的成功範例中不易發現全盤西化一類的偏頗思維。反而，其「揉合」和「融合」並不止於結合的主體性實踐占據了主流，頗值得我們去省思探討。

我們始終可以聽到，日本能，我們應該也能；或日本能，為何我們不能等之提法和質疑。

上述已有所介紹。日本人不斷地善用了我們之儒學及心學。反觀近代中國之實況，我們迄今，不但不能用上自己之傳統外，亦始終沒有能夠處理好「近代化與傳統」此無法迴避的課題。

規章制度比較容易模仿及建構。眾人皆知，日本人建構明治政府之三個法寶：明治憲法、教育敕語、明治民法。有關教育敕語已詳述過，不再重複。立憲君主國並不是日本獨有的，有關其價值之正負我們暫時可以不涉及，但在明治憲法上的天皇地位是比任何立憲君主國都來得高。

當伊藤博文起草明治憲法時，已注意到，採用了立憲制、議會制時，將難免發生混亂和摩擦。為了緩和，歐洲可以藉用宗教之力量，已有先例可鑑，但日本並無單一宗教存在，可藉資用。伊藤卻想到天皇之神格化，把天皇推戴為「現人神」＝具有宗教性的一種絕對性地位來代替。至於明治民法之家族主義（familism）意識形態是銜接江戶時代以來的儒家式擬似家族制度的。這個家族制度意識形態與萬世一系的天皇制意識形態（神話）連貫通底，維持了家族國家式「國體之菁華」論，凝聚了日本國內的、民族的、社會的、政治的集中和秩序，充分發揮了提

供威權式近代化之政治社會基礎。

我們已可在本文之整理和分析裡窺知，明治初期直到中期已逐漸具有資本主義形成的ethos（可以做為肩負形成資本主義人們的思維及行為方式來對待）。這個高程度的ethos，質量雙方面都曾經基本上滿足了該時代之要求。

但我們必須指出，這類ethos之形成與已相當成熟的江戶文化，特別是有關儒學及心學的道德規範有其密切的關聯。

不過，為了實現民主政治，是需要具備一定的經濟所得條件及付出成本和時間的。

近代日本除了逐漸具備了經濟面的條件外，也必須支付成本（流血或流汗）卻轉嫁給中國人及朝鮮人。雖然在其國內則由琉球人、愛奴人及未解放部落有關人員擔負了其中的一部分。在二次世界大戰結束以前，日本雖然能在經濟層面上走上近代化之軌道，民主政治之開展卻得要挨了兩個原子彈之重創後，才能初露了勢頭。

可見民主政治之實現是不易的。這是我寫完了本文之後由衷而獲得的感受，不知能否得到來會諸先進的共鳴或同感？

參考文獻

1. 松浦玲著，《明治維新私論》（1979年）
2. 遠山茂樹著，《福澤諭吉》（1970年）
3. 海後宗臣著，《教育勅語成立史の研究》（1965年）
4. 世良正利著，《日本人の心》（1965年）
5. 和歌森太郎著，《天皇制の歷史心理》（1973年）

6. 中村正直、石井民司著，《自叙千字文──中村正直伝》（1987年）

7. 中村正直譯，《西國立志編》（1988年）

8. 下山三郎著，《明治維新研究史論》（1979年）

9. 《福澤諭吉全集》（岩波書店版，有關事項）（1969～1971年）

10. 牛尾喜道、草柳大藏共著，《明治再見》（1967年）

11. 遠山茂樹著，《明治維新》（1983年）

12. 田中彰著，《「脱亜」の明治維新》（1984年）

13. 柴田實編，《石門心学》（1971年）

14. 石川謙著，《石門心学史の研究》（1938年）

15. 竹中靖一著，《石門心学史の経済思想》（1962年）

　　匆匆忙忙裡，初步地完成這篇草稿。無法做好細密的註解，甚感不安。為了同行諸學長的方便，謹列出在台灣我認為比較稀見的參考文獻。

本文原刊於《中國民主前途研討會・議題5：日本的鏡子》（論文抽印本），台北：財團法人時報文教基金會，1989年8月16～18日，頁1～27

【附錄】
讀戴國煇〈明治維新與日本的民主政治發展〉有感

◎ 李鴻禧

1

　　中國時報系時報文教基金會，擬於本年〔1989〕8月16日起三天，在台北舉辦「中國民主前途研討會」；研討主題中有「明治維新與日本的民主政治發展」乙項，邀請日本立教大學教授戴國煇提出論文；主事先生邀約筆者擔任此篇論文的講評；一時躊躇猶豫，婉言辭謝。這一方面，是由於筆者專攻憲法、人權，研究日本憲法史或民主政治發展時，在研究方法上，一向凝聚在法律、政治思想層面；而戴教授在這論文主題上，可能會著重明治維新前後，環繞政治文化周邊而會牽涉民主政治發展的各種問題；兩人研析思考同一論文題旨，彼此著眼難免略異所鍾。戴氏若意外地從法律、政治思想理論發展層面落筆引申；筆者挾己所長馳騁運筆，恐怕寫不好適如其分的講評。然而，另一方面，戴國煇教授若果以政治文化的關照，來縷析闡論明治維新與日本之民主政治發展，則筆者對此方面研究尚屬膚淺，評論戴教授論文實力有所不逮，特別是自1960年代中期，到日本國立東京大學留學時，我就認識戴氏為友迄今；這二、三十年來向他請益或閱讀其著作，賡續不綴，頗能約略理解其研究業績及思想觀點。也許是在大約同一時代，同樣在東京大學研究，閱讀雷同源流著述，抱持類近的時代關懷，我發現在解析明治維新的日本民主政治發展問題中，詮釋其政治文化層面上，我們不僅抱持相當接近的看法，而且連援據參照的書籍也泰半雷同。唯恐惺惺相惜、

先入為主的成見，評論起來難以超然客觀、鞭辟入裡。無如時報基金會力邀不放，自己也在念及與《中國時報》曾有一段故舊淵源下，盛情難卻地接下。不過，等接到戴國煇教授本稿讀後，發現此論文之架構、運思、引據、論理，幾乎有如始所預料，對論文見解大都同意，不少地方更與自己想法完全重疊，頗感難於故做違心之論，俾便為評論而評論。原先初接來稿，盯上戴氏自加副題「立足台灣，解讀中國『近代』座標軸之一個嘗試」時，自忖或可就此讀出與戴教授不同觀點，發為議論，讀完全稿始知副題幾未著墨，有點後悔接下這個講評。

2

　　在戴國煇教授論文起筆，就提到這些年來，他一直對「明治維新與日本的民主政治發展」問題，在做總體性思考，表示要真正著手做完整的分析研究，大約仍需五、六年的耕耘。的確，研究日本的民主政治發展問題，原是一相當艱難的社會科學工程，卻也是我國留日學生必須面對的宿命的難題。盱衡中日兩國近代史，在1840年代中國的「鴉片戰爭」與日本的「黑船事件」，同樣是東方古老帝國，受到歐美帝國主義兵臨城下的「西方衝擊」；同樣是國家民族在救亡圖存中，面對如何急速現代化，俾能適存於帝國主義的國家環境中，兩國在移植繼受西方文化之歷史，本在同一「起跑線」上。不過，嗣後，中國經「同光新政」、「自強運動」後，卻滿清覆亡、建立民國，接著是東征北伐、剿共抗戰，演變成今天台海兩岸對峙，現代化——尤其政治、法律的現代化，仍然未臻佳境，與民主政治先進國家仍有相當差距。相對的，日本經「明治維新」後已開始轉弱為強，有如戴氏論文所言：「明治維新方式之近代化，雖然具有很大的局限性。……但就西洋化或工業化之指標來談，可以說大體上是成功的。」尤其經「大正民主政治」和「昭和元

祿」時代的發展，更奠定了日本現代化厚實的基礎，使日本在遭軍國主義大劫禍後，在戰後能迅速回復，成為世界自由民主先進國家。同樣是屬於亞東之文化古國，同樣浸淫中國式封建王朝之典章法制，也同樣濡染儒家思想，何以「起跑」之後，竟然失之毫釐，差之千里？這個問題幾乎是留日學生心中，葛藤纏繞，解之不開而又揮之不去的宿命難題。

　　然而，「明治維新」與「同光新政」以後，日中之間歷史發展之成功與失敗，所以難以分析比較，在於界定成敗之「指標」如何設定之問題。戴氏提出六大「指標」：一、政治上的民主主義；二、經濟上的資本主義；三、產業上的從手工業到大工業生產；四、國民教育的普及；五、國家軍隊的成立；六、個人主義的成熟發展。固然是當前日本學界，在界定現代化是否成功之「指標」時所常見之主流通說，但是由於本論文之主旨在研討「明治維新與日本的民主政治發展」，就顯出戴氏在架構全文上，有其獨特聰穎之邏輯辯證之高超本領。他很坦率地表明了留日中國學生對「明治維新」的「心結」（complex），說：「因為我們身受近代日本侵略之多重災難，因而評估或借鑑日本近代化起點的明治維新，確實有非常複雜的心情。換句話說，自明治維新為始的日本近代化，是否給一般日本人百姓以及中國人百姓，帶來過真正的幸福。……是值得我們質疑的。」對「明治維新」之成功與局限性，不僅以第一「指標」之政治上民主主義，指摘其極具嚴重的缺陷，而以自由民權運動和大正民主主義，二次大規模的爭取民主主義的全國性運動遭到扼殺，以為鑑證。而且更以「治安維持法」之制頒，「特高」等情治組織之建立，批判其嚴重破壞基本人權、蹂躪民眾自由，使第六個「指標」之個人主義之成熟發展無法達成。可是，同時卻能冷靜而客觀地指陳：「通過明治維新的變革，日本的近代化，基本上達到了第二至第五的指標。」跳出自己的「心結」，下了結論說：「從這個意義上說，我

們承認明治維新獲得了基本的成功。」於是一俟昭和中期，日本軍部發動的世界大戰失敗，反民主政治及反個人主義的勢力，一旦被排除，日本民主政治的發展，依戴氏論文邏輯就因爲自然能夠成功。這種正反合的辯證法之架構，確實相當有說服力，頗能把握「明治維新」是成是敗之錯綜複雜現象。

3

　　戴國煇是治農業經濟史出身的，自然有其經濟史學的敏銳觀察力，「鴉片戰爭」與「黑船事件」，在歷史演展的「時間」上，固然相當接近，因而使研究者全神貫注於「時間」的「起跑線」同一，而疏忽了中、日在經濟地理的「空間」上，彼此相隔迢遙，「空間」的「起跑點」截然不同。戴氏明銳看出，在歐美列強盛行帝國主義侵略時，日本地理上居於「列強侵略目標的最末端」；「黑船事件」前荷、西、葡的傳教士已多有出入；西方人稔知日本內情，使日本在產業資本主義列強心目中，全然欠缺即刻染指的魅力。日本不僅天然資源相當貧乏，人口也只三千多萬，市場狹小而又交通不便，不是搶原料市場的侵略殖民好目標。他縷析當時殖民主義世局謂：「當時英國忙於啃食中國與印度兩大陸古國；帝俄忙於插手西伯利亞；美國忙於各州及向中南美擴展；法國則忙於滲透中南半島；所以當年之西方主要列強都沒有充分之軍力向日本直奔。」事實上，「鴉片戰爭」面對的是當時世界最大殖民強權之英國，「鴉片戰爭」之後，英國賡續不斷地侵略中國，甚至企圖瓜分中國進行殖民。而「黑船事件」面對的則是初嘗殖民霸業的美國，「黑船事件」以後似無餘力繼續對日本蠶食鯨吞，甚至後來把興趣南移中南美及菲律賓，對日本危害不大。中日兩國受「西方衝擊」震盪餘波，大相迥異。「起跑線」的「時間」相近因素，畢竟與當時中、日國際環境因

素不能相提並論的。

　　中、日現代化之明顯「分歧點」在甲午戰爭，這是一般人耳熟能詳的通說常識。通常史家很容易點出為甲午戰爭勝敗關鍵之「黃海之役」，滿清海軍編制雖大過日本海軍，只以訓練裝備未臻嚴謹確實，以致潰敗。戴氏論文卻能深入觀察，指出日本在「西方衝擊」後，已深諳必須累積資金，庶幾能進行近代化資金累積過程；在無割地賠款的不平等條約負擔，工業化生產又逐漸推展下，日本不僅順利地進行累積過程，抑且開始染上資本帝國主義習性，並在征韓犯台之後，發動「甲午戰爭」，而以兩萬萬兩的「甲午賠款」及稍後歸還遼東之補償金，來做為日本建立「金本位制」的準備金，充實其財政金融的厚實基礎；為日本資本主義工業化生產的擴展，奠定了更上層樓的條件。與日本恰恰相反的，中國自「鴉片戰爭」後，就成資本帝國主義爭逐的一塊肥肉，英、法、俄、德紛紛滋事挑釁，藉口興兵入侵，視中國為最好侵略掠奪目標。清朝一再被逼割地賠款，國困民窮、帑藏空虛；而滿清皇朝仍奢侈腐敗，講究朝廷排場，建頤和園修行宮，累積不起近代化資本。於是日、中之間在「甲午戰爭」之後，豈唯國家軍事力之發展差距日大，就連資本主義近代化的腳程，也快慢愈益不同了。很可惜的，或許限於論文篇幅字數，或戴氏未注意論及，事實上，就在「甲午戰爭」前後，日本不但在改革農業制度、軍事人員財力動員、軍需配備產業擴增、戶政警察治安規劃、普及教育制度，以及鐵路港口船舶整備建設等方面，都做了一番大幅度之法政調整建設；抑且在甲午戰後，更積極將之具體推展實施，這些發展固然成為日本戰勝帝俄要素，誘使日本走上帝國主義之不歸路；同時確也使日本國力變得堅實，戰後很快能復起、快速發展民主政治。

　　不過，令筆者深感惋惜的，可能是戴國煇教授專攻範疇較遠離法

律政治，以至於在研討「民主政治發展」問題中，對近代化之「指標」探討，竟然相當疏忽了法律與政治問題的思考。「民主政治」之定義，雖然東西方、各時代、各學派都有若干不同的詮釋，但是其以「國民主權主義」、「法治主義」、「個人主義」等價值為其基礎，已成為世界人類的「共識」。戴氏能夠剖析「明治維新」之局限性，在於政治的民主主義和人道的個人主義未能實施。卻未再深一步研討，使論文觀照形成頗大缺陷；尤其在中、日民主政治發展之比較研究上，更是一大失著。事實上，中日兩國學術界中，類多將近代史上中日兩國之發展如此迥異之主因，歸之於面對「鴉片戰爭」及「黑船事件」之「西方衝擊」後，日本雖也不無「東洋道德、西洋藝術」之「東體西用」思想，但能更早、更積極地移植繼受西洋法制，明治維新初年就派遣頗多留學生到西方，攻讀法學、政治學等社會科學，以為建立近代法制促使日本近代化之媒介，抑且在遭逢移植之排拒難題時，也能不因循故舊典章制度，努力師法歐美政治及法制。相反的，當時中國卻擺脫不了濃厚的「華夷思想」的傳統思想，雖然懍於亡國滅種之危機，而被動地移植繼受西方文化以求近代化；但是派遣學生赴歐美留學，也都側重理工自然科學何以自處艦砲兵學之類；對以民主政治與個人主義為基本價值之政治法律，常常借「中學為體、西學為用」之弔詭想法，因循敷衍；諸多法政事務寧願膠柱鼓瑟於傳統朝綱職制，俾便極力維護「人治政治」（rule of man）及「制法治人」（rule by law）體制。

4

　　衡諸史實，日本在「明治維新」時，留學歐美之傑出政治、法學家輩出，對日本之民主政治發展史影響深遠，貢獻良多。本文限於篇幅，只能略舉數人以為例證。譬如：箕作麟祥在明治3年，就

翻譯法國民法，想直接適用於日本，嗣後並與法儒傅散德（Gustave Boissonade）合力起草日本民法，奠定日本六法全書體制之基礎；他又最早向日本紹述「自由人權思想」及「國民抵抗權」，力排「東方道德、西方藝術」之華夷思想，倡言日本快速接受全盤西化，對日本近代化貢獻至鉅。又如穗積陳重在明治9年留學英倫之倫敦大學，博覽英、德、法之法學、政治學；他積極介紹西洋法學、政治學之同時，參與編纂六法大典。穗積氏雖被視為與伊藤博文同屬保守派，有極強之民族尊嚴與國家自信，但是在所撰《法律進化論》中，充滿了新自然法、自由法之思想與理論。尤其其所著《法理學》〔《法理学》〕一鉅著，則切切披陳西方法學政制之優越性，及日本應移植繼受之重要性；盈溢著世界法政舞台中「優勝劣敗」的諄諄教誡，以及東方道德觀之欠缺人道公德之懇懇惕語。既能有力說服日本人，而又裨益日本近代化良多。其他啟蒙明治維新之日本者，不勝枚舉。

　　然而，同一時代的中國，雖也有「同光新政」、「自強運動」的曙光一現；清廷聽從劉坤一、張之洞之請，命沈家本、伍廷芳等設置「修訂法律館」，擬移植繼受西洋的法律政制；迨沈家本、董康、俞廉三等人，廣徵館員，招聘西洋學者律師，起草編纂民、刑、商等六法全書時，守舊派勞乃宣、陳寶琛等，咸因解不開移植泰西法學之「華夷心結」，爭議抵制不已；必也俟民國18至24年間，才由胡長清等人完成六法全書編纂。中國近代化因焉諸多延宕，民主政治發展也因焉滯落後。

　　其實，明治維新時代，日本就設立帝國大學（即以後之東京帝大，今之國立東京大學），內設法政科系，成為紹述、研究、教學泰西法律政治之中心。一方面充當明治皇朝最佳法律政治諮詢機關，另一方面則成為政府法院官僚養成機構。明治以後，日本行政及司法之官僚，乃至於中央與地方各級議會之議員，大率是由帝國大學教育出來，而帝

國大學之法學、政治乃至經濟、財政，莫不採擇西洋學術及教育方式；其學生又從廣泛的各階層吸取薈萃菁英。這對日本的近代化提供了強有力之人才寶庫，也為日本民主政治發展提供了源源不斷的動力，而在這一方面，清末同文會館、廣方文館之設置，似又落後些許。

5

　　戴國煇教授長年居住日本，從事研究教授，對日本文化——特別是有關政治文化——有很深入的理解體會；加上其對歷史之專業知識，因此，在本論文中第四章所撰「日本近代化與精神革命」，最令人激賞佩服。戴氏在日本近代化成功的析論中，不只闡述其外在條件，抑且鞭辟入裡地剖析日本人的精神方面之積極主體性——戴氏有時稱之為日本國民性。他描繪日本人近代化的「主體性」，乃是一方面保持民族的自主獨立文化，同時另一方面，則自動自發地吸取異質的外來文化，使兩者有效地融合，來促進現代化之改革。觀之，日本在「明治維新」時代的領導者，在其近代化運營過程中，始終堅持「大和魂」的主體性實踐；而在日本社會既有之內在傳統價值中，尋出與外來西洋價值最易融合者，借屍還魂、移花接木，大加弘揚移植，俾得遊走抗力最微之途徑，足見戴氏觀察入微。

　　戴氏就其專攻分野，臚舉澀澤榮一的「士魂商才」、「道德經濟合一論」；福澤諭吉之「權道主義」、「功利主義思想」。中村正直之《西國立志編》的「天助自助論」。在「明治維新」時代，對日本內在精神之革新革命，都有相當深切的影響，隱然成為日本近代化之精神動力。從政治文化底內層來縷析日本的民主政治發展，引人吟味，發人深省。尤其殿以日本人「求道」思維，即把日常生活行為之喝茶插花、擊劍書畫，以高深宇宙人際哲理，昇華為茶道、華道、劍道、書道之道

理，引申闡揚為日本近代化之無限潛力。並以石田梅岩之石門心學之流行日本，畫龍點睛，增厚全文蘊涵。

　　這是一篇探討「明治維新與日本的民主政治發展」的好論文，令人印象深刻、獲益也多。倒是加上「立足台灣，解讀中國『近代』座標軸的一個嘗試」的戴氏副題，頗使筆者感到迷惑，「解讀」不出何以「立足台灣」去解讀中國「近代」座標軸，為此耿耿於懷，是件憾事耳。

　　　　本文原刊於《中國民主前途研討會》，台北：財團法人時報文教基金會，1989年8月16～18日，頁1～10

從台灣看昭和

◎ **劉淑如譯**

　　從台灣所看的昭和——這是被夾在日本、英國、美國等列強之間，遭到殖民地化，被捲入世界史中的「近代」以及被利用，而日本自台灣撤退後，也迷失了方向，成為這樣的歷史的一部分。

　　日本首次出兵台灣，是在1874年。

　　琉球是在1609年（慶長14年）被殖民地化。當時，薩摩的島津氏出兵到琉球，將琉球國變成有如是薩摩的殖民地，並讓琉球和中國進行貿易，從中汲取利益。

　　其後的1867年，德川幕府垮台，1868年時日本迎接明治維新。在近代國家界定領土的過程中，台灣正好發生殺害琉球島民的事件，於是日本便藉機向清朝追究責任。1874年，進展到出兵（征台之役），由於美國的介入調停，最後日本要求清朝付出賠償金。

　　即使在江戶時代以來分別隸屬日清兩國的琉球占領問題，日本也利用清朝處於列強壓迫的劣勢，以強硬的態度對待清朝。

　　首先，日本於1872年（明治5年）設置琉球藩，最後琉球藩

從日清共治演變為日本的單一統治。接著,於1879年廢琉球藩,設置沖繩縣。亦即日本為了占領琉球,向同樣主張擁有領土權的清朝施壓,並以琉球島民的遇難為藉口,向清朝的邊陲之地台灣出兵。

1930年(昭和5年),在台灣中部的少數民族當中擁有最多人口的泰雅族,由於長年對日本懷恨在心,於是選在霧社管轄內的秋季運動會當天蜂起,而這個運動會對日本人來說,是少有的餘興活動。這起「霧社事件」,幾乎將霧社的日本人全數殺害。由於日本有昭和恐慌、世界恐慌、社會主義運動等不安,於是當局使用飛機、大砲、毒瓦斯等加以彈壓。翌年,發生了滿洲事變,接著又發生了上海事變、盧溝橋事件、珍珠港事件。從台灣所看的昭和,可以說就是「戰爭」兩個字。

我們台灣人被捲入日本的殖民地統治,同時,我們也迷失了自我。換句話說,我們可以看得到台灣中上層的共犯結構。例如殖民地統治當中,有一環是培養醫生和律師。另外,滿洲國一成立,便把中國人放到當地人和日本人的夾縫中間。順帶一提,滿洲國首任的外務大臣,是台灣出身的謝介石。也就是說台灣人雖然反抗日本,卻仍然接受日本的保護,於是在不知不覺間,便掉入陷阱,成為日本的「傀儡」。

此外,戰線持續擴大,到了南方作戰的階段,日本便以充當士兵、憲兵隊口譯人員的形式,將受過皇民化運動洗禮的台灣人捲入其中。

戰後,這些人沒有被視為日本人,也未接受任何的補償,而且還受到當地人的仇視,境遇很不好,其中還有人在馬來半島遭

受處刑。

　　因日本的敗戰，這些台灣人復員回到台灣，此時，國民黨的軍隊也來到台灣進行接收。1947年2月，發生了二二八事件，而當時這個事件的核心人物，便是復員的台灣人日本軍屬及軍人。

　　日本長達50年的台灣統治，並非統治中國整個國家，而是將台灣從中國切割開來加以統治，所以，有異於國家被切斷的東西德與朝鮮半島之情況，台灣因此除了民族統一運動之外，還存在著獨立運動的問題。

本文原收錄於戰争を語りつぐ'89実行委員会編，《戦争を語りつぐ'89》，東京：立川市中央公民館，1989年12月17日，頁12～13

立足亞洲，放眼世界

一起來談日本、亞洲、世界
──過去、現在、未來

◎ 林彩美譯

　　我們正面臨世紀末的大轉換期。去年〔1989〕相繼發生的天安門事件、東歐的激盪以及蘇聯的巨大變故，這所有大變動所形成的龐大衝擊，給轉換期的社會情況起了震盪。我們知道，現在人類已被迫到不管願不願意都得以地球、人類共同體的規模去應對核武戰爭、環境問題與人口問題的狀況。

　　資本主義世界亦即西方世界，自1975年以來試著要通過主要發達國家首腦會議等來調整世界體系，對此動向我們也不能不關注。

　　我們大家都是單一地理單位──地球的住民，東西雙方的激烈大調整，是否相互滲透、互相影響而連動起來進行，我們也要關注。

　　處於此危急存亡之秋，我們以日本為相逢之場所，偶然能共有此機會，真是幸運。在此千載一遇的機會，呼籲每個人要以亞洲人的一員來為自己定位，更要以是否抱有人類共同體的不可或缺的構成員之精神自覺重新做確認。然後對圍繞著我們人類全體的存活作戰策略之諸多問題，寄予莫大的關心，必要時也要有自

己積極參與此作戰策略的決心。

　　我們一邊沉浸於「過去」的歷史之中，也要努力於抓住歷史今天所顯現的「現在」。再者，為了摸索人類應有的共生方法與共同的多樣性新秩序之故，歷史的未來，即21世紀，對我們來說會是怎樣的一個時代，我想做深入的追究。以此為目標，我們在「21世紀亞洲俱樂部」聚集，一起思考、討論、鍛鍊洞察力，希望能試著做出更美好的預見。

　　　　本文係為未刊稿，為亞洲21世紀俱樂部設立宗旨而撰，寫於1990年3月27日

亞洲與日本
——從我的日本體驗切入

◎ **劉靈均譯**

一、前言

富士全錄（Xerox）‧小林節太郎紀念基金，自1984年以來開始進行扶助亞洲留學研究者的研究。在這期間，支援留學生們完成學業姑且不說，還不斷摸索建立留學生之間，更進一步與基金關係者之間加深相互理解而嘗試舉辦各種活動。

1989年10月7日，第一回學習會「論日本文化之會」邀請東京大學平野健一郎教授以「日本文化與伊麗莎白女王」為題提供了話題。令人想像到迎接女王而忙得不可開交的日本外務省的情況，與對於日本文化特有的成規而不知所措的女王模樣的有趣談話內容。

這個學習會獲得望外之好評。有幾位留學生捎來期盼能繼續舉辦這種集會的要求，做為主辦單位的本事務局是無比欣喜。

富士全錄‧小林節太郎紀念基金會所扶助來自亞洲的留學研究者，全是人文‧社會系的研究所博士課程的學生。因此日常忙於學習和研究，從而就是精通於專門領域，但對日本文化廣泛了解並將之帶回故國的機會不多。由基金來提供場所就是本企畫的第一目的。

因為希望在人文‧社會系各自專門領域不同，國籍、地域互異的

留學生之間，更與基金關係者之間建立交流管道，因此想到必須聚在一起進行數次相互討論才開始了此企畫。

這次，邀請了與舉辦者的立場完全不同的，中國（台灣）籍，東京大學農學博士，現在是立教大學文學部教授，又兼國際中心長在促進國際交流的戴國煇先生為我們演講。

我們事先向提出申請的出席者寄送了以下的資料，是因為這個計畫希望出席者能夠先讀過再進行討論。雖然不知道本事務局的理念能夠實現到什麼程度，但還是請各位讀讀以下戴老師的演講錄。

因為時間縮短了20分鐘，我就不再對大家說些客套話或者是應酬話了。此外，我接下來是以各位已經閱讀過我先前交給小川先生（富士全錄股份有限公司‧小林基金事務局長）與今天講題相關的資料為前提，開始我今天要說的話。

我在被要求演講前，大概都是前一晚在腦袋裡整理好講題，做好筆記大綱，所以今天也是提出昨天晚上所筆記的內容，這些大家手邊應該都有。接下來我就以筆記上的順序來進行今天的演講。

二、留學生生涯

首先我想對於副標題的「從我的日本體驗切入」提出一點說明。我是1955年11月21日來到日本的，當時還沒有噴射機，所以我是坐螺旋槳飛機從台灣來到了東京留學。要我說日本經驗，我希望將那之後我的日本體驗原原本本地與各位說說。我不想擺個

老前輩架子來說，而是做為大家留學生的學長，我也曾經有各種苦悶、失敗與挫折。接下來要說的這些，雖然時間上有限制，可能只能說些豐功偉業，但是這些所謂豐功偉業，也是祕藏著很多挫折感與敗北感。請大家在聽的時候記得，這些豐功偉業只是浮上表面的風光而已。

　　我在東京大學讀了約十年的書，拿到學位之後進入亞洲經濟研究所。當然當時的日本法務省沒有像晚近這樣大方地讓外國留學生畢業後還能繼續留在日本國內就職，發給居留簽證，所以要在日本居住可以說是大不容易。然而即便如此，我依然在亞洲經濟研究所做了約莫十年的研究，在那之後又受到立教大學擔任正教授的邀約，於是在1976年4月轉到了立教大學。我在這個領域已很資深，且明年已屆花甲之年了。到目前為止，我每十年就換一次工作或者是研究的場所，然而也因為有點累了，希望接下來不要再改變，做到65歲屆齡退休之後，再想想要怎樣將自己過去的工作成果編成著作集。

　　總之，我除了以留學生學長的立場演講以外，還要以立教大學國際中心長的身分來向大家報告。立教大學雖然是由美國的聖公會所成立的，但現在已經完全變成日本人的大學了，而且還是國際化較慢的大學之一。過去的國際化大概都是向著歐美的方向進行國際化為中心。我到了立教大學之後雖然長時間參加與國際交流相關的委員會，但再怎麼樣我也只有一票投票權而已。我透過小川先生傳給大家的資料之一是《歷史與文明之探索》〔《歷史と文明の探求》〕（中央公論社，1976年刊行）中所記載的。在這裡，時任文部大臣的永井道雄先生說，我是明治政府成立以

來第一個被任命為政府委員的亞洲人。我當然認為這沒什麼好感慨的，畢竟日本明治維新以來，所聘用的外國人幾乎全部都是歐洲人，像我這種亞洲來的才說不上是政府聘用的外國人。剛好也因為永井道雄先生評價我時說道：「戴君不像是一般留學生或者是留學生的前輩，說話的時候毫無畏懼，什麼都不顧慮，是個有趣的傢伙啊！」因為這樣「錯誤」的評價，我才會受邀擔任委員的吧。從那時候開始，就愈來愈常有人邀請我去參加國際交流的場合了。

　　永井道雄先生在某種意義上，不管是在日本的學界或者是新聞從業者的世界中都算是非常國際派的。真正的國際派，大概在日本都是屬於少數派，近來則有慢慢增加的趨勢。在我遇到永井先生時，被永井先生罵了一頓：「立教大學在幹些什麼？」我拚命辯解：「先生，真抱歉。我畢竟只有一票。」然後國際中心終於在三年前成立了。單單就國際中心之創設來看，我以為立教大學可以說是東京主要大學之中最晚的一所了。如果赤木〔洋子〕小姐（立教大學國際中心課長）在的話，因為她相當資深，我想應該會更加清楚實際狀況。雖然中心是成立了，但校長也只說了一句「戴先生請你幫個忙」而已。我覺得「這下可傷腦筋了」吧。我現在還有著中國國籍，在人才濟濟的日本老師們之間，進用我這個外國人擔任校級組織的負責人，當然讓我十分困擾。要怎麼應對比較好呢？我當時非常為難，不斷地委婉拒絕。說好聽一點，受了校長的三顧茅廬之禮，我才終於接受了。我一邊摸索，一邊做著迎接留學生又送走留學生，迎接外國來的研究者和老師們又將本大學的老師們往外送等工作。也正是在這樣的工作

之中我認識了小川先生。

　　在這樣的狀況下，我所提案的東京六大學國際交流懇談會終於建立了。大學的數量相當多，我姑且先以組成六大學棒球聯盟的學校來開始這樣的懇談會。日語的俗諺有云：「艄公多了船都會爬上山」〔譯註：艄公多，撐翻船〕，學校要是太多了將會很難運作，絕對不是要排擠其他大學的意思。六大學棒球聯盟中，立教大學一直都很弱，但是去年秋天終於得到了睽違23年的冠軍。這六個大學各自有各自的國際交流中心，由該事務局的負責人與國際中心的中心長（由大學的老師兼任）開始進行懇談會，花了約莫兩年，前不久由於輪到了東京大學，所以是由本間長世先生在東京大學舉辦。關於討論內容的思考之處在於，並非只是單一學校，而是各大學間應該如何互相協助，才能推動日本大學的國際交流，或者應有的走向為何？我們希望能夠一起思考看看。我因為自己是留學生的前輩，而且又是外國人，所以一直積極地發言。或許有點僭越了吧！在日本這樣講求行事不張揚的國家中，像我這樣的存在，大概是不太可愛、不被歡迎的外國人。我自己也有所自覺。但是立教大學的校長卻願意讓我這樣的人擔任國際中心長，而且在日本這三十幾年也受到日本的諸位多方照顧，若我沒指出在日本的諸位與各位老師未及察覺之處，豈不是太對不住大家了？如果我一直以乖寶寶的態度，淨講一些讓日本的諸位聽來開心的話，那麼我又是為了什麼參加會議的呢？還有，我也參加了某個企業獎學金的評議委員，當然不是全錄的小林基金，名字我在此不說；在這個企業獎學財團中，我自稱所謂的知性的野蠻人，intellectual barbarian，我希望能夠成為所謂的

知性的野蠻人。簡單說，我將自己做為一個評議員，定位為希望打破現狀，並且提出問題。我將會透過這些經驗來進行今天的演講。

接下來要說到年齡，雖然很不好意思，但是我已經快要滿59歲了。在中國、日本都有「還曆」的說法，到了60歲就是「還曆」，再度返樸歸真回到小嬰兒的樣子。在此意義下因為小川先生說了「拜託」，所以我接受演講邀約的同時，似乎也是在進行一趟自我確認的旅程，可以說是確認自我或者是與檢驗自我有關。今天井上〔四郎〕大前輩（富士全錄股份有限公司董事，前亞洲開發銀行總裁）也大駕光臨，此外常盤先生（富士全錄股份有限公司總務部長）也在，他與我同年或比我要小吧。因此我不打算要大牌用長輩的樣子來演說，但就像剛才所說的，接下來應該就來驗證我這樣一路受到各種挫折、失敗所得到的長年留日經驗吧。

有兩個大問題浮上水面來了。一個是回顧我的人生歷程，另一個是我的研究歷程。這裡的成員大抵都是以大學研究所的研究生為主，在日本這個地方進行研究。所以我也是在一面確認自我，一面檢證自我，把要如何和各位對話當作一個課題來思考。

為何留學？自己是誰？

我們先來想想看，留學是怎麼一回事。我不想倚老賣老，畢竟這麼說的我，當初也是茫茫然地來，會開始重新思索留學究竟是怎麼回事，也大概是二十年前左右的事了，在那之後我才逐漸

整理出我的思維理路。我認為一邊重新思考，一邊學習，也是留學生的課題之一。

　　那麼究竟自己是誰？這樣的問題和定位的課題普遍存在於正處於青年期的留學生中。哈佛大學名譽教授艾利克生與自我認同相關的理論對我們多有啟發與衝擊。日本雖然晚了些，但艾利克生的理論在社會科學、人文科學的領域上也開始有所影響。如果讓我將這些理論整理並且提出問題，問題就在於：只要是研究學問，不管是留學後歸國或者留在國外，或者其研究對象是自然科學或者社會科學，終究只是個人的單獨奮鬥。在日本常常說團隊合作比較好。團隊合作可以產生機能，一般而言正是因為每一個個體都必須要正經，才能夠進行團隊合作得到結果。在此意義下，我認為做為留學生，或者研究者，都必須要常常重新思考自己究竟是什麼。

　　然而要知道自己是誰，也必須要先意識到他人的存在，才能夠確認自己是什麼。嚴格一點來說，從外國來到日本的我們，是以他者的身分，與日本以及日本人相遇。而我們攬著日本這張鏡子看看自己，才會發現「啊，我與我的國家，和日本人與日本有這樣大的差異！」因而在真正的意義上得到了重新檢視自己的瞬間，再往後延伸，這才面臨到「抓住自己」的課題。這也成為我們終其一生的課題。想要抓住真正的自己，看起來很簡單，實則不然。並不是每個人都可以成功獲得真正的自我。

　　所謂留學，是由與異文化接觸開始的吧。對日本而言，整個亞洲與日本相對接近的，就是朝鮮半島、中國大陸、台灣等。這些國家與地區之間，我們可以找到像是都屬於漢字文化圈、儒教

文化圈等共通點，風土面上也有相似的一面。但在生活型態上，這些地方的人則有相當大的不同。因此所謂留學，對於中國人、北韓人、南韓人而言，基本上就是從接觸異文化開始的。在接觸異文化時，如果像剛剛說的一樣，基本上是非常個人性的話，那麼首先浮出水面的問題就是自我認同（ego identity）的問題，也就是確立自我認同的問題。

接著，從第三世界來到日本的問題也有其特殊性。從歷史的史實看來，在亞洲能夠追趕上近代歐洲，並且將之體現的國家仍然只有日本。我們之後會再度提到這件事情。除了日本以外，亞洲其他的各個國家都還留存著群體認同（group identity）確立的課題。這裡所謂群體認同的「群體」我們只要把它還原到社會、或者是民族、國家的層面來思考也可以。特別是從第三世界來的留學生來到了日本，重新省察自我的同時，在重新反省「自己究竟在個人層面上是什麼人」的同時，我認為不可欠缺的是經常保持著重新思考「自己所屬的社會是什麼？自己所屬的民族是什麼？自己所屬的國家又是什麼，到底整體又是怎樣的情形呢？」這種「省察自我」與「確認自我」課題的態度。就留學生的年齡層而言，一般應該正是陷入認同危機的世代吧。只是從中國大陸來的，因為有特殊的狀況，所以現在在日本的各位大概以年長者居多。我聽說這是因為文革等各種特殊狀況才會如此。就算是總括而言，我們也可以說留學生的年齡層也還是像海綿一樣、尚未定型的朋友比較多。所以在要決定如何培育自我的這個階段而言，可以說每個人都各自懷抱著非常重要的課題。所以不只是以研究面而言，我們也可以將此定位為重新思考如何做人處世，並

且打造自我的珍貴年齡階段。

　　應當特別指出的是，來自第三世界的留學生們所從事的研究問題的特殊性。究竟應該做為一個專家還是一個通才？他們往往被放在這樣的矛盾之中。我們必須思考這個問題。如果包括台灣，以中國人的框架來思考的話，諾貝爾獎的得主總共有四位。其中有兩位是我中學、高中時代的晚輩，其中一位我個人還算相當了解。他們要是留在台灣或中國，能否獲得諾貝爾獎恐怕還是個問題。美式制度的分工極為細緻，也會讓專家適妥地發揮所長。在美國的大學制度裡有一個老闆，其他人都是齒輪，以老闆為中心支撐、推進整個計畫的情形比較多。能適用於美國社會的方式，往往在第三世界國家以失敗收場是一般情形吧。以目前的狀況而言，專家的絕對數量不足，齒輪們不足以架構系統，因而整個無法運作。包括我在內，從第三世界來的留學生到最後還是要依日式系統，鍛鍊自己在專長領域中成為專家，並且留意必要在通才的部分也能夠有通盤理解。在擁有獨自進行研究能力的同時也必須具備總括研究的能力。

　　因此，理想中的留學，我認為應該在某個階段於日本度過，接著尋求機會到美國再次進行留學後才回國，這是比較理想的。我幾天前在東京大學，剛剛提到的那個國際交流懇談會中，見過了日本國際交流基金會（Japan Foundation）的部長。我對他提出了對前往第三國再度留學者提供補助金、獎勵金制度的構想。假如光是學會了該領域的專門知識就回去母國，而沒有佐以配套的制度，挫折是洞若觀火。所以有重回日本的情況發生，其原因即在此。如果總是又重回來，這樣的話永遠無法弭平開發中國家與

已開發國家的落差。這就是為何人才總是集中於美國的理由。我們要一起來考慮這個問題。

於研究中，追求美學、藝術境界

接著我們從研究方法來看。方法也就是技術，就是technical term。比如在人文科學領域，資料要如何蒐集的問題就是一種。的確在技術面上，有著某種普遍性的共通部分。但是行使技術的仍然是人，因此就與主體的問題有關。人做為主體，將個性與技術結合，與能否順利發揮技術能力有關。

事實上這當中又產生一個問題。特別是日本的前輩常常會提到的，在「心」的層次上的問題因而浮現。研究者的心的問題，尤其是來自第三世界國家的年輕人看來是相當難以理解吧。我本來也無法理解，老實說也是直到最近才終於能夠理解。研究的技術、方法相較上是容易記得的，然而要怎樣學習研究者的心，要怎麼從日本的老師們、從日本的社會學得呢？我以為這是相當困難的。

舉例而言，我總是在大學的課堂上向各位學生說，不管蒐集了多少知識，單單只是累積的話，沒有辦法達到理解的階段，這需要中間的媒介。所以我才會說知識是要蒐集多少有多少的，就算是小學生，只要教一教就會了，而剪報之類的只要是國中生、高中生也做得來。但是有沒有能力把擷取下來的知識轉化為對一件事物的看法和認識，才是研究者真正定勝負的地方。就連我也是最近才漸漸知道要怎樣獲得從量轉為質的中間媒介。一個人如

何接受日本老師或者是前輩們所說的研究者的心，並且化為自己的血肉，事實上正與做為一個研究者能否成長有密切的關係。這事實上又和intellectual honesty，也就是對智慧的誠實有關。在美國，有Publish or Perish的說法，也就是比喻如果提不出論文就會消失、被開除。但即便在形式上完備，真正有原創性且內容充實的論文，一般而言並沒很多吧。中國的歷史也是如此。這是我在寫學位論文的過程中所領悟的。這是因為在順著年代順序閱讀文獻時，會乍然感到某段歷史顯得格外贗假，沒有原創性只是以抄襲引用的敘述接二連三地出現。所以有人說天下書雖多，堪讀者寥寥可數，此在某個程度上可以說是真理、事實。而我們往往會被流行所捲入，因為人類非常脆弱，這種事情是常有之事。我們必須常常注意研究上的陷阱。

　　我並不是一個精神主義者，因為我並不是為了說教而來的。我只是向各位報告自己過去不斷苦惱之後終於發覺到的事情而已。包括自然科學在內的所有研究都是如此，我認為終究還是必須費心追求美學性的、藝術性的境界才是。不可以只是寫寫論文，隨便羅列一些東西就大功告成，絕不能抱持這種敷衍的心態，如此太遺憾了。在寫人文科學、社會科學的論文或者專書時，要用心盡力讓文章有深度與文采才好，自然科學也是如此吧。我的研究有一半在自然科學領域，曾經在農學部，這方面所以稍微有些了解，能了解這樣的境界那就很棒了。今天在場的各位說不定已經有人理解了這一點了，我認為盡早理解比較好。在研究本身中追求美學性的、藝術性的境界，這也是我自己課題的一部分。

　　接下來我要說的是關於流行的問題。流行是很糟糕的東西。然而正如我剛剛說的，人類非常軟弱，所以也相當容易陷入陷阱之中。不幸的是，流行往往有著看得見、容易被看見的屬性，但真正留得下來的大抵都是看不太到的東西，大多存在於底流、暗流之中。自然科學方面也是如此的吧。在追逐流行時，往往在驀然回首時，才發現那些全部都是泡沫、表面的東西。拚了命追趕，結果什麼用處都沒有。社會科學也好、人文科學也好、自然科學也好，往往到處都有同樣的陷阱。在留學的這段期間，重要的是必須確立不為流行所束縛的自己的認同，進而進行有主體性的研究。但那也是一個非常困難的課題。

　　我有位年輕的朋友寫了很多短篇文章——看來今天也來了許多從中國大陸來的留學生。從中國大陸來的各位因為文革等原因，長期以來被封鎖在封閉的社會，所以一路很辛苦地走過來。我的學生中也有文章寫得很快的，我總是對他們說：「如果是為了錢的話就寫吧，但是如果不是的話就別寫了。」「如果因為剛離開中國就只念中文書是不行的，也去讀讀日文的書吧，而且也要讀英文的書。」因為中國大陸的語言教育是具有特殊局限性，所以日文很行的人英文卻幾乎都不會講。因為教育系統如此，所以去美國的人就變得只會說英文，是有著偏頗性的。這是無可奈何的事情。

　　不僅如此，他們往往只和朋友們互相議論，只閱讀中文的雜誌或書，並且在香港出版的雜誌上寫些小品文章。小品文或隨筆之類的東西，是給大學者寫的，年輕人必須更重視自己的時間和精力，必須盡全力廣泛並且有深度的累積理智的自我學習，我總

是對來找我指導的留學生這麼說。

　　日本的各位老師一方面對這段期間的情形不熟悉，另一方面又在一種沉默是金的文化氣氛之中，所以不進行嚴厲的指導。但是我們不能夠依賴老師們的善意。美國人的價值觀是鼓勵勇於表達意見，和日本完全不同。日本的人們不太願意明確地把事情說白，往往只是默默地盯著看而已。希望各位可以深加理解日本人的「心」，不斷鍛鍊自己的觀察力。單單只是表面性的比較，想要談論日本人或者日本文化實在是太危險了。

　　1950年代後半，我剛到日本的時候，幾乎沒有給留學生的獎學金，倒是有國家公費的留學生。當時台灣還以中華民國的形式與日本有著邦交關係，所以有幾位公費留學生有拿獎學金。他們大多是與日本人有關係者的子弟，沒有經過公平的選拔過程，初期完全是私相授受而已，然而這在後來逐漸近代化而改善。

　　我也來說說關於扶輪社獎學金的回憶吧。一開始，扶輪社的獎學金限定只有自然科學領域的人才能領，我對此提出批判。日本企業界的人究竟在想些什麼呢？他們把留學生教育當作造就日本的機械或者工廠的搬運工嗎？用這樣短視的看法會被亞洲人討厭的。而且我還指出了，這對亞洲真正的近代化恐怕毫無助益。

　　我們想想看日本明治時代的人們。伊藤博文等，有許多人到外國去了，很多人學了法律回來、學了先進制度回來。並不是只有自然科學領域的人、技術人員去歐美留學而已。即便是回頭看看明治維新以後的「近代化」過程，社會科學、人文科學的學者也和自然科學學者一樣學成歸國貢獻。所以我才會批判米山獎學金不能只把獎學金給學自然科學的人，幸好這情形似乎已經被改

善了。不僅是給留學生的獎學金逐漸增加，質的層面、內容的層面上也有大大的進步。

接下來的問題就是留學生這邊要如何接受這些獎學金。我基本上認為，做為慈善事業的獎學金制度是罪惡的，因為這只是胡亂灑錢在留學生身上而已。絕對不應該只有把錢給留學生而已。我在身為人父之後，直到今天都還要面對要以什麼樣的形式把錢給小孩。給孩子很多金錢，並不一定能撫育出認真的孩子。

就讓我直接點說吧。早期從台灣來的公費留學生，我沒聽說過有什麼人之後成為大人物的。如果接受獎學金的主體沒有同時成長成能充分應用自如的主體性，獎學金也只不過像是「不義之財」罷了。我對美國有諸多的批判，然而在美國最好的一個制度，就是進了大學以後，不管是總統的孩子還是有錢人的孩子，他們都為孩子建立一個未來能夠自立的校園生活，據說一般也是會努力念書的。美國人在援助他人的時候也往往會說：「我並不打算做慈善事業，是因為你做了很了不起的工作」或者「因為你是一流的管家，我才會繼續僱用你」之類。那是因為其本意在於幫助他人自立。

我最擔心的是，各位留學生朋友可能會耽溺於日本「依賴的結構」〔譯註：日本精神醫學教授土居健郎的名著書名，原文是《「甘え」の構造》，解析日本人特有的依賴結構〕。一旦接受了對方的如對嬰孩般的呵護，對方就會照顧到最後。這就是日式的美學意識。換句話說，「施予恩惠」式的善意事實上是有轉化為罪惡之虞的。全錄公司以小川先生為中心的各位，以這樣的形式舉辦學習會，我認為實在是太難能可貴了。我不知道大家能不

能真正開心地把我的話聽進去，搞不好會想著「這傢伙真是討人厭的前輩」。我只希望大家在十年後會說：「那個姓戴的怪傢伙說過這些話，我到了今天終於漸漸懂了啊」，能這樣把我說的話想起來就好了。

我總是這麼說：說到錢，在困苦的時候，即使只有20萬、30萬日圓，大家也都想要，但並不是只要能拿到很多錢就好。自主性地不領錢，或者只求在某個金額以上的部分由學生自己想辦法賺出來。基本上在這樣的態度當中也與做學問的態度、未來開創人生的做人處世態度也有關係，簡而言之，就是無論如何都必須靠自己去尋得的寶藏。倘若學生不親自尋寶，而總是靠取巧或者贈與獲得寶物，如果善事是在給與過程中，無法培育受惠者的「心」的話，我想這種恩惠反而會變成溺寵學生的「毒藥」，變成毀掉受惠者的陷阱。

三、以日本為鏡

接下來說快一點。請大家看到第二頁的「以日本為鏡」。這是和我們剛剛發的資料有關的部分，也和我離開台灣以來不斷在腦海裡描繪的問題有關。清朝末年，中國也和日本一樣興起了近代化運動。為什麼只有日本的明治維新成功了，中國卻失敗了呢？失敗之後接著便進行了辛亥革命，然而因為辛亥革命仍然沒有社會革命伴隨所以也失敗了。接著興起了五四運動，五四運動也不行，之後中國共產黨便出現了。經過了抗日戰爭、國共內戰，中共在1949年10月1日取得了政權，中華人民共和國就此成

立。接著又激烈地展開了反右派鬥爭、大躍進、文化大革命，但是這樣仍然治不好中國的病。

　　這段期間還發生了六四天安門事件。這實在是個悲劇。中國共產黨到現在雖然仍然不願公開承認這是個悲劇，我做為一個擁有中國國籍的知識分子，怎麼看此事都是一場悲劇。關於此我已經在別的地方寫過了（〈嚴殺盡兮棄原野〉，《三省堂小冊子》1989年9月，第82號；〈天安門秀的陷阱〉，《AERA》1989年9月5日；〈中國往何處去〉，《圖書》1989年11月號）〔以上參見《全集》3〕，所以就在此省略。

　　清朝末年的近代化運動中的標語是「中體西用」，也就是以中國的學問為體（基礎），應用西洋的學問。相對於此，日本則提出了「和魂洋才」。所謂和魂應該就是指日本式的精神吧。也就是用日本式的精神活用「洋才」，即西方的學問或技術等等的。關於這些我已經在文明懇談會，也就是剛剛提到的文部大臣永井先生所主辦的會議中報告過了。雖然自吹自擂有點不好意思，但是已經仙逝的山本健吉老師當時也在座，大感驚訝，也對此加以贊許。但直到中央公論社發行時，我仍然有個不清楚的地方沒有注意到。這也是一個自我批判，當時我的用功根本就不足。事實上從和魂漢才轉變成和魂洋才的過程中，有很短的一個時期存在著「和魂漢洋才」這樣的口號。

　　在此我想提出，應該以世界史架構來比較，並且重新討論、定位「中體西用（中學為體、西學為用）」論與「和魂洋才」論。這段期間，我基本上有些看法，已經發表在《世界》雜誌1986年12月號的〈儒家思想與日本近代化〉一文〔參見《全集》

13〕，有機會的話還請各位一讀。

中體西用與和魂洋才論

在明治維新之際，優勢的思潮主流從和魂漢才論、和魂漢洋才論轉到和魂洋才論。在日本近代化運動的初期，在非常早期時，「漢才」被揚棄，而一面倒向「洋才」。在此之後連「洋才」也逐漸被捨棄。也就是說，明顯可以成為「他者」存在的「老師」逐漸消失了。我在十幾年前已經指出，自此「和魂和才」的時代即將開始，仍然有著不成熟的地方。然而，我在此想要提出的問題是，馬上要面對這種狀況的日本究竟該如何面對呢？

雖然一樣也是在面臨近代化之際所提出的口號，但是中國的口號不管怎樣讀，都讀不出與中國精神有關的含意。相較之下，日本所強調的正是和魂。可惜的是和魂的概念在第二次世界大戰，或者更早之前就逐漸變質，為軍國主義所利用，變成被矮化的大和魂。我是這麼解釋「和魂」最原初的主張的：日本開始說「和魂」，是當日本列島的居民以大和民族為中心逐漸凝集團結的過程中，為了對中原的中國和朝鮮半島確立自己做為日本列島居民的集團認同才開始的。從聖德太子開始到大化改新前後為止，不管是生活水準、文化水準，日本列島住民比起中原中國和朝鮮半島的居民都要來得差。原初的「日本人」們是從對所謂「外在」的鄰人主張自我開始，試圖取得做為內部集團的「和」。換成現在的說法，就是為了自行獲得集團的主體性而做

了這樣的主張。「和」的概念最後終究轉化擴張成大和民族的概念，其精神的部分正是所謂的和魂。

而這就可以用艾利克生的自我認同、集團認同的理論來解釋了。日本的近代化常常確認著自己的主體性，並以之為踏板在其中批判性地繼承其傳統；日本是怎樣有主體性地在傳統當中選擇歐洲的近代化元素並且運用之？這問題意識可以說是相當明確。我們可以從其口號看出，日本的近代化總是伴隨著主體性的、自覺的營為。我曾經在美國的演講中提出了以下兩個問題點：

一個問題與《論語》有關。在中國，《論語》已經死了。中國大陸是如此，台灣也只是為了大學入學考試而讀而已。到去年〔1989〕3月為止，我在一橋大學擔任了十三、四年的兼任講師，因此有了閱讀如「水會館」（一橋大學同學會會館）會報的機會，上面載有許多一橋大學畢業的社長或大人物們在如水會發表的演講紀錄。我們可以看到，這些大人物們巧妙地在經營上和人事管理上應用《論語》的教誨。就現況而言，撰述出《論語》的中國，已無人倡導這套思想，在日本卻存活至今。我很驚訝地發現，即使到了今天，《論語》還是從中階主管到經理、公司核心幹部階級的必讀文獻之一。雖然不知道今天在座的常盤先生有沒有讀過就是了。與《論語》相關的書籍到現在仍然不斷被出版，並且仍然大賣，繼續被活用著。

另外一個問題是關於「心學」。心學始於中國南宋的陸九淵，由明朝的王守仁集其大成。它在德川中期經由石田梅岩之手，以日本近世商人的日常生活為基礎，用另一個讀法去理解，形成了石門心學。石門心學在佛教、儒學再加上了神道，還加入

了道教，也就是老莊思想，發展成了探究人的本性的實踐人生哲學。換句話說，這也可以說是日本近世的庶民，自己重新理解創造出的倫理上自覺的學問吧。這種學問從大名一直滲透到日本的庶民，最後轉化為商人之道，我認為這為日本的近代化做了準備。

　　不管是《論語》還是心學，雖然始於中國，卻已逐漸變得徒具形骸。日本卻將這些東西重新解讀活用，從近世跨越近代直到今日。我們可以從哪裡看出這兩者之間結構上的差異呢？這對我，或者是對我們中國人都是相當大的問題。今天因為時間不夠，不做社會科學上的詳細分析；但我所期待的是，中國人或者是華僑、華人的朋友不要再嘗試形式邏輯上的、表面上的中日文化比較論。即便兩邊的名詞在漢字上是一樣的，實則為不同的解讀或者重新組構的營為。不管是《論語》還是心學，日本人都已經根據和魂精神基礎，將其改變解讀或重新組構，成為他們自己的東西了。這種營為主體的「和魂」，重要的是，不管是在漢才的時代，還是漢洋才、洋才的時代，他們都對「和魂」有明確的自覺。這仍然與我剛剛報告的「心」的問題是貫通的。

　　我另外舉一個最近發生的具體例子來說明一下吧。

英語教育與日語國際化

　　這是去年十月，在廣島舉辦的一個與國際交流相關的研討會上發生的事。當時在講台上的除了我以外，還有兩位廣島大學的老師，另外東京大學美國研究的代表性學者本間長世教授也在。

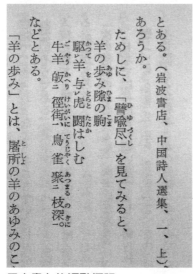

日文書上的返點標記

會議進行到一半，有一位與會人士突然以相當批判性的立場，向本間老師提出了在日本的英語教育、日本人英語不好的問題。

我對於英語問題可以說完全外行，但因為這與日本近代化的樣態有關，所以我做了以下的解釋。

從明治維新一直到這陣子為止，日本學界有著濃厚進口加工業者的性格。因此包括英語在內的外國語言，在日本的地位與角色，只能說是做為進口者的手段而已。

從「丸善」書局〔譯註：Maruzen，明治2年創立至今的連鎖書局〕獲得外國書籍，以之做為材料，或者從中得到一些新點子，並據以講課及研究。因此在這樣的情況之下，英語能說得好並不是緊急而切實的課題。簡單說，最主要的課題在於進口國外的東西，並且重新改寫成日本通用的內容。話說日本有著漢文學，也就是加上返點〔譯註：協助日本人以日語文言閱讀中文文言的各種註記標點〕，以日本式的方法閱讀中文文章。令我吃驚的是，立教大學將漢文學置於日本文學的學門裡，我可以接受，但是應當再搭配中國文學的教師共同授課。這是因為我認為日本文學中的漢文學，與做為外國文學的中國文學有著不同的性格。第二次世界大戰以後，東京大學和京都大學都有一部分中國學的

老師，因為對第二次世界大戰或者之前的侵華戰爭有所反省與反彈，有許多老師批判並主張廢止中日同文同種論和漢文學。由此可見，大時代的狀況，常常會以各種形式反應在研究動向上。

日本人用日語讀漢詩時的節奏，與中國人自己讀漢詩的節奏是不同的。但我覺得並沒有不好，因為日本人是為了把它變成自己的東西。過去曾經為了將中國傳統文學以漢文學的形式變成自己的東西，去否定這段史實與經緯，我認為是沒有意義的。批判者或者是廢止論者所嘗試的反省理由，我認為其是沒有內容與深度的說法。

同樣的，我覺得到目前為止，批判英語教育這裡不好那裡不好的表面討論實在是太多了。要是仔細回想明治維新以來的諸多經緯，就會覺得那沒有什麼不好，而是因為英語教育最重要的命題規定了那樣的結果。日本社會中，口譯工作者在學界的地位之所以低落，是有一定理由的。在重視形式勝於實際，修飾外表的過去中國人社會中，有的人即便能夠用英文對話，也無法好好念本英文書。那是因為在表面上很會說英文的人，在社會上就會被看得很偉大。從中國來到日本留學的各位，日文會話相當流利的應當為數不少。但是請問問他們究竟讀過幾本日語的學術書籍，能夠好好回答的應該很少吧。我們當然是希望各位能擁有足以做為交流手段的會話能力，但是光會說外文，而欠缺完整的思考力、企畫能力、研究能力的話，也是不能稱為一位了不得的人才的。因為畢竟日本的乞丐也都會說日文，英國的乞丐也都會說英文，光會說日文、英文，是無法成為近代化的重要推手。說是為了培養出可以推動真正近代化的民族精神而進行的外語教育，日

本的作法是相當正常的。

　　然而我想說的是，從今以後的時代要改變了。現在的日本逐漸進入和魂和才的時代，成為了近代的經濟大國，也進入了一個不單只是「進口」學問，更必須「出口」學問的時代。不只是出口東西，亦需盡量讓人們到國外增長見聞。人與人之間對等的交流似乎總是最落後的。最近的日本建立起了近代人的類型也就是具備民族精神（ethos）的人，其階層也相當厚實。附加外語所擁有的意義，培育對話能力的課題也急遽浮上檯面。

　　而且要求日語的國際化的聲音也開始出現。D.J.布爾斯汀（Daniel J. Boorstin，芝加哥大學名譽教授，並且曾經擔任美國國會圖書館館長）曾經說過這樣一段有趣而了不起的話：沒有像美國人那樣笨的人了，因為他們只會英文。我希望大家一定要理解這句話。我們不能只粗略接觸英文和日文就滿足了。D.J.布爾斯汀教授所說的狀況仍在美國持續著。過去美國人夜郎自大，會說英文就自我滿足了。日本人曾經努力拓展自己到全球化的規模，學學英語、德語、法語等。這點還請大家深思。

　　做學問也是如此。最初是模仿，然而在經過模仿階段之後，不轉換到創造層次的話，一切就沒有意義了。我們中國人和日本人一樣寫書法。最初是模仿，就像是孩子看著母親等親人們的背影長大，是一樣的道理。孩子的語言與動作和雙親相似也是如此。有先天遺傳得來的東西，也有後天模仿學來的東西。而就像到了某個階段孩子必須從雙親身邊獨立一樣，不從模仿的階段升級、轉換到創造的階段，就無法持續發展。要怎麼樣有主體性的轉換、提升呢？這個問題對於研究者完成課題至為重要。日本人

雖然總是自嘲般的說自己英文瘸腳、自嘲是模仿民族，但我認為第三世界的我們，絕不能順著這樣的說法附和雷同地說「對啊、對啊」。史實所呈現的經緯絕非如此。我相信我們留學生要學習的部分還很多，不要從末梢的現象面，要從具體的過程開始。我們必須從自明治維新以來，日本的朋友們一直有主體性地、有工匠精神〔譯註：講求技術的精神〕地、而且要學習他們虛懷若谷地學習別人所得到的歷史事實。

四、結語：21世紀來臨之前

那麼讓我們進入結論吧。

眼前的世界正處在非常重大的變動期。要怎樣掌握、思考這些變動呢？我們被迫要面對這樣重大的課題。再過九年多一點就要進入21世紀了，我以自己的方式思考這變動的基本條件：在現象上包括中蘇的和解、美蘇的和解，東歐過去的體制將逐漸崩潰，正在摸索一個新的體制。一部分的反共主義者過於簡單地認為共產主義已經完蛋了，我卻不這樣想。畢竟就學問上而言，所謂共產主義體制等，從來就不存在世界上任何一個地方，因為從來沒有存在過，自然也就不會瓦解不會崩潰不是嗎？此外，我認為我們也不能忘記，與史達林主義式的體制截然不同的社會主義或者社會民主主義政權，一直存在於法國或瑞典等國家。

即便如此，我們還是得思考，過去以美蘇兩極為中心的這個世界，以全世界規模進行的大調整在國際上的各種背景條件。

首先，全世界開始認知到，全面的核子戰爭將會導致人類的

滅絕。

第二，對於包括公害問題在內的環保問題的共識逐漸建立了起來。畢竟蘇聯車諾比核能電廠的爆炸事故（1986年4月）能夠控制在那樣的程度只能說是太幸運了。

第三個問題，就是對於人口爆增問題的危機意識確認。

不管是公害問題或者是人口爆增問題，可說人們開始理解到這些問題從今以後不再僅僅是以一個國家為單位的問題了。

第四點，美蘇兩大國正處於經濟危機之中。正如各位所知，美國因為全世界性的美國所主導的和平（Pax Americana）宣告終結，而苦於鉅額的經常赤字，淪落為世界第一的債務國。在蘇聯，戈巴契夫也為了脫離布里茲涅夫（Leonid Brezhnev）時代以來停滯不前的經濟，正持續戮力於經濟改革與政府組織再造（perestroika）。

我個人判斷，在不可能藉由戰爭調整經濟的狀況下，要找到讓人類存活下來的方法，只有相互對話並且擴大、深化、實質化緩和緊張（détente）政策，此事已經昭然若揭。

以下我們就舉中日關係與日亞關係來一起想看看。

在中國大陸的工業化上，如果不能夠好好汲取已開發國家的教訓，也就是隨著工業化所產生的環境破壞與衍生出的公害問題，總有一天，日本亦將下起酸雨，這實在是再清楚不過了。因為是大國的大規模工業化所引起的問題與影響，就會造成全球規模的、非常嚴重的狀況。在東南亞，早在很久以前就不斷有人指出，毫無節制的砍伐熱帶雨林，將會破壞該地區的環境，並且威脅居民的生活。這日後也將會波及日本，所以我以為應該要在長

期性展望中去思考其對策。

　　不均衡的發展在中國大陸、全亞洲乃至於全世界都可以看見。美蘇的新緩和政策再怎麼進展，也當然還是無法完全解決第三世界的問題。特別是脫離霸權、停止區域戰爭、去除軍事獨裁、消弭饑荒的議題反而會更加顯著地浮出水面吧。此外，做為一種普世價值，我們也應該更加努力追求基本人權、自由、民主主義、社會正義等。因為我們已經無法因國界或劃分為不同的世界各自迎接更光明的明天，而快活地生活下去。因此在摸索一個共生與多樣性的理想新的世界體系時，前述的這些問題都是我們不得不面對的繼續存在的要素。

　　正是因為站在這樣的觀點，我在與六四天安門事件相關的演說中，主張如下：

　　要進行道德批判、呼喊口號並且彈劾他人很容易。要糾正中國共產黨或者中國政府當局也無妨。

　　但是我想說的是，我們不能忽視中國的貧困與惡性循環，正是這事件的背景。我強調了，我們必須確認中國有8億人口現在仍居住在農村裡，有5億5,000萬人仍然是「文盲」狀態的慘狀之後再進行批判。

　　對中共的批判與糾彈，和對中國進行經濟制裁是不同層次的問題，我也指出了，如果處理出了差錯，就必須覺悟到批判者、制裁者方很快就會遭到反彈。這是因為日美兩國的經濟與中國經濟近年來顯然不斷增加親密性，並且提升了相互依存的程度。此外可以想見的，如果對一直居住在貧窮農村中的「文盲」的人們闡述人權或者民主主義什麼的，恐怕可以想見的是，得到的可

能會是「人權一公克值多少錢來著？」「民主主義是什麼玩意兒？」這樣的回應。

　　我們必須要集合全球的力量來進行協助，改善中國貧窮的惡性循環，並且一起向上提升。做為世界性的問題，從今以後，非洲或者中南美洲第三世界的問題也應該讓大家一起出力解決。我贊同「幫助他人最後還是會幫助到自己」這個邏輯，經濟大國日本應該最必須自覺並且開始行動才是。正因為日本現在所擁有的總生產力之大，如果不走向國際化並且常保正向循環、持續擴大的話，日本經濟本身也會不行的。現在我們已然到達了藉由邁向國際化，讓大家一起以全球規模思考的時期。我想要提出的問題是，我們未來到底要如何摸索出一種幫助他人就能幫助到自己，多樣性與共生的全新秩序呢？在摸索的過程中，我們必須一面面向未來確認問題，一面也關照現在正在面對的問題，並且重新省思。

　　關於過去的問題，我也主張必須要將明治維新放進世界史規模中重新定位，進行參考。我並不是全盤肯定明治維新，不是因為最近的日本非常順遂，所以覺得明治維新的一切都是美善的。畢竟所有事情都有正反兩面，怎樣客觀地基於史實，也就是基於實證主義探討問題成為了一大前提。接著應該與其他的東西相互比較考察，最後就是將其綜合並且定位，讓日本能夠成為我們的借鏡。目標就在於如何使用這面鏡子，重新定位自己所屬的民族、社會或者國家。此外，我認為日本這面鏡子應該要從明治維新開始。老實說，以現在日本的狀況而言，因為差距實在太大，要想學習會很辛苦。光看到眼前日本近代化的成果要學習日本是

不簡單的，但也沒有必要就此放棄。

　　最後我想指出一個無可否認的事實，在場的各位無論是誰，都沒有在出生之前就先選好自己的父母。我們在出生前沒辦法做任何選擇，不管誰都是做為雙親愛的結晶而誕生的，命中註定的存在。因此，不管是生在哪個國家、生出來是黑色的、白色的、黃色的皮膚，誰也不能事先選擇。確認了這件事情，我們就能明確地知道，不管是民族上的歧視、種族上的歧視都是何等無稽。我們必須先確認這個命中註定的、無法選擇的自我認同，才是我們做為一個個人的一切開端，這是無可迴避的事實。

　　但是今天蒞臨的各位，包括我在內，都算是少數有機會來到海外留學的人。目前各位在日本生活中，也有各自需要克服的困難，但是既然得到了留學的場所，就應該要積極選擇自己的生活型態。或許在被管理的社會中選擇的幅度比較狹窄，條件也各有差異吧。但即便如此，這和我們的誕生這種命中註定的認同仍然是不同的，每個人的生活方式某個程度上是屬於可以選擇的認同。嘗試怎麼樣的生活方式、選擇怎麼樣的生活型態，嘗試怎麼樣的研究、做怎麼樣的學問，在此程度上被給予了選擇的機會與可能性。我們就來向它進行挑戰吧。從今以後，我也會繼續挑戰下去。每個人都可以創造出專屬於自己的人生。在演講的最後，我想祝福各位在追求自己的人生時，都能夠幸福快樂。感謝各位聽了這麼久，謝謝各位！

問與答

　　主持：謝謝戴先生。我剛才是一面看著各位的表情，一面聽著戴先生演講的。老實說我覺得先生方才誇獎日本人，誇獎到令人難為情的地步。關於明治維新以後的日本的近代化，先生剛才說明了，雖然石田梅岩的石門心學確實在江戶時代就已經誕生於京都，但這石門心學連結到了商人之道，因而造成了明治維新的發展。雖然我以前也是這樣想的，所以剛剛好像有種特別被先生誇獎的感覺。此外先生也提出了心的問題，並且更進一步的認為在各種意義上那也是一種美學意識。坦白說來，我以為在這方面，我們如果把它理解成日本人的特殊性，一不小心就有可能會陷入獨善的窠臼。因此我想大家應該對戴先生的演講都很感興趣，但像我這樣的日本人是抱著有洞就想鑽進去〔譯註：指難為情之意〕的心情聽完了這場演講。

　　從現在開始，我想就從戴先生的演講內容與發給大家的影印資料為基礎開始進行討論。首先以戴先生的日本經驗為基礎，最初是從確認自我之旅開始，最後則是提到了獎學金、金錢的授受。好的，我們請金同學發言。發言的時候請先說您的大名和所屬單位。

思考日本文明論與現代論

　　金：我是就讀東大國際關係論博士課程的學生，敝姓金，是韓國來的留學生。與其要說自己的意見，我更想提出一些確認的

問題，我想就從這裡開始吧。我看到〈我的日本體驗〉的頁280到頁281的地方，在頁280最後一段提到「在某種意義上，過去在日本社會中主張自我是一種禁忌，所以我曾對這種順從性、規模遍及全國國民的團結力懷抱著無限的欣羨之情」「比較起來中國又是怎樣的呢？」，然後這裡引用了岡倉天心的著作，並寫道「中國看起來，應該算是可以被認為接近歐洲的個人主義的社會」。接著是頁292正中央的地方，「不管怎麼說，中國人有著在無意識之中，將外來的東西融為自己的東西的傳統。以這個前提來說，現今所謂的漢民族云云。……」從這兩個地方看來應該還是在說中國的好的一面吧？但是今天從老師的發言中，只說了日本的東西的好的一面，正如主持人所說的一樣，令人印象深刻。這兩者之間有什麼關係呢？我想老師心裡應該有一些什麼想說的吧？

　　還有，說到日本人的心，雖然這裡我是聽得懂的，但是老師究竟是如何看待日本人的內心的深奧，而其深奧處又究竟是什麼呢？我想請老師再談深一些。

　　此外還有一個我也一直苦思著的問題。也許日本在近代化方面的努力，可說是成果斐然。但接下來與今後的問題有關的是，究竟日本人能發揮怎樣的創造力呢？這點我想請教老師的高見。但依我最近苦思的結果所下的結論，我會說日本人到目前為止一直相當順應著時代的變化做得很好，而從今以後應該也是如此吧。以上三點我想請教戴老師。

　　主持：讓我來整理您的問題。第一點是戴先生在日本體驗記的頁180有提到，日本不太主張自我，但是中國方面反而可以說

是像歐洲的自我那樣主張自己。然後相對的在頁292中則說「中國藉由容納異質的部分而讓自己持續生意盎然」，金同學想要知道這兩個地方的關係吧。雖然先生在書中說中國也有這樣好的一面喔，但那和今天先生演講所說的日本的好的一面比起來，如果有差異的話究竟是怎樣的差異呢？

從歷史上說來，中國接受了經由絲路傳來的各種文化，過去曾經有過這樣的歷史。日本也從明治以來不斷接受西洋文化。這種接受事物的素質豈不是沒什麼差別嗎？所以，在近代之所以會有這樣大的差別又是怎麼一回事？

我以為這真是追問到核心的一個問題。這是第一個。

第二個談到大綱，內心深奧處的日本人的心究竟蘊藏著什麼？即心的問題。這裡應該要更加深入地談。

此外還有一個，最後是今後的世界體系再造的課題。日本人能盡到的創造之道究竟是什麼程度的東西呢？這是有關預測未來。以上一共三個問題。

首先應該討論是否具備接受外來文化的素質呢？

戴：剛剛的提問一個很大的問題是文明論的問題，這和近代化論是不同層次的問題，我認為應該要分開來思考。加藤周一先生的混種文化論或許可以當作參考吧。我基本上認為，中國式的混種文化的基礎在於中國的「彈性」，為中國帶來了活力。我曾指出，中國擁有中國獨具的多元性、有力的少數民族的族別數和人口數、多民族社會的有利性與揉合力；基本上我認為中國大陸是一個渾沌的世界，因此文明才會強大。雖然是混種，但正因為是混種，所以不會失去活力。歐洲的近代正如我們可以從歐洲近

代史中讀到的，長時間處於戰爭狀態，所以到了最後歐洲並不是統合了起來，而是以各個小民族國家為基礎，最後建立了國民國家，藉此創造了他們的近代。我想說明的是，文明論的問題與近代化論本來就是不同層次的問題。反過來說，正是因為中國式的文明有其韌性，所以在中國的內部發生了擴散而少有收斂，才會很難在其內部創造出歐洲式的近代。在日本，則有鎖國這樣內側收斂力量的作用。而經過鎖國的過程以剛才說到的和魂為中心，近代化的機制伴隨了朝向內側的收斂與蓄積，某種意義上，我們也可以認為其與歐洲的型態比較接近。中國則是較為擴散而非收斂。文明的韌性與近代化的可能性並不一定一致，文明的強盛不能直接連結到它的近代化。

　　所以在六四天安門事件的論文中，我才會這樣主張：道德上要說什麼都相當容易。自由主義這方的大眾媒體世界裡，到處都用近代政治學的國家論或者其尺度來觀察天安門事件。大家都忘了還有一個事實：中國大陸仍然還在一片沒有近代國家內容實質的渾沌世界中。我想沒有人會認為非洲大陸可以一口氣就完成近代化的吧？畢竟就連歐洲也不是一口氣以一個團體的形式，保持了統一性的性質而完成近代化的。歐洲在激烈的糾葛與抗爭中創立出了民族國家，也就是national state。英國藉由掠奪全世界以此為本金發展了產業革命。歐洲各國都是利用或掠奪殖民地才得以近代化。美洲大陸呢？在美國的國家構成過程中，從歐洲來到美洲的白人，哥倫布把這些美洲原住民（native American），也就是原始的美洲人和印度人搞錯，才會叫他們Indian。然而他們和歐洲國家一樣未付出成本即奪取原住民的土地，從非洲幾乎以

相同的形式將黑人奴隸帶到美洲，令其工作，一面創造殖民地一面「開拓」。終於變成了13個州（state），團結在一起共同進行了美國獨立革命，以此為基礎，現在則是由50州組合成了合眾（州）國。這也仍然不是一口氣近代化。

　　然而評論家大多不把中國當作一個大陸，而是想定了中國是一個國家來議論之。當然中國是一個國家沒有錯，但是這個國家的歷史、內容與規模，和歐洲現代政治學的概念所謂的國家可說截然不同。分明概念的內容不同，但大家總是拚命比較之並且議論。打個比方說，上海附近的生產力和台灣沒有什麼大差別。但是往內地走一些，其生產力程度就相差甚大了。而且現狀下有2億5,000萬個「文盲」，而台灣的文盲率是7.8％，法國則大概是10％。我可不是什麼支持台灣獨立的運動家。我想說的是所謂負責任的科學性發言，不是只有形式邏輯而已，而是必須要比較並考察概念的具體上的內容才是。想要理解中國，首先應該整理中國內部擁有的問題依其事實，才能進行議論。用美式的、法國式的尺度在中國談什麼人權、自由、民主主義，也只是毫無進展的空談。外人要從表面指指點點，說說場面話是很容易的；要做道德上的批判的批判，也因為沒人反對得了，所以輕而易舉。但這豈不是沒有什麼生產性可言嗎？非常可惜的，這些除了欠缺說服力，也沒辦法解決問題。

　　日本的朋友讀了我的論文，問我：「你該不會是支持李鵬的吧？」我說：「不是的。我和李鵬也好，中共當局也好，一點關係也沒有。我和政治是毫無關係的。」簡單說來，我只是基於社會科學上的事實而做這樣的發言而已。我看到電視台播放的衛星

轉播〔譯註：天安門事件〕，心頭也是痛苦而悲傷。我讀高中的女兒也是。當然的，在情感上我們一家人都非常悲傷。全部都是悲劇，我一直到現在仍然覺得這是一個悲劇性事件。但要怎樣理解這個悲劇的背景、社會經濟上的基礎，是研究者非常重要的工作。要怎樣整理這個歷史的教訓並且提出，是一個重要的課題。

主持：下一個問題，進入日本人的心的問題。當外國人詢問日本之心的問題時，目前似乎還沒有日本人說明的文獻，似乎沒有日本精神史這種東西。此外日本人好像也沒有自己的哲學史。在先生們的對談中也有提到，雖然有德國哲學史，但就是沒有日本哲學史。而在讀書時，往往會將「日本精神史」這個字眼誤會為日本精神的歷史，而非日本的精神史。這是非常嚴重的誤會。因此現在位在京都的國際日本文化研究中心，正是試圖把此事弄清楚而於三年前的年底創立，現在中心已快要建好。眼前每個月在京都都有許多從海外光臨的日本研究者，進行各種研究發表。因此老師剛剛確實說了「日本人的心」，但是這樣的說法不容易懂，請您談談這個部分。

戴：正如我剛剛向大家報告過的，我自己一直聽日本的老師們說些日本人的心、一定要了解心、研究者的心之類的，一開始也一陣子不能接受。實在太難懂了。然而隨著自己慢慢在精神上充裕之後，在我能夠根據人性的要素分析比較中國和日本的近代化的時候，才開始明白老師的意思。這幾年我發表的相關論文是有的，但是都是用中文發表，還沒用日文發表。我最初注意到的一點，就是為什麼日本人有劍道、柔道、華道、香道，到最後統統變成了「道」，我關注於這些問題。明明這些東西的源頭都可

以追溯回中國，比如說圍棋的棋道在中國文獻中也算找得到。但是到了今天——雖然只是我的管見——在中國，所謂圍棋之道的，在中國根本稱不上什麼問題，因為中國人不太關心。我有位朋友是自然科學學者，正在進行中國大陸與台灣之間的圍棋交流，正因為與他熟稔我才能和他討論。他和林海峰先生很熟，而我則是不會下圍棋，我只是以中日文化比較論的觀點，很關心為何中國的事物傳入日本之後，日本人就可以把它變成「道」。我用心思考，這個所謂「道」究竟是什麼。在日本的職業圍棋手，他們擁有的似乎不是只有技巧而已。從禮儀開始就和我們不同。孩子擺出劍道的姿勢，有錢人家大小姐學插花，也就是所謂的華道都是如此。在台灣這種地方，因為開始有錢了，所以也開始可以教插花來賺錢。我的侄女中也有一個人在教，但她不是在日本學插花的。她不知不覺的就變成了教插花的老師賺起了錢。我說：「妳知道日本的華道嗎？」「唉呀叔叔，那個無所謂啦。」她答道。在日本的插花界，因為有家元〔譯註：流派的宗師〕制度問題，所以也有些僅存空洞化的虛構性。畢竟學插花事實上是學其禮儀的。從一般生活的層次到精神的世界，一口氣向上汲取昇華，提升到技藝的世界。

　　我這樣說雖然有點僭越之嫌，但是拿杖道來打比方，不過是拿著杖子揮來揮去，究竟是憑什麼說大話把這變成「道」呢？或者空手道好像也可以這樣說。在中國，雖然也有空手道、太極拳，但也從來沒有聽說他們主張自己是「道」之類的。我先前在台灣的演講中也這樣說過，大家都感到驚訝。我覺得心的問題，和這「道」也是有關係的。日本的女孩去上新娘課程的時候會泡

茶吧。喝抹茶要是沒有羊羹可以吃，就算要請我，我也是喝不下
去的。雖然我曾經為了健康而在咖啡廳點過抹茶，但那個純粹是
生理性的。然而日本人的茶道世界是截然不同的精神世界。藉由
訓練使人學得禮儀，給予孩子某種精神世界，才把孩子送出門進
入婚姻生活。

　　中國人的生活型態不管在哪兒都找不著這種想法。我侄女來
了日本一兩次之後，開始教不知道從哪裡學來的花藝。我笑著
說：「妳這樣有點過分了吧，不是太敷衍了嗎？至少也讀個一本
華道的書吧？」「叔叔，我再怎麼樣也讀不了日文哪。沒有中文
翻譯的書嗎？」她回答。我認為華道的精神世界還是有值得思考
的價值。至於會注意到「道」，是因為以下的這件事情。

　　1950年代，我雖然就讀東京大學農學部，但也常常前往經濟
學部、社會學科或者國際關係論等相關的研究討論課。當時管理
學的領域中，開始導入了美國式的經營管理學，QC的概念被導
入日本，也就是品質管制（quality control）。而為什麼在不到十
年之內，這種QC的概念就可遍及日本各地，這也是我關心的問
題之一。QC是美國在武器生產時所產生的品質管理概念。武器
只要差之毫釐就會發生關乎人命的大事，從這樣的出發點發展的
QC的思考方式，後來也影響到了民生相關產業，最後連一般的
工業生產都導進了QC的概念。在不到十年之內，這種QC的概念
就已經在日本繁衍發展了，這實在是一件不得了的事情。我自己
認為，可以這麼快接受QC概念的社會基礎，應該可以用日本的
「道」在整個社會規模中的存在來加以說明。還有與工匠精神
（craftsmanship）有關的某種概念應該也有關係。

可惜的是，我所知道以台灣為中心的中國人世界並無與這種精神相近之物。特別是現今的中國似乎極糟糕。QC的概念相當不容易滲透其中。「這沒什麼大不了的，就馬馬虎虎隨便敷衍」，這是相當一般性的社會風潮，所以很難符合國際規格。但在日本則非如此。近代工業生產中的品質管理是非常重要的課題。

順便我要說的是，日本在所有的會議之後都會出現會計報告。會計報告的報告書和通知的費用有的相當驚人，但事後處理也已經確立成了一種社會規則。我很好奇，這種制度是什麼時候被建立起來的。中國人社會是很難辦到的。我有朋友們在美國創立了雜誌，為了請求協助會寫信給我，我也偶爾會捐款。不久雜誌倒了，然而休刊或者停刊的相關報告是一次也沒有。

無論如何，我一直想要一面比較中日間的相關事項，一面以人的要素為中心寫寫看比較中日近代化的論文。因此心的問題也在其中占有一部分位置。我也想探討石門心學和澀澤榮一的《論語與算盤》。此外我也想仔細探討日本的〈教育敕語〉與《論語》的關係。一面比較分析然後嘗試將其理論化、加上說明，正在努力地纏鬥中。我正想努力嘗試好好以社會科學的方式來說明。要把這些寫成論文還需要一些時間，敬請各位期待。

主持人：謝謝戴先生。第三個問題是和日本的未來有關的問題，前面兩點是中國和日本的問題，以及日本的心的問題，似乎可做為討論的主軸。在座的各位或許也有人有一些想法了吧？

藥：我是上智大學專攻國語學的藥進。

雖然只是相當率直的感想，但是剛剛老師提到的日本與中國的近代化，從人的角度來看有很多差異，我不太了解那是怎樣的

觀點。我個人較直接地認為，所謂近代化雖然有很多要素，但仍然是非常具偶然性、有運氣成分的東西不是嗎？不是剛好時機碰巧而已嗎？像是在日本與中國之間，如果中國的腳步快一些，或許日本的近代化就不會發生了。為什麼可以這樣說呢，是因為剛好有了甲午戰爭。中日戰爭中剛好日本早一點變強了，所以才能剛好打敗中國。中國被打敗之後必須要支付日本非常大的一筆補償金，那補償金一共是當時的白銀2億兩，換算成當時的日圓就是3億6,000萬日圓。要說3億6,000萬日圓的價值，可以想想當時日本有名的女性作家樋口一葉，她在現在的御茶之水〔譯註：於東京都內〕附近租了一間公寓，當時的房租一個月是2日圓。現在在御茶之水附近租一間公寓要多少錢？不用說大家都是知道的，由此可見，3億6,000萬日圓是多大的一筆金額啊！日本正是因為得到了這些錢才得以確立金本位制，並且進行產業革命。

　　戴：您所說的我知道，但是要是說到歷史的話，講if（如果）的話是沒有什麼意義的。

　　清朝何以在中日戰爭中戰敗，從清朝方面的內部進行考察也是一種取徑吧。賠償金對於日本的財政或者近代的金融制度的形成究竟有什麼貢獻，也已經有所研究了。我之所以會想要將焦點置於人的要素，也只是因為馬克斯・韋伯的民族精神論或者對改革主體的分析觀點，我認為非常重要，所以試圖向其挑戰而已。

本文原刊於富士ゼロックス・小林節太郎記念基金編，《第2回「日本文化を論ずる会」講演録》（非賣品），東京：富士ゼロックス・小林節太郎記念基金，1990年4月，頁1〜32

亞洲與日本II
──重新思索與近代化相關之諸問題

◎ 劉靈均譯

一、前言

　　本次演講的標題是「亞洲與日本II」，副標題是「重新思索與近代化相關之諸問題」；簡言之，就是究竟要如何看待近代化。這個問題本身，事實上是我們這樣從第三世界、亞洲來到日本留學的人不斷深入思索的問題。雖然各自的專攻領域不同，但究竟應該要怎樣看待近代化呢？此議題涉及如何看待自己國家的近代化問題。我自己這30年來不斷思索至今，雖然沒有針對這個問題寫什麼專書，但也有打算，把像是中日近代化比較論的東西學問性地整理出來。

　　姑且置之不論，我想先闡明我的立場以及我的point of view，也就是觀點。就像我剛剛針對六四天安門事件所說的，我所追問的是原理上的各種問題，而完全不打算言及那些泡沫化的短暫現象。首先我想說的，就是我試著想要原理性的思考所有事物。

　　另外，究竟所謂近代化──特別是今天除了在座幾位日本老師以外幾乎都是亞洲的朋友──想想，從亞洲、第三世界的

point of view看來，究竟所謂近代化是怎麼一回事呢？這樣仍然還不夠。今天12點時，我用家中電視也看了布希（George H. W. Bush）與戈巴契夫在重要的領袖會談中簽署了幾個協定，我想未來史家應該會給他們定位吧？但這究竟有什麼意義呢？當然我們也可以批評這是戈巴契夫在說大話，但我認為不只如此。我聽他在演說中提到，他這次領袖會談中簽署的，並不只是美蘇二國，而是對於世界或者全人類來說是很重要的文件。

　　包括這件事情，以及對於人類史而言，近代化究竟是什麼以及與我們的明天相關的問題，我想請日本的諸位先生與我們一起在做總結時提出問題，我的發想大致是這樣。

二、探究何謂近代化（modernization）

　　近代是歷史的某個階段，在世界史中也有一定規定，我們日常生活中常常使用「近代化」這個一詞彙。英文叫作「modernization」。在我的記憶中，文革以前的中國大陸，不太有「近代化」這樣的說法，今天「現代化」的用法也比較多。在日本則從大正民主主義以來，受到馬克思主義強烈影響，將近代之後理想的，或者是值得期待的下個階段稱為「現代」。因此學者們將modernization當作近代化，而將其當作現代化的學者幾乎沒有。

　　然而這樣概念上的差異，做為日語說實在我也感到很棘手一樣，中文的表現和日語的表現雖然使用同樣的漢語、漢字，事實上意思相當不同，我在此打算暫時擱置不論這個問題而繼續討論

下去；我只希望各位記得，所謂modernization，近代化，或者是中國所謂現代化，我稍後會略微提及，是有些不同的，在我的議論脈絡中是不同的。

在談這個問題之前，我想先提起的，雖然已經稱不上話題了，是美國的經濟學者羅斯陶（W. W. Rostow），他曾經提出「起飛（take off）」的概念而聲名大噪，但在越戰時卻十分不順利。他過去是MIT（麻州理工學院）的學者，但不知因為什麼原因而退居鄉下。我沒有讀他的論文，但他曾經說過這樣的話：「所謂近代社會就是產業社會，所以近代化就是產業化，產業化就是工業化。」如果硬要從這個角度說的話，就是他並未附加任何的價值、任何的value。在某個意義上而言，當時他做為一位反共產主義方的反對者理論家，是了不得的權威，也是懷抱旺盛鬥志的學者，所以有可能會有這樣的看法。

然而雖然所謂產業化或者工業化，確實表現了近代化的某個部分，但它本身卻不會是近代化的全部。這點在我們日常生活中也可以感覺的到。所謂產業化或者工業化，並不一定會讓社會民主化。因此，我以為羅斯陶所提出的近代化概念並不完全。

接著要說馬克斯‧韋伯。如大家所知，馬克斯‧韋伯是位了不起的大學者。在20世紀初，他非常博學，也通曉自然科學，所以在不斷的論爭當中建立起了自己的社會學體系。雖然聽說德國的馬克斯‧韋伯全集還沒出版，但據說日本最近就要出版形式上類似全集的日語版。這是相當有趣的現象，總之馬克斯‧韋伯說的是所謂近代化就是在近代意義上的合理化過程。與這個有關的，他的時代思潮種種形式之中的近代歐洲的精神文化，是因為

他有社會學的綜合分析的背景。在這種說法之下，馬克思所謂資本主義體制、社會主義體制等體制區別是相當困難的。所以這部分雖然可以參考，但也就只能參考而已。然而我就讀於東京大學時，大塚吉太郎〔譯註：應係大塚久雄（1907～1996）〕先生還在，還有丸山真男先生，兩位都對於馬克斯‧韋伯學說相當理解，活用馬克斯‧韋伯與馬克思理論的形式接觸其學問與論文，所以我個人堅持不能夠忽略馬克斯‧韋伯。

　　這姑且不論，其次所謂近代社會，也就是市民社會，civil society，也有一部分看法認為市民社會化就是近代化。由於有各式各樣的說法，雖然誤解也多，但也有人認為市民社會就是資產階級社會；換句話說，資本主義社會等於市民社會。然而只要稍微細讀社會經濟史，就知道其實並不是這麼回事。應該說，因為新興市民階級出現，資本主義社會才能作為階級社會成立。而我認為在那中間一帶的社會、其狀況才是市民社會。如果要解釋其原因，因為在市民社會形成的初期，所謂新興市民社會的市民，是有強烈的某種潔癖和正義感，以及旺盛的生命力。具體而言，在我們的記憶中，自由、平等、博愛之類，許許多多具有如法國大革命非常普遍性價值的被當作口號。

　　在這樣的過程中近代性的個人相互撮合（締結），成為一種民主社會。然而可惜的是，資本主義在逐漸成熟時卻愈變愈糟糕。原本因為生產商品的各種關係中產生的自由平等或者敦鄰人愛，實際上都變得形式化。簡單說來，延安時期的毛澤東非常清廉且偉大，但在進入中南海的瞬間、掌握權力的瞬間，他不能用自己的手淨化權力的腐敗一樣，是會逆轉的。這就是為什麼我必

須指出市民社會、資本主義社會、資產階級社會並不完全相同的緣故。

產業革命所造成的資本主義社會，做為階級社會確立之前的新興市民階級所支配的社會，由正面的資本主義社會所規定的各種生產關係而來，以這種關係為基礎，所謂市民社會也指生產關係的雙方。以這關係為基礎，就可以創造出自由平等、相互友愛的市民社會之原理。

然而在之後變得形式化或者說變質了，我必須在此指出這點。

接著要說的是一般常被圖式化的、身分性的、封建性的前近代社會發展到近代社會的過程。這就是所謂的近代化。事實上這個部分中國人不太能理解。日本人應該比較能理解。不知道韓國、朝鮮半島的社會又怎樣呢？在某種意義上而言，以歐洲為典型的一種看法，比較容易理解；但是在中國社會經濟史上，有一個長年持續著的論爭，就是中國究竟何時為止是封建社會，又是何時開始不是的呢？在日本，至少在德川時代以前算是明確地留了具體的東西下來。士農工商、或身分確實存在著。在此要思考的是身分這個概念，本來是英文裡的status，也就是社會中個人的位置。然而並不只如此。在某狀況下，由宗教與僧侶支配的狀況下，身分事實上是被體制化、固定化、世襲化的。僧侶、和尚，或者「殿樣」〔譯註：江戶時代對「大名」、「旗本」的敬稱〕、領主利用身分的體制強化既得利益。保護自己的既得利益。這正是近代社會、近代市民，或者是近代精神所挑戰的。最簡單的說法，就是福澤諭吉所言，「天不在人上造人，天不在人

下造人」的近代精神。當然福澤這一系列思想的系譜正是來自於英國等國的思想淵源，但重要的是當時東亞的啟蒙思想家能夠說出這樣的話，在我看來是非常有意義的。同時在歐洲社會中，也從身分改成契約，簡單說破壞了被固定的身分，讓人與人之間的關係改變為契約關係。近代社會就是契約社會。所謂前近代的社會，是身分、封建的社會。所以我認為「從身分到契約」這句標語是相當適合的。

然而理解我們亞洲社會時，因為狀況不同，所以勢必沒辦法這麼乾脆。請大家先記得以上的背景。接下來，我要試著定義一個問題：近代化在亞洲究竟變成什麼？

在亞洲的接納、抵抗、屈服

我在雜誌《世界》的論文一開始就提出亞洲的接納──也就是接受的方法──以及抵抗、屈服這三個詞彙來表現。所謂亞洲的接納，最典型的表現應當就是日本。日本的接受方式，是在毫無理解的狀態下進行了明治維新，因此是維新。在日本，戈巴契夫所謂的perestroika幾乎就是指改革與開放。我認為用日文的「維新」簡單相當易懂。因為不是人人都這麼說，所以我也不知道究竟有沒有人認為戈巴契夫的perestroika就是維新。就感覺上，我思考明治維新的時候，就覺得戈巴契夫現在所做的，簡直就是維新，這兩種感覺幾乎是重疊的。

若要提曾有過抵抗的例子的話，應該舉中國為例就可以了。屈服的例子則以印度最為典型。當然他們各自都有抵抗或者屈服

的部分，但應該可以將他們最終的型態如此圖式化或分類。用一句話來說，即日本透過明治維新追上以西歐為中心的資本主義體制、近代化，甚至追過他們。因為中國太大了，就像孫文無奈歎息的，想成為殖民地都不行。我覺得這是漢文式的說法，總之，中國停留在半殖民地階段。這可以評價為幸與不幸皆可，或可能評價為不上不下。

以印度的情形而言，最後還是完全遭殃了。雖然抵抗仍然持續，但是最後還是完全被殖民地化。

所謂近代，或者說資本主義生產方式做為世界史上的「近代」，為什麼不單說歐洲？因為現在的東歐的問題也同時浮上我的腦海之故。應該還是以西歐為中心，那是朝非西歐的世界無限擴張的世界。我認為這就是近代化。在這情形下，馬克思在《政治經濟學批判》中說得好，簡單說來就是資本主義資本的文明化作用。結果，做為世界史的近代，就以西歐為中心世界化了。也就是說，其將無止境的向非西歐世界擴張。這包括了兩項事：其一為由理性產生的啟蒙，把征服自然做為口令，逐一打破「對生產力的發展與欲望的擴大、生產的多樣性、利用自然之力或精神力時，交換的阻礙與制約」。近代化就是打破這些阻礙與制約，並且整片塗上西歐文明，也就是塗上「近代」一色的過程。我認為馬克思的譬喻實在太貼切了。

之後讓馬克思主義變得奇怪的，是那些把馬克思神格化並且變得獨斷，簡直讓馬克思變得不像馬克思的那些人的錯，我個人認為罪並不在馬克思自己。坦白說，巧妙地將它以日本式地挪用。因此，亞洲面對它會變成什麼？用別的讀法解讀而敷衍過去

或戰到最後一兵一卒然後被殺害、還是被半殖民化呢？然而遺憾的是似乎只有這樣。反過來說，我支持歐洲的帝國主義即做為一個邏輯上的問題，如果印度或是中國在印度的世界、中國的世界中，由印度、中國文化中創造出了資本主義式的生產方式，或者做為一種綜合性表現的近代，印度、中國會不會侵犯世界？至少針對這個問題，我們沒辦法完全否定其可能。那是一種機制，無關好與壞。

　　同時對於研究歷史的人而言，談論什麼「if」實在沒什麼意義。然而我個人認為，做為一個邏輯上的問題，在這裡提出並且一起思考這件事或許是有意義的。雖然我不是特別抱有宿命論觀點的人，但是在某層意義上，歷史是無法改變。真是令人感到有些不快和遺憾，因為個人的力量實在是太渺小了。我自己對於歷史的看法，和一般歷史研究者的看法有些不同。或許和我自己的研究是由農業，或者農村社會學、農業經濟學進入，一直到現在的農業史，所以思考的方法不同有關。

　　或許我們只要把歷史當作過去的事物來研究，就是最安全的，但是這樣好像就太無聊了。比如說，今日在座各位與我在此相聚，或許是過去的歷史以今日的形式表現而已。同時，我能在這裡與大家聊聊，或者與大家接下來的討論，其實都是與未來、與明日相連的。這些本身就是歷史。但我所謂的歷史，經常指的是動態的東西。是故，我個人無法原諒像史達林（Joseph Stalin）、毛澤東這樣利用馬克思做壞事的人。並不是馬克思不好，馬克思自己並沒有停止，其理論仍有後續。口口聲聲馬克思、如有不追隨者，便指摘是修正主義，實際上卻只是為了保護

自己權力的傢伙們不好。

那麼，亞洲的近代化究竟是怎麼一回事？姑且不論日本的問題，我們現在剩下來的問題就是，要在第二次世界大戰結束後，我們可以選擇的三條路。簡單說，所謂「歐洲近代」令人不愉快。那些傢伙說歐洲近代有著不變的價值，這樣的說法是真的嗎？我們都已經了然於胸了。所謂平等、正義、博愛，從人種上說來是白人自個兒的事情，和他們以外的人沒有關係。日本有點模仿他們，說「大東亞共榮圈」。現在日本人已經不想使用大東亞共榮圈這詞了，因為一用，我們亞洲人就會過度敏感。然而日本當時的意見領袖（opinion leader），或者體制方的人和被統治的人雖然有著相同的膚色，日本搭乘以西歐為中心的近代形式並以日本為中心、以日本為頭目、以日本為老大哥，揮舞著亞洲共存共榮的大旗搞亞洲政策。所以在福澤諭吉提出「脫亞入歐」並實行到一個程度之後，接著又再度回到了亞洲。其回歸成就了我們之間摩擦的契機。

接下來要說到，第二次世界大戰之後第三世界問題要如何整理。簡而言之，幾乎所有的國家，當然不包括日本，幾乎所有的國家都曾被殖民地化，都以各種形式接受西歐近代化的衝擊，結果是半屈服或屈服。時間上，有100年、150年、200年等，隨個別事例而不同。而這些國家全部都是農業國家，雖然狀態有所不同，但大多只停留在農業階段。總而言之我們也是人，我們也想要創造自己的國家，我們也想找回我們民族的自尊；然而要說最基本的是什麼，簡單以圖解說明的話，就是如何從農業國家走向工業化國家。而我們若以世界史的視野看這個問題，可以分成三

種方式。首先是資本主義的方式，接著是社會主義的方式，最後是軍事獨裁方式。

資本主義的方式，像日本的明治維新、江戶末期那樣具備的條件，日本是趕上的唯一範例。像泰國，有人以為因為泰國屬於緩衝地帶，所以未曾被殖民化，我個人不能贊成這種說法。在亞洲恐怕只有日本是這樣。那麼，隨著第二次世界大戰結束，又會有何種可能性呢？老實說，前往資本主義的路絕對不能很輕鬆。資本主義的路，正是西歐所走的路，最典型的就是英國和法國的形式。我們不能忘記，在那背後，就像我在天安門相關的論文中所點出的，他們若不在全世界進行掠奪和殖民地統治，就沒辦法這麼輕易達成資本主義化的原始積累。然而那還只是對外關係，對內而言，仍需內部農業生產力的發展。何謂農業生產力的發展？就是將一部分的農村人口吸引出來，改變為工業人口，同時提升農業生產力，以提供工業就業人口的食糧。在這過程中同時考慮國內市場。隨著農業生產力的提升，農民的收入也某個程度得到提升，而農村因而也成為工業化的一個市場。這樣的關係與殖民地統治與對外掠奪結合，因而發生了西歐的近代化、資本主義化、產業革命化，這是我所理解的。因此為了要近代化，需要成本與時間。特別是在成本上，誰來付這筆錢成了問題。

美國的事例是在某種意義上幾乎沒花費什麼就達成近代化。因為他們只要搶奪他們擅自稱為美國印地安人（American Indian）的美國原住民（Native American）所有的土地就可以了。因為兩者實力相差懸殊，所以只要趕盡殺絕就可以了。反正不會像天安門事件一樣被全世界衛星播放，被全天下人知道。美國只

要拚命屠殺就得了。直到最近，美國人開始道歉，進行自我批判。這是因為有個時期，似乎有一部分教會裡的牧師質疑過，「這樣殺人的行為是可以的嗎？」而有所反省。然而卻沒有像現在一下子廣為世人所知。在這樣的狀況中，結果，其路線就是社會主義。

所謂社會主義是怎樣的呢？像是中國、越南、古巴就是這樣的型態。也就是顛覆帝國主義，或者顛覆依附帝國主義的各個勢力。這雖然也是革命的一個側面，但我們若再思考農業與工業的關係，若要急速從農業進展至工業化，由農業社會急速移轉到工業社會的捷徑，正是社會主義。其原因在於以共產黨為中心的力量握有絕對的權力，所以才可能實現。因此不能忘記的是，不管是史達林或是毛澤東，中國雖然現在很貧窮，但是誰也無法否定其為軍事大國的事實。擁有氫彈、原子彈也是不爭的事實。所以只要掌握強大的權力，就可以達成工業化。就連重工業化也是可能的。所以在某個意義上而言，這也提供了史達林進行殘酷暴行的口實。

反過來說，列寧（Vladimir Lenin）、史達林的這條路線，正因為這種可能性，才能保衛他們所謂的一國社會主義。俄國可以和希特勒戰鬥，也可以這樣解釋。我覺得可以理解為一種過程。因此，西方所謂以資本主義的方式讓農業社會走向工業社會，一般認為是一種自然的移轉，但實質上對外一面進行掠奪與海盜行為，對內發展農業生產力，其蓄積資本的方式也是以掠奪農民為中心。從這樣過程產生的，只有極少數的某些人能夠享有平等與自由。平等與自由逐漸擴大，資本主義也逐漸成熟擴大。然而由

於其擴大不均勻，或者說對此有警戒感，所以馬克思才會憤而站起，因為所謂自由、平等、博愛都已經形式化，所以馬克思要找回其實質感，並且追求人性的真實解放。因此要挑戰資本主義的當時狀況並改變其狀況。我認為這就是所謂馬克思原來的主張。因此雖然現在馬克思主義受到惡評，但至少在日本，我認為對其並無偏見。

　　知識分子之所以會批判史達林並且僅止於此，也是因為所謂馬克思主義有著具備全世界良心的魅力。讓馬克思主義現在對第三世界仍有影響的原因正是這個部分，而絕非史達林、毛澤東之流的胡作非為的部分。他認同平等、正義、自由與人類的尊嚴，馬克思這樣的問題意識為世界的良心代言，因而讓人覺得魅力十足。然而其後利用馬克思的魅力來革命的這些傢伙，沒有平等的概念，自由只有自己有，其他人全部送至強制收容所或肅清之類的行為非常殘忍。我認為這責任並不在馬克思。所謂社會主義的道路，在越南或是中國，特別是由於日本大眾對過去侵略中國有著贖罪意識、罪惡感，所以在討論中國的時候往往理想化了毛澤東，就將毛澤東等人率領的八路軍理想化為相當清廉的，高道德的軍隊、屬於人民的軍隊，那是革命過程的問題。進入中南海的治理國家的權力，或者說治國階段的問題，則是別的問題混淆在一起。雖然如此，我們不能忘記的是，他們提出的問題，還是有平等。低水準的平等，不會餓死，不會像清朝末期饑荒一樣那麼慘，是有這樣的平等。我們也可以認為，正是因為有這樣的平等，所以人口增加速度非常的驚人。但是他們沒有自由，沒有給予自由的餘裕。

　　其次，有的國家是既不能走向資本主義，也不打算走社會主義的不上不下的國家，包括亞洲大部分的國家都是這樣。他們進行軍事獨裁。馬可仕是這樣，印尼也是這樣，幾乎都是如此。利用軍事的獨裁，再添加資本主義式的方法，進行由上而下的近代化。美國對這些國家進行援助，日本也投入經濟援助以拯救這些國家。這樣的軍事獨裁在某種意義上，也讓權力無法完全為左翼所奪，是第二次世界大戰後第三世界國家要從農業走向工業的一個過程。獨裁一方面是黨的獨裁，一方面是軍方的獨裁。黨的獨裁，也就是所謂馬克思主義的人道主義，有時候稱為大眾路線等；所謂軍方的獨裁則表現在軍人的殘暴或腐敗等方式。總而言之，我希望可以理解成農業國家變成工業國家的一個過程。因為現在比較開放，所以現在這樣說應不太會有人反對，但以前絕對不能這樣說。或許有人會認為，這個姓戴的傢伙竟然把軍事獨裁與無產階級獨裁看成同件事，豈不是反動派嗎？但我之所以這麼說，是根據邏輯而非個人的價值觀。

　　事實上，軍事獨裁沒有平等也沒有自由，是最糟糕的狀態。為了要改正這樣的狀況，現在的艾奎諾（Corazon Aquino）才會推翻馬可仕政權。所以現在當地很混亂，政權仍然相當不安，亂成一團。要說台灣狀況的話，也是某種軍事獨裁的權威主義吧。然而因為一些特殊狀況，才變成了現在資本主義的方式。而現在正要進入新的時代，所以努力著使軍事獨裁消失。此是因為資本主義的機制，以比較受限制的形式但朝向所謂平等、自由的政治參與、向議會民主主義前進。然而因為這次要組織內閣的是前參謀總長、國防部長郝柏村，所以雖然日本的報紙看不到，但台灣

的報紙上，當天總統就職典禮的新聞背面，就刊滿了街頭抗議、流血衝突的照片。

所以台灣在某種意義上，在我的分類中要當成一種特殊的事例。台灣在這樣特殊的狀況下，我今天雖然不打算以台灣為中心來談，但大學老師們和學生還是相當擔心軍事獨裁。正是因為戒嚴令取消了，言論也得到自由了，再讓軍人組閣的話，這一兩年間好不容易得到的言論自由、結社自由會不會消失，特務機關會不會又像過去那樣胡作非為呢？因為這樣的恐懼感，所以發生了如此規模的示威遊行。現在的總統應該不是想要回到過去軍事獨裁的人，他當然也抱持著善意希望推進民主化。因此某個程度上，已經資本主義式的從農業社會轉向工業社會了。就我個人的理解，這次他的就職演說中所說的治國方向是，一方面要如何回到孫文的建國階段想辦法修正，同時，以所謂西歐型資本主義以外的方法建國，一方面試圖與中國大陸和談。

近代化是需要成本與時間的。「成本」指的就是一定程度的富裕。就農村而言，農村中必須要有某個程度的人口不依靠農村生活，這樣的人口不增加是不行的。所以我覺得在這層意義上，雖然北京政府的當權者仍然不承認天安門事件，但我認為那是一個悲劇事件。我忘了之前有否說過，有8億的中國人還留在農村中，「留在農村」的意思就是不留在農村不能活的意思。還有2億5,000萬人是文盲。在這樣的狀況下，學生們就算在天安門前面建個幾座紐約的自由女神，恐怕也沒有什麼意義吧。真的是太可悲了！

何謂人類史上的「近代」？

接下來我想要談談，在人類史上所謂近代指的究竟是什麼。也許我們會被說心眼狹窄、耿耿於懷，我們仍然有必要整理歷史，釐清被歐洲、被日本侵略等事實。因為我們有必要以歷史為鑑。所以這次盧泰愚總統來訪日本時，天皇陛下曾經說過，而且文部省也積極地處理教科書問題事宜；就像過去西德、東德釐清奧斯威辛集中營（Auschwitz Concentration Camp）的責任歸屬一樣。特別是在歐洲的歷史教科書，相當早即由歐洲的學者們集合在一起，大家一起製作能夠為所有人接受的共通歷史讀本，這方面已經有長足進步。我覺得日本雖然略遲，但將來應當會持續進行。

讓我們來整理一下，在人類史中，近代化究竟是什麼。如這裡的要點記錄的，所謂近代化指的應該是某種社會變動。從表面可以掌握的部分較容易整理，所以我在這裡也試著量化在表面上看得到的部分，用簡明的方式來做一次近代化的表示。第一是因為大工廠制帶來的大規模工業化，表示的當然是生產力的水準，與產業革命有關聯；第二則是社會系統其中心是民族統一，對少數民族的壓抑。這以日本為例最容易理解。

日本在明治維新時，首先將愛奴族人以北海道的土人法規定其地位，因為愛奴人口稀少，所以聲音不大。琉球本來有個琉球王國，日本藉由消除琉球將之沖繩化。老實說來，日本最理想的政治形式應該是聯邦制。這並不是我想要干涉日本內政，而是我做為一個研究者的某種說法而已。日本聯邦主要的民族構成應該

是大和民族、琉球民族、愛奴民族、熊襲族——三得利公司的佐治先生〔譯註：知名啤酒公司三得利株式會社社長佐治敬三（1919～1999），在1988年討論遷都問題時輕蔑東北地區的嚴重失言，造成東北地區各縣拒買三得利啤酒，稱為「東北熊襲發言」〕這次實在好慘啊——應該成為這樣的聯邦，才比較能夠令人信服。

　　然而大概明治維新的時候，從英國開始，或者連美國的培里也來了，根本來不及變成這樣的聯邦。所以「大和民族即日本民族」，剩下的就閉嘴，強行走入近代化。因此未開放部落就慘了。我們對被壓抑的邊境，或者是邊際人不吝同情，但是這樣的狀況其實舉世皆有。像是斯洛伐克共和國、南斯拉夫，都是多民族國家。除此之外還包括東歐等國，從國名開始就已經有各種問題。意識形態的對立一旦逐漸消褪，就會浮現出所謂種族性、民族性。我個人看來，已進入很有趣的人類史的新階段。我並不是為此高興，只是客觀上看來，這樣下去會導向這樣的結果。

　　所以以優勢民族為中心，形成壓抑少數民族的國民國家。所以明治維新帶來的廢藩置縣就是這樣一回事。江戶變成東京也與此直接相關。接著是國民皆兵、徵兵制度，這造成薩摩藩人極大憤怒。薩摩隼人們是一個尚武的國度，他們憤怒的是：「搞什麼啊，連農民也可以進入軍隊，成為武士究竟是怎麼了？」因而導致明治10年的西南戰爭，造成西鄉隆盛悲劇性的死亡。

　　然而實際上，國民皆兵，接著變成公務員——也就是不限身分貴賤或出身高低，現在的上級國家考試就以這樣的形式採用人才，這樣逐漸統一了屬於國民的意志。當然過去在陸軍、海軍上

還有薩摩派和長州派等各種形式的地域性對立，但現在都幾乎不復存在。好像可能還有一點吧？我在東京大學的時候，和我同年級的某位沖繩來的同學常常因為自己被歧視而憤怒，然而曾幾何時，他卻把自己的姓從三個字改成兩個字，現在變成某國立大學的教授。我曾經這樣對他說：「不可原諒！你要抗議自己被歧視，就堅持到最後嘛。搞什麼啊你，做到一半……」因為我不是當事人，當然可以說些風涼話。然而我想，在現實中他是相當痛苦的。

第三，在居民生活層面上，古老的農村共同體解體，形成了產業都市的市民生活。所以日本還有村八分〔譯註：農村中排擠某戶人家，不與其共同生活祭祀等〕的問題。過去由於人口急速往都市流動，在我還在東京大學大學院時，農業經濟的老師正苦心於如何減少農村人口。現在農村的問題在於，沒有新娘願意嫁進農村，以及勞力不足。所以有人從菲律賓娶媳婦回國，藉以解決農村的媳婦荒。當時實際上的問題是，在古老的村子，農村人口不減少，不流向都市，不流向工業人口。老村子做為共同體不全然是負面的，然而當時日本的老師們所苦惱的是，村子古老的體質在妨礙日本民主化。這是以支撐日本古老家族制度的下層結構來看所得到的看法。

所以大塚老師、丸山老師正因此被定位成近代主義者。也就是說，並非共產主義或是資本主義，而是近代市民社會的實現。確立近代性的個人，藉此讓日本人能夠真正成為人。日本的政治也能變好吧——是這樣的想法。

因此大塚老師、丸山老師才會遭到當時日本共產黨的理論家

們批評。

　　第四，價格的形成反映了供需關係。以資本自由競爭之下形成了市場經濟，這就是經濟。第五是政治制度，國民議會、民主主義式的管理機構等。第六，在思想方法的層面上，就是合理主義思想的普遍化。在意識形態的層面上是個人中心主義。這裡所謂的個人主義並非利己主義（egoism）的個人主義，而是前面曾說過的近代市民社會自我的確立，也就是individualism。簡單說來，就是尊重對方，堅持自我的主張，而不是所謂的利己主義。

　　就這樣，包括了社會結構上的變動，我認為前述六項應該可以稱為近代化。在此產生的問題是：到底哪些是真的？哪些又是假的？我們對所有的事情都希望是真善美。雖然這樣最完美，但根本不可能實現。我們這些第三世界的人們，1990年，現在的我們站在21世紀的門口，如果看自己的問題，或者比較、研究自己國家所遇到的問題時，想要拿西洋的、法國的、美國的價值尺度來衡量也不是不可以，但是用西歐近代所帶來的文明的尺來丈量，結果這個也不行、那個也不行，反而被說教的話就成了悲劇了。我想要講的就是這個。

　　我最近常常被邀請回台灣，說了這樣的事情。去美國留學的人用美國的視野討論美國的民主主義時，我會說：「請等一等，所謂美國的民主主義，你們沒多久前有過嗎？不要說得一副很了不起的樣子。」下次我從日本回去的時候又要教訓一次了，我在的話他們應該就不太敢講話了吧。我也要這麼說：「請等一等。讀過日本史了嗎？1945年8月15日以前，日本的女性連考東京帝國大學的資格都沒有。民主主義何在？人權何在？」

　　所以最早出去留學的人，要憑著自己背負的博士稱號，或者自己的幾年海外經驗就耍帥是無妨，但是也請幫可憐的我國同胞想一想吧，我覺得這很重要。無庸多言，事實上我們所面對的問題是西歐化。所謂西歐化可以說就是前面所舉的指標，這些指標因為先在英國和法國出現，所以近代化才會有歐洲化或者是西洋化的說法。還有一個說法是文明化，這是將結構上相對的變動，定位為新文明的階段，為了與中世做區別。但是那實際上遭到傅柯（Michel Foucault）或李維史托（Claude Lévi-Strauss）等人嚴厲批判，而且我們也可以從史賓格勒（Oswald Spengler）所言歐洲的沒落，或者是湯恩比（A. J. Toynbee）等研究中也可以學到很多——你不贊成當然也無所謂，但是應該也可資參考。

　　簡單說，要以歐洲中心的單一基督教文明將世界間單地下結論，實在是沒什麼意義。而且現實生活中我們所面對的問題，正是西歐中心史觀的普遍性價值，這個就如我們剛才所說是被局限的，現在則有擴大的傾向。請看看美國。艾力克斯‧哈雷的《根》剛好和我的評論集一樣，在日本都是由社會思想社所出版，又剛好負責我的教養文庫的文庫本的人，也是此書日譯版的出版負責人，所以哈雷來到東京時，我在派對上曾與他會面。他在《朝日新聞》的演講也受到大家極為熱烈的歡迎。

　　他說過，這本書我要是在五年前出版的話就會被殺。這樣看來，我們謳歌美國的民主主義、平等什麼的也沒有什麼意義。然而現在，包括天安門事件或者是對獨裁者批判的種種，都應該以我們的邏輯來批判。不是單純說美國如何、法國如何，我們應該更綜合地思考這些新的、真東西其普遍性價值、普遍的value，也

應該批判似是而非的普遍性。我並非抱持人種主義之人，並不是反對白人什麼的。然而我們不得不超越那些局限。事實上在某個時期，人們將對超越的方法的期待寄託於馬克思主義上，非常可惜的是，從最近的各種動向看來，變得極靠不住。

三、結語

所以結論就像我所寫的一樣，一個是近代工業文明。這就是我剛才一直在說的西洋的近代。近代本身就像我們所知道的一樣，是自然的破壞、人際關係的解體、資源的枯竭、人口暴增、糧食不足、文化的頹廢。所以就像今天報紙也有說，或者從很久以前就有人不斷提起的，地球是一體的觀念。我們稍稍計算一下，從產業革命開始至今不過三百多年，就已經把地球弄得亂七八糟的了。我們直到今天才察覺。然而如果這樣下去，地球人口成長到60億、70億的時候，地球又會變得怎樣呢？而且糟糕的是，人類全體製造的驚人的總生產力。這就是持續不斷的近代化。所以根據我到目前為止所說的近代做為模型，世界已經開始出現了崩潰的現象。我們必須這樣定位近代。

所以今年，在美國也召開了世界環境會議等理由在此。然而，現在東歐或者是蘇維埃世界的變化也太大了。因為實在是過於震撼，所以我們或許被遺忘了。對此我有點擔心。雖然這麼說，社會主義的模型也開始動搖，這是非常危險的徵兆。社會主義的問題我剛剛已經向大家報告過了。

所以大家如果有時間的話，我想介紹給大家我正在讀的

這本，加爾布雷斯（J. K. Galbraith）與閔緒柯夫（Stanislav Menshikov）合著的《資本主義、共產主義與共存》（*Capitalism, Communism and Coexistence*）。此書非常易讀，讓我很感動。簡單來說，現在的問題就在像我剛才所說的布希與戈巴契夫的會談，或者中蘇和解，現在世界兩大霸權國家正在會談。我們大家一直都在懷疑，戈巴契夫說的該不會是騙人的吧？畢竟有著俄羅斯人似乎說謊、共產主義者總好像在說謊的感覺，這種美國自由主義式的偏見相當強烈。

我認為不是那樣。終究是不能發動核子戰爭。核子危機要怎麼解決首先就是一個問題，再來就是人口暴增的問題。這個問題如果大家不一起解決要怎麼辦呢？再來是公害問題。因為車諾比核爆，最近一位去了義大利一陣子的朋友回國來，一起喝酒時所說的話讓我大吃一驚。對我們而言，車諾比的問題只是從文獻知道而已，我們沒有什麼危機意識。他去了義大利，發現義大利的居民們在超市買的東西不一樣了，只要是有顏色的蔬菜就不買，狀況非常嚴重。這樣的狀況究竟是過度的自我防衛、多費心思，還是過於敏感了呢？至少車諾比事件能夠控制在那種程度還算是不幸中的大幸。那樣的事故在日本也可能發生，在中國也可能發生，若到處都發生的話，事實上結果跟核子戰爭並無二致。

我忘了有沒有向各位報告過，如果中國11億人口要進行以西歐為模型的工業化，未充分衡量公害的工業化、都市化的話，很快地日本列島就會下起酸雨，那要怎麼辦呢？這是很嚴重的。台灣現在雖然已經很嚴重了，但是人口的量不一樣。所以現在中國問題已經不是中國人自己的問題了，而是全世界的問題。因此，

戈巴契夫與布希正在商談的這些事情，我們除了一面祈禱他不要被暗殺，並期待他的重建經濟能夠成功；同時，就像加爾布雷斯與閔緒柯夫所說，我們若想要做為地球共同體的一員而生存下來，只有相互溝通一路，別無他法。資本主義有好的一面，也有很亂來的一面。社會主義也有很糟糕的一面，但是那應該不是它的全部。馬克思所提出的問題終歸是零嗎？是沒有價值的嗎？我們全體人類究竟有沒有明天？我不太想從現象面去思考問題，究竟我們即將面對的20世紀的最後十年是世紀末呢？還是這是朝向21世紀的新世紀對我們的警告因此要虛心接受。在這十年間通曉政治哲學、歷史哲學或科學哲學的偉大智者們（wise man）──當然也包括wise woman；超越既定的真正的世界史，我個人認為所謂的世界史，是各國各自追求自己國家利益的階段；能否找出做為地球人類共同體，共通的求生基本戰略，恐怕就是關鍵所在。

　　在這層意義上，非常可惜的是，現在蘇維埃也好，東歐也好，天安門事件也好，在某個意義上是很膚淺的，大家似乎太過度地在表層上消耗能源。特別是連本來被社會認真寄予期望的學者、各位老師，似乎也都迷失了方向。包括我自己在內，這句話也算是自我批判。我就以這句話做結束。謝謝大家！

問與答

　　主持人：謝謝戴老師。剛才老師為我們講解的範圍非常的廣泛，包含了與近代化相關的話題，從成立的理論性問題、到西歐

模型、社會主義模型，以至於具有危機的現況。

　　因為還有一些時間，大家如果想對戴老師提出問題，請積極的發言。請大家多多指教。

近代化研究

　　問：今天聽到老師寶貴的意見，非常感謝您。雖然這是我的私事，但我大概在美國待了四年回來後，就一直覺得老師今天所談的近代化，modernization，當我在和美國人或歐洲人談論時，已經成為一個概念。而另一個西歐化、westernization，在他們的腦海中好像是幾乎混合以相同的概念在談。這樣的話，我們平常說的時候好像不特別感到此間的異質性，但您今天講到westernization和modernization時，讓我覺得是有著相當的異質性的；另一方面，今天您所說的有幾個地方讓我恍然大悟，但在今後近代化、現代化不斷進展的狀況下，日本應該會有與西歐不同的近代化，此外東亞當然也會有──我覺得應該會有，那麼從今以後究竟會出現怎樣不同的近代化特質呢？

　　戴：謝謝。首先我對這個例子最有興趣，但是還不知道其結果。我認為伊朗的柯梅尼（Ruhollah Khomeini）革命是非常具有象徵意義的。柯梅尼不顧他之前與美國合作的國王對於所謂歐洲型或者西洋型的近代化，以及原理主義的看法；其作法可以說是以伊斯蘭式的基礎文化去挑戰。

　　我認為那或許就是第三條路。我正在觀察這有沒有可能成為第三條路，所以我並不打算判斷這條路到底好或不好。就是觀察未

來會有怎樣的動向呢？您剛剛指教的問題我想至少可以這樣思考。

簡單地說，資本主義與社會主義事實上是同一個母體所生的。說明白一些的話，是來自於基督教文明。那麼，雖然不知道鄧小平所說的是不是可以順利實行，但他所謂中國式的社會主義並沒有具體內容上的提示。相較於此，我在電視上看過進行民主化運動，現在逃進美國大使館的方勵之，碰巧在兩、三年前的五四運動紀念日的前一天，接受NHK在北京大學採訪時，嘲笑共產黨的一段訪問。他那個時候當然沒有提到鄧小平的名字。他很諷刺地說：「什麼東西啊？哪有中國式的社會主義文明這種東西？這不就和沒有中國式的物理學一樣嗎？」我當時看到的時候相當震驚，有一部分支持方勵之的香港和台灣的人，認為他是中國的沙卡洛夫〔譯註：Andrei Sakharov, 1921～1989，蘇聯核物理學家，1975年諾貝爾和平獎得主〕，但我認為這根本毫無道理。他哪裡談得上是沙卡洛夫，這麼不用功的人真是麻煩了。然而他在中國大陸卻有他的意義，畢竟他敢對中國共產黨直接批判。自己沒有勇氣說的人，必須常常替有為自己說出來的勇氣之人加油打氣才是。然而我們客觀上看來，他既然說出了那樣的話，希望他多讀一點社會科學的書才是。

會這樣說就是希望回答剛剛的問題。目前為止我們認為共產主義者為了要讓共產主義革命成為世界性的世界革命，所以要以同樣的手段切入。資本主義就像我前面所說的，馬克思也說過，我們不得不承認，資本主義就像是以資本的邏輯將世界塗成西歐顏色的火車頭或者是動力。然而，正是因為有人的問題所以發展不平衡。所以非洲有這樣的問題，日本也有，中國也有；就算是

在中國，也有人在雲南生活，有人在福建生活，各式各樣的人不一定有同樣的想法。他們穿的衣服也不同，吃的食物也不同。

我們難道能夠忽略人與人的不同嗎？大家都吃漢堡、穿西裝就可以了嗎？我們今天終於也看到了共產主義與資本主義相互接近，不再對立而開始對談。這樣的狀況下，有人認為這似乎是進行著生產性的對話，是一種國際性的回歸；但我們在真正的共生、一起存活下去的同時，事實上應該要如何容許這樣的多元文化、多元價值？這我剛才有向各位報告過了，史賓格勒的《西方的沒落》，之後湯恩比也沿著同樣的關聯提及世界上有各式各樣的文明，我認為認知到這點就是一個進步。

只有歐洲的基督教文明才是文明，這種說法當然是無稽之談。然而可惜的是，我們這邊文明的呈現方式有點難以對抗西方，因此才讓大家如此掙扎。不管以中國文明、印度文明、伊斯蘭文明或者是日本的大和文明為中心都無妨，但在那中心部分以外應該有著普遍共通的價值；而平等、自由、正義等共通的東西，則是我們做為人應該追求的。但是並非西歐近代所產出的龐大物質文明就是人類的所有價值，那是錯的，這就是我們每天了解的狀況。然而現在大家也還在賭，因為我們有強大的力量，有科學技術還有資金，所以就憑著偉大的科學下賭注。下這樣的賭注要成功很困難，但總是會有人要試看看。到底是為什麼呢？

在這層意義上，我對您的提問的回答是：美國也開始對越戰進行反省了，我想以日本的經濟能力也可以讓他們再多反省一點，但日本也似乎逐漸掉入了我剛才所說的物質文明的陷阱。簡單地說，美國式的症候群再晚個幾年也要跑到日本來。比如說產

業的空洞化，或者美國總是一貫的賭徒投機性格，就像把賭場開到台灣，也對台灣造成影響，讓台灣變成ROC，從Republic of China變成Republic of Casino。日本的話，由於中產階級較為厚實，而且老實說，就我看來傳統仍然被活用著，這點讓我非常感動。可是一部分日本的老師認為若是把日本的好全部切除，日本的傳統也會全部斷絕，我覺得倒還不至於。只是若不好好警惕還是相當危險的。

不知道以上有沒有解答你的問題？

問：我在上智大學主修國文學，敝姓藥進。剛剛聽了老師的演講，感到獲益良多。我在此想要問一個問題。老師您剛剛舉出的前往近代化的道路分成A、B、C三種，走上這些路的各國是否可以當成是同時走向獲得民族獨立之路呢？比如您剛所謂的前往社會主義之路，不單單只是為了從農業國家轉向工業國家，甚至更應該是為了讓國家獨立而走向社會主義吧？我是這樣想的，不知道您的卓見如何？

戴：這就像我剛才向大家報告過的，要是將近代化當作從農業國家轉型成工業國家的一個過程，應該就可以像輕易將之圖式化吧。隨著第二次世界大戰的終結，世界上人們應該都知道歐洲文明、西歐文明，在某個時期所謂資本主義必定要伴隨殖民地。雖然日本在戰後不再說了，但戰前總是常說「滿洲是生命線」云云。日本會對外進行侵略，也就是侵略朝鮮半島、台灣或者中國大陸，全部都是因為人口多這個理由。然而當時現實上的問題是，人口再怎麼增多，日本也只有四個島可以支撐經濟，以當時資本主義體制的思考方式來想，最容易的就是出去外面搶了。然

而這在第二次世界大戰後變得行不通了，因為被搶的這邊開始覺醒，因為開始覺醒，所以想要自己建國，想要圖謀民族的獨立。而這樣的形式最後還是會遇到工業化的問題。所以社會主義是為了體現馬克思的理想，結果就會一方面成為半殖民地，而一邊又進行工業化。然而若是這樣單純看待社會主義，就留下了以下問題：東歐又有什麼問題呢？東歐藉由沙林毒氣、戰車達成社會主義化又會變成怎樣的問題留下。

所以剛才藥進先生所說的，我認為中國的案例，或者越南的案例，以及古巴的案例都可以算是如此。一方面是從農業轉向工業之路，另一方面又是民族解放運動、獨立運動。而我省略去這個部分，未把它寫出來，但我在談話中有提到。它是一件綜合的事情，我覺得這樣想比較好。

所以即便是馬可仕那些人，難道沒有想過要讓國家獨立？我想是不可能的，一定有想到。雖然有想到，但是害怕自己的權力基礎和既得利益被社會主義者搶走，所以他們只顧慮自己的近代化。蔣介石和毛澤東也是一樣的。蔣介石當時不可能沒有想過中國的獨立，但他還是一面守護自己的權力，一面和日本進行妥協，最後在西安事件中變得無法妥協，只好以抗日統一戰線的形式進行抗日戰爭。那也是因為兩個問題：重要的在於領導權之爭，所以讓第二次世界大戰後，中國來不及踏上資本主義的道路。因為全世界的條件還不充足，只好陷入社會主義和軍事獨裁兩條路線之爭。他們兩者並非不考慮獨立，只是因為獨立的想法立場與其基礎不同而已。我想大家都清楚，就不特別說明了。

問：與這個相關我還想再問一個問題。比如說，維持殖民地

的狀態應該也可以完成從農業區域變成工業區域的工作吧？香港不就是維持了殖民地的狀態而得以近代化了嗎？您覺得如何呢？

戴：我所謂的近代化，並不是工業化就叫作近代化。產業化、工業化在軍事獨裁國家也可以達成。然而我所謂近代化是以綜合性的角度來看，所以不只如此。這點正如你所言。然而香港在第二次世界大戰之前是沒有所謂的工業。我覺得是沒有的。那是在第二次世界大戰之後才在特殊的狀況下被工業化，所以其型態有點特殊，雖然稱作殖民地，狀況也有點不同。老實說，雖然我在香港有很多朋友，可是他們最害怕的就是在1997年回歸中國。他們雖然嘴巴上擔心自己到時候不知道會怎麼樣，但他們也知道香港的經濟是不能和中國大陸切離的。所以其型態可以說是非常奇妙特殊。

我有一兩位新加坡的朋友。我想大家也知道，新加坡人也有非常自豪的事情，就是270萬日圓的國民所得。日本的各位也常常誇獎這件事。在這層意義上，我認為日本的各位是很會說應酬話的；但是嚴密地想想，新加坡的周邊如果沒有印尼和馬來西亞做為腹地，有沒有可能變得這麼近代化？國民所得有沒有可能提升得這麼高？而且它附近因為排擠華僑，華僑的上層人士只有在新加坡才能安心。而且，新加坡雖然國民所得這麼高，但是共產黨是非法的。他們沒有言論自由，也沒有出版自由。所謂華僑的上流階級在這樣的狀況下在此投資。因為在這裡以熱錢的形式活動較為有利，所以我認為雖然在新加坡待個兩三日，慵懶地在游泳池裡游泳、吃吃飯之後回家挺不錯的，但是講白一點，根本沒有文化，什麼都沒有。我不覺得有什麼魅力。有的只是錢。我不

得不承認確實道路很漂亮，也算是個花園都市，但是今天沒有新加坡人在場所以讓我耍耍嘴皮吧，我想和他們爭論一番。我想若是認真為新加坡的未來思考的人，應該也會贊成我的看法，錢絕對不是唯一的。

問：所謂近代化，您在某個意義上提出了從農業化到工業化的三條路，其中C是軍事獨裁之路。軍事獨裁就是黨的獨裁，總是得不到平等與自由；但在新加坡的案例而言，我常常聽人說，李光耀是個人獨裁。所以新加坡是沒有自由、沒有平等，可是有錢。據說最近中國四川省的勞工提出了「不要民主，不要自由，我只要米」的口號。自由與平等和錢，或者是說財富，您覺得什麼比較重要呢？這點我想就教於老師。

戴：好難的問題啊。雖然李光耀是所謂的個人獨裁，但我個人認為，就軍隊上的問題而言，雖然表面上沒有軍隊，但他們的軍隊初期是在以色列，之後是在台灣受訓的。我們應該怎麼理解李光耀的獨裁體制呢？我覺得這是個重要問題。所以我認為各個階段都有來自民眾的欲望。我這樣對天安門事件發表意見時，包括我在美國的友人、在台灣的友人，都對我相當不諒解，認為我是反對民主化運動。我絕對不是那個意思。簡單地說，對您剛才提出來的問題，雖然我沒有說，但是我贊成批判共產黨和李鵬。然而我們卻不可以制裁中國。理由之一是，日本的經濟、美國的經濟都和中國市場有著密切往來。中國進行十年開放政策。如果制裁的話，制裁本身就有可能進入亞太的經濟循環，造成負面影響而自食惡果。正因為如此，布希才會在天安門事件〔1989年〕6月發生之後，在7月派遣特使，在12月又派遣特使，已經令人覺

得很不可思議了；但在昨天的報紙上又有記載，說中國花了40億美元買飛機。這是否是政治運作我並不清楚。但就現在可以花40億美元買70台飛機而言，其市場果然還是相當了不得。被日本經濟起飛壓制的美國資本家想必垂涎觀望著。然而不論如何看待中國市場，總是有這樣的問題。

中國的民主問題

另一個問題是中國的問題——這部分與我的邏輯有所重疊——所謂人權或者民主問題，畢竟是需要成本與時間的。沒有富裕的環境無法支撐。台灣雖然好像說話很了不起很大聲，但在十年前，台灣有人權可言嗎？連我這樣的人都回不去了。我從來沒有從事過政治運動，但是到四年前為止，所有我寫的書都是禁書。然而現在我的書在台灣聽說相當暢銷。從這件事情就可以知道，所謂民主、人權，都必須有一定程度的富裕，並且在一定的條件下才有可能達成。所以中國大陸的問題就在於人口為什麼這麼多。這個問題在中國大陸也產生論爭，毛澤東和北京大學校長馬寅初的論爭簡要說來就是，馬寅初認為如果不限制生育數量的話會有危險，而毛澤東批判他：「你的馬不是馬克思的馬，而是馬爾薩斯（T. R. Malthus）的馬！」簡單說來正是批評其保守反動。有人認為正是因此，人口數才會攀升至今天的狀況，然而我認為並非全是如此。其原因還是在於，中國就算長期進行農業生產，也不能使之進入正面的循環。比如說在大躍進的時候，那樣胡亂地破壞自然環境。現在說起地球上的問題，在中國就有

中國的沙漠化與萬里長城。我們去到萬里長城時，覺得「哇！好
厲害」，然而萬里長城做得那麼長，倒了又建起來，究竟破壞了
多少中國的自然，又給中國的農業生產產生了不知多少的負面效
果，這方面卻總是沒有人討論。我在約莫十年前，在經團連的中
餐會上演講時說到此事，由副會長花村先生擔任主持人，之後他
表示「第一次聽到這麼有趣的事」。

　　總之，對事物不這樣看是不行的。中國最大的問題在於三條
河流，特別是黃河和長江，治水愈來愈困難，結果就會破壞自
然，並且因此氾濫，因而總是無法解決中國的農業問題。若不解
決中國的問題農民就不能受到充分教育，因為農民很貧困，不得
不多生些孩子當作保險。像現在這樣比較富裕之後，現在父母大
概都只生一到兩個孩子，政府變得不需要實行一胎化政策。如果
貧窮的話，通常會生個七、八個孩子，然後由於衛生設備不好，
嬰幼兒的死亡率也高。這是惡性循環。

　　我在台灣演講時已經說過了，呼籲台灣不要對其進行經濟制
裁，美國也不應該這樣。日本更不應該制裁，如要支持中國學生
的民主化運動，不但不要制裁，反而更應該合作，藉由拍攝黃
河、長江與珠江三大河的航空相片，進行共同研究完全控制之。
而其灌溉用水也能提升農業生產力，農村的生產要有剩餘，農村
的人口才會漸漸減少。過去人人都憎恨黃河，然而住在上游的人
稱黃河，住在中游的人也稱黃河，住在下游的人也稱為黃河，誰
也弄不清楚黃河的真面貌，就像我們所說的「瞎子摸象」。現在
開始使用航空照片、衛星照片，再加上世界級的土木工程和資
金，就可以一起拯救中國。把中國救起來，中國就能富裕，這樣

就解決了四分之一地球人口的問題，至少也可以解決農業問題的六成。我們應該朝這樣的方向前進，畢竟就算是制裁中國的經濟，也根本沒辦法推動其民主化。這樣說了之後，台灣有一部分想要進行運動的人覺得，年輕人還是想要試看看的，年紀大了身體就不想動了。雖然我不是不能理解他們的心境，但是就是這樣一回事。回到剛剛新加坡的話題，李光耀從某個時間點到現在還很害怕中國，也害怕中國共產黨。因為很害怕所以為了新加坡什麼都幹，不管是對中國的報紙還是台灣的雜誌。比如說，美國愛荷華州有位叫做聶華苓的女性作家，是我的朋友，他們在新加坡舉行會議，舉辦以中文書寫作品的作家們的會議時，她下榻的旅館也遭到竊聽。為了切斷中國的影響，甚至做到這個地步。然而，切斷中國的影響、切斷中國文化的影響、切斷中國共產黨在政治上的影響，這三件事的意義是不同的，政治家們大概因為太忙而不能理解。會這樣說也是因為說到對中國共產黨的恐懼，李光耀總理最近好像對中國共產黨已經不那麼害怕了。然而中國這個巨大的怪物的影響還很恐怖。然而老實說，應該要活用中國文化才對。因為整個國家有70%是中國人，應該好好想想怎樣將其傳統與新加坡新創造的文化相互重新配合；然而他們只一味切斷其影響，要切斷傳統卻也不是這麼簡單的。

那是因為有像中國的Ko-tekiyou（音譯，コーテキョウ）、台灣的李敖等評論家的存在。然而那種心情我能夠理解。中國實在是太過混亂。因為太過混亂所以不要讓人進去。這樣的話，知識分子由於要接觸中國太辛苦，努力到一半就會放棄中國的傳統，於是乎便不得不全盤西化，認為不全面西歐化的話就無法拯

救中國。然而事情並沒有這麼簡單。日本事實上正是因為巧妙地重新組合日本的傳統，重新組合並且應用改造才會有今日的發達。所有人都要與過去切斷關係，要完全切斷是根本辦不到的。也正是如此李光耀最近才終於改變了。我有一位友人杜維明，是哈佛大學教授，用英文講授confucianism，也就是以英文解釋儒教，並且試圖以之做為華人系新加坡人思考方法的根源支柱。然而事情沒有這麼簡單。另一方面，也有批判李光耀的人認為，不，這只不過是單純的「父性」（papaism）展現而已，看起來是在重新解釋儒教，事實上只是為了要將政權傳給自己的兒子，所以才突然跑去山東省祭拜孔子，因為自己是個了不起的爸爸，所以要把政權交給兒子。這方面我就不是這麼清楚了。以上所說的不知道能不能解答您的問題呢？

問：這個問題事實上是六月以前，中國一時流行過的新權威主義的論調。實際上，趙紫陽先生的智囊團都支持這個論調。在六月以後雖然踩了緊急煞車，但我在那個時候是採取相反的立場。他們主張新權威主義的中心，也就是中國近代化的模型，應該是亞洲四小龍（Asia NIEs），也就是南韓、新加坡、香港、台灣。雖然全部都是有錢的國家，然而在最近之前似乎都不是那麼自由民主的。所以我提出了這樣的問題。

戴：關於此我已經在這篇論文中寫了。簡單說我是將其批評為所謂「共同幻想」。中國非常急迫地要達成他們所謂「四個現代化」，結果造成文化大革命和大躍進，結果非常的辛苦。總而言之一定要先成為有錢國家。一定要變得富裕。然而就像當時，Asia NIEs一時成為話題。當然台灣和韓國也有人會認為「日本

人能我們為什麼不能」，但是中國大陸的人中，有的知識分子也抱持著這樣的想法，也有人這樣提出問題。我是對這些人提出批判。然而在同時，Asia NIEs也開始說自己以前是中國人，台灣到現在也是中國人，香港也是中國人。新加坡人不會說自己是中國人的。不巧的是南韓也努力貼近中國，開始說些奉承話，其實是為了要讓首爾奧運成功，並且希望中共牽制北韓，同時也想和中國做生意，所以大談儒教文化。然而事實上這些都是幻想。

有的日本的中國研究者也很努力倡言Asia NIEs、中國人、Asia NIEs之類的，我在此姑隱其名，就是常常上電視節目什麼的經濟學者也一直這樣聲稱。我在這裡寫的是，那些是共同幻想。我並不是打算把中國大陸的人們當做傻瓜。我想要說的是推手，簡單說就是經濟的推手，或者說近代化的推手，說是資本主義的推手也可以，或者說Asia NIEs經濟成長的推手，充當推手的人。這必須當作是民族精神的問題來思考。這些人與中國大陸農村的人是不一樣的。即便流的是一樣的血，思考的方法也不同。因為流著相同的血，所以就開始「共同幻想」，幻想著「台灣可以，香港也可以，新加坡也可以。為什麼中國不能呢？一定可以的」，卻不去好好做研究。我在北京停留了三天，發現賓士車實在是非常多。為什麼不搭賓士車不行呢？我在日本待了35年，到昭和35年為止，日本人只有在美國大使館之類的人才搭賓士車。日本人自己是不搭的。

在北京，警察和公安的車全部都是賓士車。當然我是在天安門事件以前去的。只是看起來拉風，但那並不是近代化，應該要改進紅旗車才對。盡自己能力不斷改進，改進紅旗車這台大車，

必須要一點一點努力。所有人都坐賓士車，就只是拉風而已。我毫無疑問也是中國人，流著相同的血液。然而受到的教育、思考事物的方法卻不同。這樣的我也是中國人，實在是太可悲了。中國大陸實在相當可憐，例如有位非常重要的大人物請我在某餐廳吃飯，那兒的廁所很髒，為什麼那麼簡單的事也做不了。我並不是在說壞話，而是因為我感到非常悲傷。請客這樣請是不行的。中國的問題簡單說，就是在這個社會一直都是認真的人吃大虧。鴉片戰爭以來不斷被唬弄，一般的平民百姓已經誰也不相信了。在日本明治維新時期的政府，一般的平民百姓都很相信政府。雖然政府偶爾也會做壞事，但是做的事情倒還不像中國那樣壞。然而現在中國的民眾相信共產黨宰相的話，但之後看來，不知道是特權還是什麼的關係，說到底，從經濟上而言大多數的中國農村的人都相當辛苦，結果「那些人卻搭著賓士車」，實在是無計可施。所以日本要是能夠做些什麼的話，不能只是耍帥做做樣子而已。除了按部就班別無他法。然而，我認為中國的人們、平民百姓連教育都無法接受，老老實實做，因為吃了虧，所以大家都說謊，說什麼都聽不進去，只能惡性循環，所以弄得我自己現在既不回中國，也不回台灣，因為我平常並不想要說這些，而我也不想要一回去就說教。還是必須認真的一步一步走才是。

主持：今天這場讀書會就在此結束。

本文原收錄於富士ゼロックス・小林節太郎記念基金編，《第3回「日本文化を論ずる会」講演録》（非賣品），東京：富士ゼロックス・小林節太郎記念基金，1990年4月，頁1〜32

自民黨四大派閥爭位，情勢渾沌
──海部在若干事件表現欠成熟，造成下台原因

　　海部俊樹宣布不再競選日本自民黨總裁實有其苦衷，他本身屬於河本派，當時所以得出任首相，事實上是妥協的產物；彼時，非主流的渡邊、宮澤和安倍（現已過世，由三塚領軍）三派僵持不下，而身居主流的竹下又希望能在幕後操控，所以提名他；但他亦獲得若干年輕議員的支持，因為年輕議員希望盡早完成世代交替，這些條件共同造就了海部的地位。

　　但截至目前，海部在若干事件上的處理顯然不夠成熟，首先是日前的波灣戰爭，日本在此次戰爭中，捐助美金達130億，但國際社會對日本的肯定程度卻使日本人感覺到沒有130億的價值。

　　其次，在蘇聯的保守派政變期間，日本的情報系統不靈及海部幾乎難以適應，無法正確做出判斷的情況，也使得若干政治人物感到不滿。

　　而數日前海部在面對其所提出的「政治改革方案」受挫時，「隨便發言」而遭到新聞媒體的圍剿，更使得竹下登對於是否再給予支持產生懷疑，於是海部只好自行宣布下台，以求能掌握將來東山再起之機。

　　而在近兩三個月以來日本經濟顯現疲態，但海部以首相之尊未曾提出任何政策性指示和發言更受到他人攻擊。這些都是海部下台的原因。

　　目前，自民黨內大派閥宮澤、竹下、三塚和渡邊四者間的情況渾沌；竹下是最大派閥，本應推出小澤，但由於他在任內致使日前東京都知事自民黨提名人選舉失敗，再加以他近來身體狀況不佳住院，出來的可能似乎不大；而竹下本人雖有意再度問鼎，但由於上次的收賄疑案未了，現在出馬必將遭到各界質疑，因此也不太可能在短期復出。其次，竹下派內的大將金丸信雖亦有意，但身體狀況亦有問題。

　　所以比較可能的是，由第二大派閥的宮澤先行出馬，宮澤本人英文能力甚佳，外交為其所長，他且是自池田勇人以來的老人，但由於為人驕傲，因此內部人緣並不佳，但經濟為其所長，正好面臨日本當前的經濟疲態，也許由他出來亦未可知。

　　渡邊派即是原中曾根派，勢力不小，但由於渡邊本人在日本國內的評價是「略為狂野」，因此能否適任須周遊於國際間的首相一職，不無疑問。

　　或許這四大派閥可達成彼此輪派的決議，這應可望在數日內揭曉。

本文原刊於《聯合報》，1991年10月5日，8版

思索亞洲與日本
——現在該談什麼

◎ 林彩美譯

引言

我相當幸運地就學於戰後的混亂期到1960年安保鬥爭前後，東京大學的黃金期。

當時可以不拘於科系或專門，旁聽各種領域的課程，是個自由奔放的探究學問場所。與同樣背景或想法的人討論很難產生新的東西，能和具不同想法、背景、民族以及傳統文化的人們相遇，才有新的想法，學問才有以種種型態誕生的可能性。

研究歷史，並不只是尋查現象或事態就可以。「現在」不是獨立於歷史之中，而是過去、現在、未來繼續之中的一點而已，掌握社會現象時，必須原理的、邏輯的，並且在思想的次元去議論。

a. 縱的歷史脈絡

b. 橫的歷史共時性（各時代的各地域、國家民族間的有機關聯與其比較分析）

而且必須總合地把握a與b。亦即為了正確地把握現在，必須

對過去有充分的了解，正確地知道世界的動向。能正確把握現在，便連結到可預見未來。研究歷史卻不能預見未來的人只是歷史匠，而不是歷史家。

研究社會科學或人文科學而拘泥於一時的現象，好比是只看冰山一角，未看沉在水面下的部分就要判斷冰山的全體樣貌，這是很危險的。

根據以上的想法，留學生應注意的是，首先因離開自己的國家到他國留學之故，開始一定很不習慣，生活也因為心理上的困頓而沒有餘裕去思考其他事物，因此對留學國不抱好感而很懷念母國，這是一般的情況。這與新婚的男人懷念「媽媽味道的菜」很相似，但千萬不可以對妻子強求此。然而生活一陣子之後，慢慢能夠把留學國相對化之後，逐漸地也能夠將自己的國家相對化。

還有，因為忙於研究自己專門的領域，只遁入專門領域也不可以。特別是第三世界在發展的過程中，最容易犯的錯誤是被科學技術為萬能的幻想所籠絡。其實需從文化人類學、歷史學、經濟學等各種角度進行觀察，而做出總合的洞察。

此20世紀最後的十年是劇烈變動期。有蘇聯、東歐、天安門等以種種型態出現在表面的部分，也有菲律賓問題等尚未表面化的種種問題與動向。

對於劇變的認識與定位

現在，我們迎接了20世紀最後的十年，已進入劇變期。不僅

發生極大的社會變動，我們身邊的周遭環境也開始逐漸起了變化。將此變化分成小狀況、中狀況以及大狀況來思考吧。

1. 小狀況（日本的內部，身邊）

日本有著物質上的富有與經濟上的繁榮，而沒有戰爭的危機與徵兵制的煩惱。在經濟安定、無飢餓、無失業的保守狀況之下，冰山沉在水面下的部分不容易被看到。

比如立教大學舉辦包含女學生在內，將學生送去菲律賓窮困農村從事奉獻活動的團體旅行。在日本過著富裕生活的學生，從菲律賓體驗貧窮的生活後，就會尋回人性的本質。

日本的年輕人，在物質經濟上很享受，看似無憂無愁，但心裡似乎經常抱持著不安。

2. 中狀況（日本的社會、家庭、國際化）

日本的社會和家庭現狀，我想相對而言是好的。在日本還未有大的解體。中產階層雄厚，村落也保持完整。美國以往得以中產階級為核心者的相互信賴感已喪失，不相信他人的心態已變得深刻。與之相比，日本相當安定。

然而，現在日本的農村卻有找不到媳婦的問題，因此就去菲律賓，把菲律賓小姐用錢帶過來。這些問題超越國界，產生出圍繞國際化的虛構與神話。在迎接菲律賓、韓國的新娘之時，如能承認對方的人格那也很好，但在日本古老體質的村落社會之中，被以野蠻人對待因而自殺的傳聞也有。

相較於農村新娘的問題，對於天安門事件以後自中國大陸來

的留學生或就學生〔譯註：偽裝為學生的未熟練勞動者〕也是值得關心的事吧。

日本自幾年前日語學校開始急速增加，湧進來大量的外國人。這是要解除中小企業的人手不足之故，我曾經指摘這是把勞動者偽裝成就學生加以接納，等不必要時就將之驅逐出去的方便制度。

在西德、英國等地所抱持的問題正是這種事例。在經濟成長期人手不足時，從非洲或過去的殖民地把人們移入，那些人後來定居下來，但是當經濟惡化時就發生失業問題，出現英國病*等情況，從而招致社會不安。

日本的法務省以「日本是單一民族所以能維持安定」的考量之下限制勞動者流入，相反地以留學生與高等技術者就認為沒問題而接納，而那一部分卻發展成就學生問題與剝削亞洲年輕人的日語學校問題。

與其說是勞動省與法務省聯合的問題，更暗示了日本今後的問題。

日本有關物質性的移動可說幾乎百分百自由化（從第三世界輸入資源加工之後，對全世界輸出商品）。而現在人的移動卻開始問題化了。

日本的官僚對日本與世界的關係如何保持下去有相當的研究，但是，以世界規模而完全掌握的人並不多見。

現在恐怕是政治家要有政治哲學，一般學者要有歷史哲學，

＊ 英國在1966至1976年間，因經濟發展停滯，而有「英國病」之戲稱，此一現象迫使英國產業進行結構性的調整。

經營者要有經營哲學最迫切的時期，但哲學書卻賣不出去，哲學的思考與接近最被大眾所忽略也是現在的狀況。

在大家都被金錢與外觀所撥弄的社會風潮下，日本不能只因有了錢就自我陶醉，有錢也要受周遭的人祝福才有意義。

我在昭和30年來日時，連東大的老師們都說貿易總額達到60億美元就很好，但現在連台灣都已超過1,000億美元。

日本的領導者們在苦思經濟大國日本為了生存要如何繼續與世界往來，亦即被迫轉換外交政策，但是這次韓國總統盧泰愚要訪日時，卻又發生天皇的談話問題。

戈巴契夫與盧泰愚舉行了在四、五年前無法想像的首腦會談。這意味著什麼？正是說明世界在往和解的方向轉動，日本不能以過去的形式敷衍了事。在日美關係更加發展之中加入韓國的問題，而與韓國之間的問題，也同時是今後與東亞、東北亞、蘇聯的關聯之下，與我們每日的生活相連動，進而產生影響。

總之，若不維持經濟的大循環，日本的生產力將過大而難以負荷。所以要減低生產量，讓循環變成正循環而安定下來是很不容易的。一般而言，生產經常做自我增值，有無限膨脹的傾向之故，所以演變成相當嚴重的狀態。

在此狀況之中，將來的日本國民如何去評價則另當別論，中曾根內閣做為戰後40年的總決算而斷然實行國鐵的民營化等措施。此戰後40年總結的成果，雖有其正面，其負面也會跟隨而來。對其評價也應大大地做出社會學的嘗試。

此總結的「成果」如何波及，今後將變成怎樣，亦即以日本為中心，物資、金錢、人口的國際的流動性，今後以什麼樣的形

式展開，特別是圍繞人的移動問題，包含人權問題、民族或人種的偏見等問題。

關於人的問題是最為困難的，從而國際化不如口說那麼容易，將是最為難以解決的課題。

以往在日本所說的國際化，只是美國式的想法，是美國式的生活方式之追求，亦即「美國化」而已。僅僅是這樣就可以嗎？這應是今後會一直被提問的。

現在大眾媒體在喧嚷，「呀！東歐不得了」、「社會主義要崩潰了」、「共產主義再過不久就要不行了」之類的論調很多，但我個人其實不這麼認為。也沒有要與共產主義共鳴或為之辯護之意。

基本上，資本主義產生於西歐基督教文明，而對資本主義提出反命題的馬克思主義正是出自同一個母胎，我以為它們只是同卵雙生的雙胞胎兄弟而已。

馬克思主義在列寧與其弟子們的手下實行了70年，毛澤東做了40年，並在現在的狀況之下迎接了新的轉換期。

3. 大狀況（1987年10月，黑暗的禮拜一，美國所主導的和平【Pax Americana】之崩潰）

在此我要指出的其實是有關圍繞此大狀況（社會主義國家的激盪等）的幾個特徵。

第一，來談談可說是其預兆的1987年10月的黑暗星期一。

這可說意味著資本主義方進入大調整期。

我常勸學經濟學的人買股票，如果持有千股就可從中學習。

日本的股票是「保持平穩」所以不會急遽下跌，與紐約市場或韓國市場的股票不同，具體的背景之中有什麼呢？

　　1945年8月15日，迎接第二次世界大戰的終戰。自那以來，有韓戰、越南戰爭、中東戰爭等種種地域性戰爭，但終於未釀成第三次世界大戰，毋寧是幸運的。亦即此40年之間以美、日、西德為中心的自由主義社會所製造出的總生產力變得龐大，這有必要做確認。

　　同時請諸位思考的是自產業革命以來約經過了250年。此250年對於人類史來說到底是什麼，這恐怕可比擬過去幾萬年以來的驚人科學技術與生產力的展開。然而，它使生產力變得龐大，但是銷路卻漸漸變得狹小，結果的一部分就出現日、美間的貿易摩擦，日、美的結構摩擦也是相同的道理。

　　回顧1970年尼克森總統時代季辛吉被派遣到北京，開始祕密外交，大多數的日本學者和評論家都僅以國際政治關係上的動向去掌握而已。要之，美國無法單獨對抗蘇聯，所以要利用中國這張牌與之對抗，大部分的情況可以這種形式說明。

　　然而，那只是把握了某一面而已，最重要的事是，我以為美國在經濟上失去了過去做為世界憲兵的行動實力，這關聯到美元危機的問題，因此，不僅是表面上的政治問題，而是日美兩國如何使用廣大的中國市場，亦即能否將之做為日美兩國生產力的宣洩口，這樣綜合地掌握應比較妥當。此後，又有鄧小平的復職而打出改革與開放路線。

　　我們要研究社會科學的時候，以形式邏輯，只看事物的一面是不妥當的，政治與經濟是一體的面，將之切開，是看不清楚全

貌的。

　　這樣想的話，世界體系的調整即是從資本主義方來說，是以後美國為中心的和平秩序，要之，可說以美國為中心的和平秩序解體，已開始摸索此後的新秩序。

　　第三世界也進入新的階段。美國介入越戰是一種對於民族解放運動加上社會革命的外部干涉，大家皆批判美國的帝國主義。

　　韓戰的結果也依舊以38度線保持雙方平衡而終了，此後韓國的經濟發展又另當別論，但在越南，美國已完全被排除了。

　　相對於此，蘇聯又何其愚蠢在阿富汗做了同樣的事情。

　　包含對阿富汗的侵攻，越南侵攻柬埔寨是革命的輸出。然而革命只能自己搞，輸出也只是一時，就是成功也不能持久，何況革命之後還有治國的難題等待著。

　　這件事很多人沒注意到，或是輕視它，總之為一時的成功而飄飄然是職業革命家所多見的。做為反省的型態來說，似乎可以思考戈巴契夫的「改革」（perestroika）當然是更複雜吧。一言以蔽之，新的問題是什麼，是美蘇相互都不能打仗了。

　　所以第三次大戰不能打了，在此對迴避核戰有了共識。以往以互相擁有核武，而以核武的抑止力來保持和平，今後要停止此愚蠢的競爭。蘇聯若把花費在軍事上的預算轉用於民生，在財政經濟面我想就會有所改善。

世界體系的大調整與亞洲

　　我的友人去了義大利後回來說，義大利也因車諾比核能電廠

事故（1986年）的影響，買蔬菜要選擇產地。這種公害的問題，已經不限於一國了。

日本、中國、韓國都有可能發生，如果是如此大家要怎麼辦，除了坐下來談之外沒有別的法子了。為了生存下去，只有討論協商，摸索出共生的構圖之外無他。

接著是人口暴增。這個問題也不單只是個別國家的問題，因為這些問題的發生，而終於有「地球為一體」、「我們每個人都是地球村的一員」的認識。

我想這些問題是使一連串的新的認識變成可能，造成緩和時局的外在要因。

因外在條件形成所以美蘇的新關係有了急速的展開。而從內部支撐的是，蘇聯在這70年之間，雖有曲折但還是培育了知識階層，雖有史達林的肅清，但在另一面也產生沙卡洛夫存在的事實，是有必要確認的。而且，沙卡洛夫也不只一個。

沙卡洛夫曾經被處流刑，但戈巴契夫贊揚他為「不畏懼權力，是我們兼備知性的偉大代表者」，蘇聯起了非常大的改變。

支撐沙卡洛夫的蘇聯的知性也支撐戈巴契夫的改革，並在持續推進。只是戈巴契夫今後是否能平穩安泰還不知道。不過總生產力非常快速地在展開，以世界規模在促成資訊化社會。

像中國那樣資訊不大流通的地方，改革與開放如此進展的話，以各種形式對此「自由、平等、人權」的普遍價值覺醒的政治意識，首先會滲透到學生與知識分子之間。

只是在中國人口11億〔1990年時〕之中有8成留在農村，8成人之中有2億5,000萬人不識字（中國共產黨當局的發表）。相反

地這也不能不說是引起天安門事件悲劇的道理，並且意味著中國
要從泥淖中爬出來的困難。

在此狀況之中，美、蘇以為不能互信，但因抱持著共通的核
公害問題、人口問題等，在以「地球為一體」的想法之下，確立
相互信賴之緊急課題浮上檯面。猜疑心變淡、信賴感增進將是個
好徵兆。但遺憾的是，圍繞亞洲、第三世界的問題在去除冷戰、
霸權、獨裁、飢餓的課題之後依然殘留著，並未解決。

在此狀況之下，歐洲為了要在1992年建立EC（歐洲共同體，
European Community）而在努力。

另一方面，我們的亞洲環太平洋圈構想，是否能伴隨其內容
順利展開呢？

亞洲共同之家有可能嗎

首先在1970年代末期，故大平前首相在當外相時，已經提出
包括日本與亞洲新興工業化經濟體（Asia NIEs）和東南亞國協
（ASEAN）的環太平洋圈構想。

接著我要追求的是，東北亞共同體的展開是否有其可能。亦
即朝鮮半島能和平統一，日本、中國大陸、台灣、香港、澳門的
問題亦設法和平地解決，而以東北亞一帶做為火車頭，把亞洲其
他地方拖拉上來的構想不知是否可行。

第三是從資本主義與共產主義的兩個體制中，如何找出以人
類自立與共生為目標的新體制。這個並不是階級史觀而毋寧是基
於文明史觀，相互認同其獨自的存在，我想繼續追問，摸索自立

與共生的構圖是否有可能。

這樣一來，以文明史觀思考亞洲的時候，儒教文明的說法或許是可能性之一。

只是，聯想到以「中國」與「中華」的中文表現並不妥當，也不充分。但是客觀地來看，以黃河文明為基礎的儒教文明，還是不要想成只是中國文明比較好。黃河文明對朝鮮半島、中南半島特別是越南的影響，以及對日本列島文明的影響等總括起來掌握，應該就能看得更清楚吧。

畢竟中國大陸是可匹敵歐洲全土的廣大之地，以往將此以一個「國家」來把握，不能不說是將其「矮小化」了。

而現在，相反地要回歸本位的運動正重新啟動著。

所以盧泰愚總統要去訪問中國，此事與以往金日成向中國要求援助是不同形式，可說相反地是從韓國方將球「投回去」的運動，應可以這樣掌握。台灣與中國大陸的關係是否也可以此動向、以此類型來進行？

又日本對中國的關係是，自遣唐使以來持續到江戶末期關係的「回報」，如能提升到應有的層次就很好，不知是否可想作是描繪從周邊向「黃河文明」將球「投回去」運動的新構圖。

還有印度文明的影響，不是指印度民族主義，而是印度教或佛教。還有回教也可一併考慮。

以回教來說，不知能否從亞洲這個形式，或圍繞應有的國家關係之理論框架為基礎來挑戰，嘗試摸索，一邊尋找出共通項目，以新型態超越國家框架的形式，大家來思考生存作戰。這始終存在於我的基本想法中。

為什麼會這麼想，總之應是終於發覺近代工業文明存在著局限之故。

對近代工業文明的局限與危機的認識

資本主義等是正在迎接近代工業文明的局限。在約250年之間極為快速地發展科學技術的同時，也狠狠地破壞了自然，然而此破壞還持續著。

人與人之間關係的崩解，能源、資源大量自私地浪費，這是對我們後代子孫共通的罪業。

美國將自己的石油資源存留下來，轉而向中東購買石油；日本為了保護自己的國有林而去砍伐婆羅洲的樹，目前短期間還可行。但亞洲的木材在東京變成衛生紙、衛生筷自此消失無蹤，這只是自然破壞的一例。50年之後這破壞的結果也會波及到日本，對此我們必須有所察覺。

能源、資源的枯竭已不是一國的問題。企業體只在追求己身企業的利益為優先，只為維持企業的存續而行動。

我們應對亞洲全體、世界全體、地球全體的共同命運多加思考，不這麼做不行。

人口的暴增也是同樣的道理。「窮人多子」是古今中外的通例。

我在某處做了有關天安門事件演講，或許有很多從中國大陸來的學生不能贊成我的說法。中國的問題是什麼？8億人在農村，才剛剛達到糧食夠吃的程度之下，能夠談什麼自由、人權，

「到底自由、人權一公斤值多少？」，這樣被反問的狀態必然還持續著。

日本在1945年8月15日以前有自由、人權嗎？當然沒有！明治維新以後，以資本主義的生產方式拚命進行富國強兵僅限於一部分人，只有這些人擁有自由和人權而已。史實是在二次大戰終結前，日本女性連投考東京帝國大學的資格與投票權都沒有。

美國有自由女神，但自由女神對於美國土著即所謂的印地安人，以及非洲裔美國人的黑人來說，是想對之吐痰的「混蛋」一般的存在，是一種虛構。對於印地安人來說，那是掠奪了自己土地的傢伙們做為「圖騰」的裝飾品，是「與咱們無關」的東西，這是歷史的事實。

遺憾的是，參加天安門事件的學生們，舉出「自由女神」做為象徵。我同情他們，但是同情之前，應了解明白此事件背後的結構。例如，人口的暴增問題，在中國為何增加了那麼多的人口，主要是因為貧窮。因貧窮所以生很多小孩，培養其成為勞動力，可獲得更多分配，做為年老後的保險因而寄託於「多子多福」。若是生活富裕就不必生那麼多孩子。

然而對此慌了手腳的共產黨當局嘗試限制產兒政策，現在實行「一胎化政策」。我認為這是紙上談兵，農民很難去聽從吧。理念與生活感覺的落差很大，雖然想使它能由正面循環上軌道，但只能空著急，一般老百姓不容易跟上來。近代化是要付出代價與時間，不是舉出自由女神，自由、平等與人權就自然從天上掉下來的。

這20世紀的最後十年，我們到底有沒有明天呢？

　　在此我想提出的問題是，以往總是以一國為中心的世界史在看事物，但今後只拘泥於一國去看事物是行不通的。

　　從第三世界、亞洲來的各位，當然還拘泥於民族主義吧。那是長久以來被殖民地統治之故，期望恢復自己民族的尊嚴，存留著要擁有自己國家的渴望。

　　然而，世界性規模的快速變化，特別是亞洲的活力，已不是以過去的世界史看事物就足以應付，而是要以將地球・人類共同體這共通的課題一起編入的規模來思考事物，大概將來的五年、十年會明確地浮上檯面。

　　做為亞洲的問題我常在思考「近代化」。近代化有各種概念，在此姑且只以工業化做為問題來談。雖然有著種種陷阱與局限，但從農業到工業可說是一個順序。

　　亞洲的情況，可以設想有三個類型的近代化過程事例：

　　第一是日本所表現的「正好搭上便車的近代化」。因明治維新而企圖脫亞入歐型的近代化，而從亞洲文明圈轉移到西歐文明圈。在第二次世界大戰挫折後，從和平憲法之中，達成今日規模的經濟發展；第二是印度的殖民地化。印度的結局是屈服於歐洲近代而淪為殖民地。在此情況中，甘地（Mohandas K. Gandhi）與尼赫魯（Jawaharlal Nehru）等發起獨立運動等種種抵抗運動，但現在猶處於紛亂狀態。第三是中國的半殖民地化。中國因為太大，其中有著各種理由使單一帝國無法吞併中國的全部，所以連殖民地都當不了。在半殖民地狀態下，內發性的以近代化為目的相繼搞革命。

　　擁有這些類型的亞洲各國，其戰後的狀況又可分成下面三大

類別：

　　第一個是走資本主義之路，幾乎是自然成長移行至近代化的形式。這在亞洲幾乎是不被允許，也沒來得及。但是，走了這種近代化程序的國家日本雖導入資本主義的生產模式，但應有的市民社會的成熟卻很不容易。從而除了極少數的人之外，在市民社會中是沒有自由與平等的。第二個是走社會主義之路的近代化（中國或北韓、越南所走的路），這是有平等但沒有自由。第三個是軍事獨裁，這以印尼為首有各種類型。台灣、韓國在某意義也屬於此，在此連自由、平等都沒有。有開發獨裁成功，終於開始走民主化程序的例子，以及如菲律賓的獨裁雖垮台，但軍事的黑影仍纏繞著不離開。印尼可說還處在軍事的開發獨裁之下。

　　圍繞以上三個過程的選擇，亞洲‧第三世界是這樣痛苦過來的。終於現在藉由外在條件的變化，亞洲、日本、美國以種種形式一起摸索今後如何走下去的國際環境，而開始進行整備。

　　利用這個機會，我們今天聚集於此。請各位日本人與留學生，從現在一起合作思考如何建立新亞洲的未來形象。讓我們為此目標相輔相行共勉之。

　　近代化是需要付出代價與時間，誰來付代價是個問題。今後最理想的方式是，做為地球村的一員各自付出，近代化的果實也讓做為地球村的成員共同分享的結構是最好的，我描繪著這樣的夢。

　　美國的情況是，黑人與美國印地安人為此付出代價。而日本近代化由台灣、朝鮮半島與滿洲各為之付出了一部分。同時在日本內部，未解放部落、愛奴族、琉球的人們以及東北貧窮的農民

也付出代價。

　「光是高舉自由女神，自由、平等、人權以及近代化是不會像夢一般從天上降下來的」。我將這句話做為今天最後的結語。

本文原收錄於《アジア21フォーラム'90報告書：日本・アジア・世界　過去・現在・未来を共に語る》（非賣品），東京：財団法人アジア21世紀奨学財団，1991年12月20日，頁5～11。係演講紀錄文，演講日期為1990年6月16日。原題「アジアと日本──今、何を語るべきか」

民主化與經濟發展

◎ 林彩美譯

　　我不是以站在比各位高一階的立場和大家講話，而是做為各位的夥伴來一起苦惱、共同思考。

　　我還是留學生時，未申請過獎學金，這是我的哲學，我想不尋求獎學金的給付，自己做做看。我一點也沒有要各位應該像我這樣做之意，但希望你們不要誤會，認為有錢就可學習得好，應該不是這樣的。不停搏鬥、每日搏戰，這也是鍛鍊自己的機會。留學生不要只學日本的技術，更要磨鍊自己。與我同一個時期來日本的公費留學生之中，做為人才留在台灣的一個也沒有。

　　各位現在的生活是很嚴苛沒錯，那將會變成各位的血與肉，做為諸位的前輩，我可以這樣明言在先。

希望年輕人思考根本的問題

　　我在天安門事件之後，寫了關於這件事的文章，也在紐約和台灣做了演講。

　　結果我被認為好像在為李鵬與中共當局辯解，這完全不對，我

明確地說了，社會主義以坦克彈壓學生與民眾的聲音是沒道理的。

　　同時，我也對當時天安門事件抬出自由女神，對外國電視媒體得意忘形的年輕人們的表情與稚拙的行動感到非常心痛。然而那種事是泡沫，會消失的，年輕人愛國、愛民族之外，要問問自己能為人類做什麼，我們應更根本地思考問題。

不要只看表面

　　本質性的問題該如何掌握？不要只看表面，要從微觀到宏觀確實地觀察，這是我的方法論之一。大家被「形式」、「形體」、「外形」所奪目，年輕人將電視的映像絕對化。例如，競選東京都知事的磯村尚德先生（原NHK新聞解說員），此人的確優秀，但如果沒有電視的話，應不會成為競選都知事的候選人吧，其實這是資本主義偉大的虛構。當今的波斯灣戰爭也是，最初就像是電視遊戲機一般。而美國的大眾媒體現在正發出「這到底是什麼」的反省聲音，是否是布希政權在操縱大眾媒體？天安門事件的時候又是如何呢？衛星播放的確是很了不起的裝置，但大家卻被追求話題性的廣播給騙了，其中有幾成的真實呢？我們可以說處在某種虛構之中，這種狀態將給人類帶來什麼問題？

關鍵詞是「我們如何思考近代化這個問題」

　　近代化可以有各種定義，但終究是跟隨基督教文明的腳步──在歐洲誕生的資本主義生產模式，所謂近代社會，在世界

史之中把整個世界捲了進去。對此雖試著想要抵抗，但亞洲卻一直處於被侵略的對象。

另外一個不可忘記的是，馬克思以資本論為中心的革命邏輯同樣庶出於基督教文明。以往很多人以資本主義與社會主義，或者可期待為社會主義所發展成的共產主義之對決來掌握。然而，仔細想想，社會主義是基督教文明同根生的另一個近代化方式而已，現在在東歐，包含蘇聯戈巴契夫改革在內的重新檢討，自俄國革命以來70年，中共建國40年，此間一連串的部分我們該如何重新檢討思考呢？

亞洲有模仿歐美模型的必要嗎？

亞洲屬於基督教文明的部分非常少，除了菲律賓的呂宋島以外都不是。在那裡我們如何看待基督教文明圈發生的問題，如何對抗下去，大家都因此而痛苦過來。以歐美為中心出現的近代社會模型，直接做為模範去追求，或如何將之修正，為此我們一直苦惱著。

法國革命當時的《人權宣言》，是美國革命加上法國啟蒙思想的一個表現而已。從經濟面來說，是以英國為中心的產業革命以降，資本主義的生產模式被提示出來。然而資本主義的生產模式不斷地把非歐洲世界編入自己的體制之中，也就是採取殖民地統治的形式。

天安門事件發生時，密特朗（François Mitterrand）擺架子說「中國沒有希望」。然而面臨法國革命200年之際，對於他是做

秀的時期，於是在中國搞民主化運動受挫折的人們在巴黎得到支援的道理在此。

我們所追求的普遍價值是，以法國革命時被提出的《人權宣言》價值為模型，亦即「平等」與「自由」。以社會科學來思考，一個口號或概念被提出後，將會自己走出來。

不是仿冒，而是要產生自己獨有的東西

我在天安門事件之後，與民主化的「鬥士」們一起被邀請，出席在台灣舉辦的會議。當時我的感覺是，「鬥士」們到底掌握了多少民主主義的概念？人權到底是什麼他們是否完全掌握？我對此感到疑問。1989年被豎立在天安門的自由女神經由衛星轉播放映到全世界，此事令我感到慚愧。這個舉動沒有什麼意義，只為了要被電視放映之故，做了那樣的事。自由女神意味著什麼，學生們未能在世界史之上來理解。

美國的自由女神滲入了美國印地安人與黑人的血與汗。因為沒有掌握這個世界史背景，所以在北京抬出那樣的東西，究竟要仿效到什麼時候啊！要真正思考自己問題的話，必須超越模仿，應抬出自己獨自的東西。

《人權宣言》的「自由」是否是我們所追求的「自由」

《人權宣言》中的「自由」到底是什麼？如思考資本主義的經濟發展即可簡單知道，其所講的「自由」是資本家階級的「自

由」，是榨取勞動者的「自由」，是掠奪美國印地安人土地的
「自由」，是奴役黑人奴隸的「自由」。在此所說的「自由」是
與我們無關的「自由」，要把與自己無關的「自由」據為己有，
第三世界的人正在搏鬥著。

　　我們所追求的自由到底是什麼？亞洲的民眾在悲哀什麼、高
興什麼、感受什麼、追求什麼，我們必須思考的就是這個。把自
由女神抬過來就可以嗎，胡扯！我這樣想。我並不是贊成中國當
局的作法，但是我的邏輯很難讓人理解，儘管講道德講得多麼堂
皇，問題是不能解決的。

　　法國革命所講的「人權」是哪一部分人的人權？「自由」曾
經是什麼？我們必須以社會科學來解明。現在世界上只有兩成的
人過著符合法國革命《人權宣言》的生活。但是剩下八成的人卻
享受不到。八成的人所追求的「自由」、「人權」與「平等」，
包含這個在內，然後我們共同來掌握問題，再將之連結到未來。
這才是我們應採取的立場。

　　到現在為止美國在什麼地方有過人權？越南戰爭之前美國黑
人有人權嗎？第二次世界大戰終結前，居住美國的日裔人、中國
系人有人權嗎？沒有。日本也是，日本是挨了兩顆原子彈，戰後
才達成如此的經濟發展，才把人權拿到手，可是還只是偏頗的人
權而已。法國在第二次世界大戰後在越南與阿爾及利亞又幹了什
麼事，我想各位都知道。

使《人權宣言》的口號內容充實化

我期望能與各位一起追求人類所嚮往的普遍價值。只要我們一邊批評先進諸國生活在虛構中的部分，一邊爭取權益，對於我們而言，這是很重要的。只講場面話並不能解決問題，即使在美國或日本的電視播放了，也無法直接連結到韓國、菲律賓、新加坡、馬來西亞的問題，並加以解決。我們各自所屬的國家、民族、社會，在那裡居住的人們有著痛苦的問題。八成的人在工作供養兩成的人，要改變這八成的人的經濟，並關注其局限，使《人權宣言》口號的內容真正充實化，這才是我們應該努力的方向。

產業化不等於近代化

「近代化」到底是什麼，開始於歐洲的「近代化」，有各種的概念規定。有人將之武斷為工業化、產業化，但其實不只這些而已，我對近代化的定義是「人要活的像人，活得有尊嚴，從貧困的恐懼中解放，不受彈壓，那種人權受保障的社會」之實現為目標。

這種社會不一定只有資本主義才可以實現，產業化不等於民主化，也不等於近代社會。

歐洲所造成的近代社會的缺點，對此馬克思追求以社會主義實現近代社會，結果是經過史達林、毛澤東之手而面臨的局限，現在人類全體正重新在做檢討。資本主義對共產主義者的挑戰，

經過100年以上不斷地加以修正，但是社會主義只有70年，中國也只有40年，還沒有修正的工夫，同時也已僵化了。

人掌握政權的同時擁有權力，組織與制度一旦建立就失去活性化，要怎麼解決是個問題。

當追求普遍價值的主體

不要只喊口號，不要只把別人的思考直接拿來套進去，你們才是徹底的主體。你們是研究主體的同時，你們是要與自己的國家、自己的社會、自己的民族一起追求普遍價值的重要菁英與主體。那主體若不站穩，而被密特朗、布希的發言所擺布而搖擺，這樣是不行的。中國在當時只要提出毛澤東的名字大家就安心了。

在蘇聯提出列寧或史達林的名字就安心，卻是不行的，現在此時就已相當明確。

在此意義我們須要重新質詢，社會主義不行，那麼資本主義有效嗎？的確有其發揮效果的部分。但是我們必須把射程擴展到第三、第四世界（指各國之中的少數民族和先住民族的人們。他們連第三世界都不被容入，而在第四世界中受苦），一起思考未來人類的問題。

從「改編的文明史」掌握正在發生的問題

來思考波斯灣戰爭吧。就以伊拉克人們的立場來想，戰爭經

常是一般庶民在受殘酷的罪。然而不要只將之單純化，奧斯曼土耳其帝國的體制在1922年所殘餘最小部分的土耳其部分，附庸於德國而崩潰，奧斯曼土耳其體制解體後發生巴勒斯坦問題，更引起中東問題以至今日。有這樣改編的文明史部分也請各位能理解。那是從雅爾達體制到馬爾他體制，東歐的變化和戈巴契夫的改革。超大國之間的戰爭是不可能的時代，在後冷戰結構的世界秩序改編之時，薩達姆・海珊（Saddam Hussein）因而攻打科威特。問題今後該如何解決，其危機狀況我看今天也會持續下去。

把視線投向「八成的人」之困苦

第一世界、第二世界、第三世界、第四世界相互交叉，人類中約有二成的人們操作電腦，電子學這近代性的技術，把世界捲進而加以驅動，另一方面，八成的人還停留在迷信、傳統以及貧困之中，處於連基本人權都還未有的狀態。此兩種狀態同時進行著，令我們整理問題時增加困難。

從「二成」與「八成」的觀點掌握社會主義體制

宗教問題上，馬克思自己雖是猶太人，但為了從猶太人脫身之故，而講出「宗教是鴉片」之語。理論上可以理解，但現實是八成的人至今還被宗教所控制。這個問題社會主義者未能及時趕上而做整理。這在某種意義上來說，是今日以社會主義方式的近代化挫折之一部分，我是這樣領會的。

人們說馬克思荒謬，但我認為把罪過全塞給馬克思，做為研究者與學者而言毋寧是可憐的。馬克思並沒有說在貧困的俄羅斯與中國會實現社會主義，然而社會主義革命卻在那裡發生。本來馬克思的設想是高度發展的生產力為資本主義體制做了準備，因此可從資本主義轉移到社會主義。勞動者雖窮，但是受了做為勞動者的教育，雖有財產所有制的問題，但做為社會主義建設主體的勞動者階級繼續被準備著，這是其設想的內容。

然而，現實中革命初期的蘇聯與中國，都沒有能夠承擔社會主義建國的人民。有的只是比庶民稍好些的人民而已，革命搞成功是好事，但革命完了要怎辦，實際上由於沒有建國真正的承擔者所以啟動不了。因此產生了特權階級，產生史達林體制、社會主義的官僚組織，亦即二成的人榨取八成的人，這是以社會主義的美名一直幹到現在的道理。這才是實際狀態。

以社會科學的手法切入來認識當今正在發生的變化

今後應重新加以研究。1989年在某種意義上對於人類史可說是極具革命性之一年，包含天安門、東歐之變化、戈巴契夫的改革、波羅的海三國的問題，以及波斯灣戰爭，再來是EC（歐洲共同體）的統合。

說好或壞、喜歡不喜歡比較簡單，但是社會科學不是喜歡不喜歡的問題。要追趕上現在正發生的狀況，更正確地以社會科學的手法去認識才重要。應根據此認識去看歷史。

而歷史並不只是羅列什麼事件發生在什麼時候而已，是要把

現在所到達的對人類的理解，對自己民族與社會現狀的認識，在明日的展望中如何定位。一邊這樣做的同時，也要對過去的歷史給予附加意義與詮釋。

走向「共生」之路將繼續

在今日，我們又為明日找出更多光明，一邊與擁有異文化的人們一起走向包含人種、民族、宗教在內，共生的新人類共同體，這恐怕是要經歷相當的辛苦吧。追求普遍價值的人類共同之路，是無法避開挫折或曲折的，但是這條路還是要繼續著。在此意義之下，美、蘇之間的緩和，中、蘇之間的緩和已不會走回頭路了。

理想的市民社會是沒有身分差別的社會，是人從封建的身分制或束縛被解放的社會。中國在很早開始就沒有身分制這個東西，而日本到今天還有未解放部落的問題未解決，但是卻沒有人種問題。在各國的社會中，其實有各種問題的發生且尚未解決。

可是人所追求的是做為人而被尊重，不受歧視而以平等相待。個人的自由充分受保障，這就是民主主義。

有關政權來說，國民能以選舉和平地選擇政權。但是縱觀人類歷史，選舉到現在還不能說是靠近理想的狀況。應努力的目標是更能反映民意，獲得壓倒性多數支持的政治家令之來代行政治。

預見少數民族的問題，探究「共生」之路

　　少數民族問題是世界性問題。我把這個問題以「第四世界」的問題來掌握。

　　這個會場有維吾爾族人參加。在全中國之中維吾爾族是處境比較好的狀況，因為比較好，漢民族就可以什麼都不必做嗎？當然不是這樣說。維吾爾自治區中埋藏著豐富的地下資源（由於中國在那裡進行核試驗），該如何思考維吾爾族的利益，若不預見思考此事，維吾爾的人們會開始向中國當局挑戰吧。漢民族應一邊考慮維吾爾族的利益，一邊考慮中國全體的發展。但領導者們很難那麼想。

　　中國的政治家之中我希望真正的政治家增加，能把少數民族的問題（包含西藏問題）在世界視野之中搶先加以思考，承認其宗教、文化的不同，探究「共生」之路。我也希望能慢慢地、懷抱著展望而努力。若是認為少數民族就可欺騙是毫無道理的。

近代化不只是經濟的

　　我來針對「為了發展經濟，因此需要民主化的想法，另一方卻有民主化不全然是必要的，反而是障礙的想法」的質詢做回答。

　　中國是先考慮經濟發展，蘇聯是先做政治面的民主化，再考慮經濟改革，應該是這樣吧。我認為文革後對四人幫的裁判是民主化的一部分。

　　說起近代化，好像只注目於經濟的近代化，應該不只這個才對。可以說行政・政治的近代化、教育・文化的近代化等，複雜地纏繞在一起，應有其總合性之市民社會的實現，似乎可以這樣說吧。

　　沒有民主化的產業化是可能的。德國與日本都這樣做了。資本主義生產模式的引入是可能的，但德國走向納粹主義，而日本奔向軍國主義。兩國實施民主主義是戰後的事。

不要急，從容尋找自己民主化的模型

　　我們往往過於焦急，過急的結果什麼也得不到。但也不是說中國的民主化可以遲遲不進展。過於急躁而只模仿外形是不行的，建設再多硬體如沒有軟體的配套則毫無意義。

　　革命與治國是不同的過程。革命是某政治勢力能將恨意與怨念結集，就可成為一時的能量並使之爆發，而治國是需要持續性的努力與累積。

　　經濟發展與民主化就是有典範，更重要的是將之納為參考，並思考如何造出獨自的東西。因此有總合民意，重新創造出自己的典範之必要。

不能再流血了

　　在韓國，推翻李承晚政權之後，朴大總統把學生運動的領導者們大舉送去美國讀書。這些人回國後，不拘於曾經是站在反體

制方都將他們採納進朴政權內，結果導致之後的經濟計畫等發展
非常充實。

　　從外面來看，有光州事件且常有激烈的反政府抗爭，有著很
多困難的事情發生，體制方掙扎著對抗反政府的抗爭，隔壁又有
北韓的存在。在此中一邊彈壓民眾，一邊於體制方進行內部改
革。

　　說起示威，我想著天安門事件，為什麼不能防止流血的狀況
發生，我真是心痛。

　　中國共產黨為何不在戈巴契夫到達之前就解散學生，「為
何」的解答至今還沒有。只是中國共產黨沒有解散學生的能力是
事實。也就是說，共產黨不以相當的覺悟來改善體質的話，還會
有一次激烈的抗爭發生。（會議參加者中有人發言：「在天安
門，如學生再做同樣的事情，共產黨不能再開坦克車出來。在
此有很大的意義，一次就結束，那麼那時候流的血，將變成徒
勞」）

如實現一國兩制，亞洲便產生新的空間

　　有關一國兩制的問題，中國政府應該將想法與方針更明確
化。如考慮中國的經濟狀態，中國政府所說一國兩制的實施並非
謊言。只是如果急躁的軍人坐上政權之座的話，或許不能保證。
中國的領導者若真正理性的話，會巧於利用此方針，而徐徐地發
展經濟並搞近代化吧！做為大範圍中的台灣與中國，如處於相互
信賴的關係，香港、澳門、台灣、新加坡再加上東南亞國協五國

都可以創建新的關係吧。無奈的是，中國政府不輕易開口言及此事。

　　從世界的觀點，美、蘇已處於不能打仗的狀況。可是，在世界各地有八成人是貧窮的，處在痛苦之中。於是發生革命、民族的糾葛、人種的問題等，很多議題未解決。

　　人類還是想過更好的生活，想要有更多自由，想生活在更沒有壓抑、更不獨裁的社會，所以才會有這些問題殘留著。雖然有問題留待解決，但第三次世界大戰大概是不會發生了。如果發生的話，那麼我們全體只有與地球一起沉淪。

本文原收錄於《アジア21フォーラム'90報告書：日本・アジア・世界　過去・現在・未来を共に語る》，東京：財団法人アジア21世紀奨学財団，1991年12月20日，頁26〜32。演講日期為1991年2月23日

制度的問題
——掌權者即搞錢，非為己，為派閥

　　日本政壇「佐川急便」事件＊，呼之欲出但又若隱若現的情況，其實已經醞釀了相當一段時日，而目前看來，這個案子牽涉之廣，絕非僅只是一個政黨或派系的問題；這根本就是一個制度上的問題。

　　在日本選舉太過花錢，例如現在的小澤和過世不久的田中都非日本政壇正統派系東京大學出身，為何又能掌握派閥大權？原因無他，能搞錢而已。這種搞錢不必然是為自己，而是為了整個派閥的選舉經費。選舉的巨額花費，使得弄錢成為必然，而在日本式的內閣制中，最能有好處的就是掌握部長之席位，尤其是有關建設和大藏部門，這次阿部的問題其實就出在這裡。出掌這些部門後可以有權力對資源做分配運作，因此很容易收受政治捐

＊ 佐川急便事件：1990年1月日本開始泡沫經濟崩潰。東京佐川急便會長渡邊廣康替黑
　社會稻川會會長石井進做巨額銀行貸款擔保，東京佐川急便因此陷入經濟困境，因此
　枝生出自民黨經世會（竹下登派）會長金丸信受佐川急便的5億日圓非法政治獻金，
　1992年10月金丸信被迫辭去眾議院議長之職，經世會也因此分裂。

獻，乃至賄款。這似乎是日本目前制度下，無法解決的問題。

本文原刊於《聯合報》，1992年1月15日，3版。係戴國煇口述，由記者孫揚明記錄整理

新實力派走了，傳統老友仍在
──中日關係不致受金丸辭職影響

　　就中華民國政府立場而言，對我友好的日本自民黨實力派議員金丸信辭去該黨副總裁和竹下派會長職務，令人惋惜。不過，由於他並不屬於自民黨內傳統對我友好的岸信介派，而是新的對我友好的議員，因此其辭職對日本及自民黨與我國的關係，應不致產生太大影響。

　　金丸信所領導的竹下派是由田中派分出的，目前雖然是自民黨內的最大派閥，但自民黨內的岸信介派才是從老總統時代起，經過蔣經國總統時代迄今，在傳統上就一直抱持著對我國友好態度的「老朋友」。至於金丸信則應該是屬於日本對我友好的政界人士中新的實力派領袖。因此，金丸信因醜聞案而辭職後，我國固然失去一個能夠幫忙講話的實力派人物，但自民黨與我國的關係應不會有根本的變化。

　　金丸信的政治手段圓滑，對我國友好，得到北京諒解，增進日本與北韓聯繫，改善南、北韓關係等，都是他為達晚年理想的主要方法。這位在黨內有著重要地位的人物辭職下台後，自民黨內不同派系間的鬥爭仍將繼續。對我國想要通過多元管道來強化務實外交的作法而言，金丸信辭職當然令人惋惜；不過，我國在

日本政界仍然有許多傳統的「老朋友」，因此，他的辭職對兩國
關係不致造成衝擊。

本文原刊於《聯合報》，1992年8月29日，8版。係戴國煇口述，由記
者林琳文記錄整理

日皇大陸行，遙指安理會席位
——媒體拉高姿態，掩飾拉攏心態，真正目的：提升為政治大國

　　日皇十月訪問大陸一事，日本媒體在報導時把姿態拉得很高，旨在掩飾日本企圖拉攏大陸，由經濟大國提升為政治大國的政治動機。

　　這次出訪表面看是經過多次溝通後決定的，事實上去年〔1991〕9月，日皇訪問東南亞時即已決定。因為訪問東南亞是次練習之旅，真正的目標係擺在大陸和朝鮮。

　　其次，從日媒體報導來看，日本官方強調，這次訪問係受到大陸有關部門多次的要求和邀請，盛情難卻才成行。其實這是日本特有的作法，日本人愛顏面，明明是自己要去訪問，對外卻說是大陸的邀請，然後私下再請求大陸方面的寬宥。

　　對於日本在二次大戰的罪行，日本自明治維新迄今，觀念上仍然重歐輕亞，認為亞洲人較次等，所以不像德國人對歷史上所犯的錯誤有所懺悔，而一直不願面對歷史錯誤，做好歷史交代，所以受到全球的惡評。

　　第三，一般而言，和平時期的外交任務多是為得到某種層次的妥協或實現共同利益。日皇為何要去大陸訪問，係因蘇聯解體

後，日本不需要美核子傘的保護，日、美在經濟上的矛盾很快凸顯出來，歐洲共同體在五、六年後會步上軌道，日前加、美、墨組成北美貿易區，這些區域集團的經濟實力比日本大，迫使日本很難插手，日本只好回轉亞洲，可是大陸和朝鮮已非當年吳下阿蒙，加以台港商人大舉向大陸進軍，在在迫使日本必須加緊拉攏大陸。

第四，日本日前通過「PKO法案」＊，允許日本將來可透過聯合國名義向外派兵，這是日本由經濟大國邁向政治大國的重要棋子。前年波斯灣戰爭，日本支援130億美元軍費，結果卻未受到應有的肯定和尊重，所以日本在國內先設法通過「PKO法案」，下個步驟便是爭取聯合國安理會未來擴增的常任理事國席位。因為美英法俄四國不會反對，唯一的阻礙便是中共，因此日皇訪問是日本重返亞洲，躍升為政治大國的第一步，而最近南韓與中共建交，這其中南韓有一重要考慮，即是拉攏中共對抗日本的入侵。對台灣而言，當日本、韓國紛紛向中共靠攏之際，台灣與大陸的經貿往來越顯得重要，不過，台灣要先做好經濟升級，擺脫美、日「二房東」經濟。

本文原刊於《聯合報》，1992年8月31日，6版

＊　日本國會於1992年通過《聯合國維持和平活動合作法》（即PKO法案），成為日本在戰後首次派兵海外的法源。

亞洲中的日本
──把〈脫亞論〉與〈大亞洲主義〉交互重新解讀、再思考

◎ **劉俊南譯**

「世上之事，當變則變」、「歷史演進，該成則成」──這畢竟是我等的見解。然而，這並不表示筆者凡事達觀，全然依「趨勢」、「時流」而隨波逐流，主張「大勢順應論」與「宿命論」。

圍繞「變」與「成」的內外歷史教訓並不易整理，也很難予以汲取。很多情況下，隨著「變」與「成」的內外各種要因、各種條件及其錯綜複雜的各種關聯，人們並不易客觀、綜合、充分地予以把握。因此，人們有時也會誤判時代走向，預測失於錯亂，不能做出妥善的選擇。

平時，在我得以接觸到的來自亞洲的留學生中，有不少人存在憂慮，認為在「PKO法案」的背後，日本的新軍國主義正在萌芽、抬頭、滋長。

面對他們中間特別是來自朝鮮半島、中國大陸、台灣與「華僑」出身者，以及對亞洲未來投注善意目光的各位日本人，我都提出下列建議。亦即請大家重新讀解福澤諭吉1885年發表的〈脫亞論〉（《福澤諭吉全集》第10卷，岩波書店）與孫中山1924年

11月28日在神戶的演講〈大亞洲主義〉（《孫文選集》第3卷，社會思想社），並加以重疊對照，重新審視「現在」。

福澤表示：「既然如此，做為當今之策，我國不應猶豫，與其坐等鄰國的開明，共同振興亞洲，不如脫離其行列，而與西洋文明國共進退。對待支那、朝鮮的方法，也不必因其為鄰國而特別予以打招呼，只要模仿西洋人對他們的態度方式對付即可。與壞朋友親近的人也難免近墨者黑，我們要從內心謝絕亞洲東方的壞朋友。」

我做為被謝絕方的一員，很早即已認為：福澤諭吉所言，學習西洋之風，我們亞洲只可做為被處分的對象——可侵略論，對這些我們當然很難抱持「肯定」的態度。但他所言「謝絕」的邏輯中，我們這方面也有需要承認的「非」，被福澤（當時日本官民之大勢）謝絕也是情非得已，雖有遺憾也不得不予以承認。

近代中國之父——孫中山，一生（1866～1925）共訪問日本八次並在日本停留、居住。

孫中山最初即對維新取得成功而自立的日本及日本人給予高度評價，認為應該學習，甚至將明治維新定位為中國革命的第一步。

可是，從福澤發表〈脫亞論〉的1885年前後開始，日本官民的主流，奔忙於短視近利的國權、國益伸張與維持。福澤等認為可以對抗西歐列強的日本資本主義之培育，才是日本民族可以確立其獨立的手段。於是，日本的大勢向福澤等主張的方向傾斜，並誤認軍備擴張與戰爭是賺錢的好機會——視同為近代化獨一無二的道路，結果陷入侵略亞洲的泥淖。

　　孫中山雖然對日本有所失望，在感受幻滅的情況下，仍透過「大亞洲主義」的演講，呼籲日本與中國合作，為了以仁義及道德為基礎，重建亞洲的王道文化而努力。而且，只有王道文化才是「大亞洲主義」的優良基礎，主張在此基礎上吸取西歐科學，推進工業振興與武器改良。另外，學習西歐並非模仿他們去滅絕他國、迫害其他民族，這些都不是目的；總之是為了自衛而學習，應以此自戒。

　　孫中山最後指出，日本民族在吸取歐美的霸道文化（以功利與強權為基礎）的同時，也具備著亞洲王道文化的本質。對於世界文化的前途而言，今後選擇哪一條道路，以極高的格調提問。我們也要提出疑問：做為經濟大國的日本，做為通過「PKO法案」的日本，今後將以何種方式描繪出與亞洲及世界共生的構圖？

本文原刊於《三省堂ぶつくれつと》第100號・記念特別號，東京：三省堂，1992年9月，頁182～184

輯三

日本政局析論

金丸信下台與宮澤的內閣改造

◎ **劉俊南譯**

　　自民黨副總裁金丸下台（今年〔1992〕10月中旬）的經過已
經是眾所周知的事實，因此不在此重複。我們的關心所在，毋寧
是在重新詢問金丸的「魅力」，透過他下台一事，預見日本政局
今後的走向。

　　恰好，宮澤的改造內閣於本月（12月）12日正式起步，金丸
下台的餘波使最大派閥「竹下派」分裂，把「竹下派支配」崩潰
與改造內閣人事重疊起來，來預測今後的日本政局。

　　自日本政局的保守派之聯合政權即所謂五五年體制起步以
來，筆者住在日本，管窺政局，對於從很早開始的金丸信之「力
量」根源到底在哪裡，令人懷有諸多疑問。與五五年體制以來擔
任自民黨副總裁的大野伴睦（任期1957年7月～1964年7月）、
川島正次郎（任期1964年7月～1970年11月）、椎名悅三郎（任
期1972年8月～1976年12月）、船田中（任期1977年11月～1978
年12月）、西村英一（任期1979年1月～1980年7月），二階堂進
（任期1983年12月～1987年11月）等相比，金丸與他們差異並不
大。其形象是「義理人情深厚，胸襟開闊、來者不拒的俠義式人

物，在考慮到各派閥之間平衡的同時，政變時發揮調整功能，老練而有魄力的政治家」，也可以說只是眾多人物的其中之一。

眾所周知，副總裁是由總裁指名的人事安排。總裁認為不需要副總裁時，可以不予任命，因此迄今為止就形成了斷斷續續就任的情況。檢閱所有副總裁名單，沒有一個對No.1即總裁構成威脅的人物，可是與總裁風格不同、有個性及指導力很強但能與總裁配合的人物較多，這也是事實。

我覺得金丸在政治上行動有些奇異的是，1990年9月24日搭乘包機直航飛往北韓，而且對金日成正式承認：「對於戰後45年中北韓人民受到的損失，表示謝罪，應該賠償」。

他自己與別人都認為是徹底的反共分子──金丸，在大肆宣傳之中第一次訪中（大陸），他為什麼在迎來古稀之年後，能如此高高興興地飛往北韓，並且向金日成做出了超乎常識的承諾，儘管如此，卻並未聽到什麼來自思想右翼的彈劾之聲，對此我很難理解。由於東京「佐川急便」事件與「佐川國會」等各種議論，現在可以具有整合性地做出合理的說明。

第一問透過金丸與社會黨田邊誠委員長的親密交往即可說明。第二問可透過金丸與黑社會「稻川會」以及極右日本皇民黨之間的不尋常關係找到回答。

金丸喜歡的話語有：「義理人情也是政治的一部分」、「不入虎穴，焉得虎子」、「為了政治上的掌舵，不能受氣量小、剛愎所約束。人如果只有自己的欲望，無論如何會利令智昏，看不清對手的真實面目」、「因為我是不抱絲毫欲望的捨身之士，所以能夠做到」、「哎呀！在大地上發生的事情沒有不可能解決

的」等。這些話使我們充分地看到金丸的「男子之美學」與「俠義的政治哲學」。

　　圍繞金丸的自我評價及他人評價中，有「萬事馬虎」之說。要之，就是「萬事大致差不多，即可達成協議」。金丸在山梨縣出生，提起山梨，戰國時代（1467～1568年）的智將武田信玄（1521～1573）就是在這裡出生的。記載武田軍團戰記的軍略書《甲陽軍鑑》，是金丸愛讀的一本書。該書中有「信玄公一代適合的規矩三條」，以及：

> 信玄公謂，弓矢、勝負之事，如果十分中有六分、七分順利，就是十分之勝利。其中大會戰，更必須特別注意上述內容，這是最重要的，仔細來說，八分之勝有危險，九分、十分之勝，即可成為我軍大敗的基礎。

總之，「十之者，只要有六分或七分克敵制勝，那就是十分之勝利」。

　　金丸對於地方出身的武將且又是智將的武田信玄十分信奉，眾所周知，當別人稱他為「金丸信玄」時，他也欣然接受。金丸喜歡展示這種「捨身取義」痛下決斷的男子漢形象。從田中角榮傘下脫離出來後，他建立了創政會，在積累了一些「力量」後，就常常做出一些不夠細緻的「決斷」，使得身邊的人們為他捏一把冷汗。

　　做為監視人被再次起用、當代最具「才幹」的官僚出身政治家後藤田正晴法相，曾這樣評價說：「金丸先生做為政治家來

看，我認為是一個普通的政治家。但是，這個人厲害的地方在
於，他是真心地賭上自己的議員徽章。議員的徽章上凝聚著血、
汗與金錢。他可以捨棄，所以氣魄能壓倒在野黨。」

　　事實上，金丸歷任國會對策委員長四屆、議員營運委員長一
屆、行政改革特別委員長一屆、自民黨幹事長第二把交椅一屆等
要職。無論執政黨還是在野黨中，他都是做為國會對策、議會營
運的超級富有經驗的人物，而且是在其任中從未採用過強行表決
的紀錄保持者。因為金丸持有與在野黨的強有力的溝通管道，這
在自民黨中無人能及。正是由於他能夠構築這種關係，所以才留
下了上述紀錄。金丸從平時就說：「在野黨也是國民的代表。所
謂政治，就是妥協。在高唱反對、廢止的在野黨與訴說通過、
重新檢討的自民黨之間來考慮。在兩者之間不進行妥協是不行
的。」「經世會」（竹下派，於1987年7月4日成立）成立後，金
丸是113位最大派閥的「無欲」（自己沒有擔任總裁、總理的意
圖）實質首領。金丸信玄已經是「天不怕地不怕」。

　　而陷阱正是在人們自我洋洋得意、歡天喜地時，在不知不覺
中逐漸形成的。

　　繼承了黨派系譜出身的金丸，具有充分的體力（曾經是柔道
選手）、財力（做為田中角榮式的建設族、郵政族首領君臨天
下，具有卓越的吸金能力，以特定郵局為背景，在選舉上也是很
強的）、調整力（宮澤曾評論金丸說，那個人太會使手段了。而
金丸評宮澤頭腦很聰明，但是光是幹好看的事、乾淨的事，自己
身上的泥黏得太少了。好像有點兒太高雅了。再稍微土一點，有
時當當傻瓜也好，不能總是站在批判的立場上是不行的，進行了

坦率的批判）是充分的。但是，「智謀力」方面好像有點兒不足。可能他有些學歷自卑感（私立東京農大專門部畢業），與官僚及媒體完全合不來。田中角榮「天生」具備的非主流官僚統御術及媒體操作手腕、智慧等，金丸都比較欠缺，對於這些好像也沒有顯示出有興趣。

可以說，金丸是典型的在日本傳統政治文化土壤上，自命為「謊花」＝開花不結果的捨身之人，為了他人（最初是竹下登，後來預想是小澤一郎）開花拚命一搏。

從這次政變來觀察其本質，金丸捨身戰法的最大目的，我認為就是要使小澤一郎得以發揮作用。形式上以自己辭職求得萬事能解決。他自己構築的「義理人情」與「利益分配」的世界，擴展到黑社會到執政黨及在野黨等廣泛的領域中，因為自己是「無私」而生存過來的，因此「捨己為人」。目前的設想是救出竹下，保護經世會過關吧。

金丸、竹下、小澤的「政敵」特別是小澤的競爭對手們，也不是省油的燈。

近年來，對金丸的「蠻幹」、「跋扈」而心中不悅、咬牙切齒之輩，抓住機會猛烈追擊。竹下已經是過去之人，真正敵人是小澤一郎。小澤當然知道而一意地藏身，就推羽田孜站在前面，致力於防衛戰。如果可能，要保持主導權，繼承經世會的衣缽，把目前的危機閃過。可是，情勢一直處在偏於不利的方向。困窘之極，終於在宮澤內閣改造之前，把分裂公諸於世。如果還不那樣做，恐怕連閣僚兩席都難以確保，正是預見到這種情況，才採取的舉動吧。

改造內閣起步之後，第三天（14日）羽田孜前藏相，做為羽田・小澤派的代表，在神戶市內演講，強調說：「我們不是單純的派閥，是以政策為中心做為集結體、集合體，希望成為可以展示日本應走之路的集團。」也是在嘗試展現其存在感。

金丸在創政會起步以來，一直提倡世代交替論與政界重組論。而政界重組論中，有將社會黨捲入的方式與自公民路線構築的兩種形式成為話題。

擺脫掉「金丸、竹下派之壓力」的宮澤改造內閣，對於目前的政治危機特別是媒體的批判能否予以克服，引起了有心人士的關注。

對於宮澤內閣而言的「敵人」，現在不在自民黨內，而是在外面的第四權力與民眾的政治不信任（《讀賣新聞》11月下旬實施了全國輿論調查，宮澤內閣的支持率只有20.1%，不支持率竟然高達68.0%，面對著危機的情況），才是值得人們關注。

總之，田中角榮政權崩潰以後，中曾根內閣則得以維持了四年又346天的長期政權。如表1所示，其他七個政權平均即止於一年又255天的短期政權，穩定度很低，慘不忍睹。

宮澤以「變革與實行」為目標，啟動黨、內閣新布陣。許多有識之士斷定，只是做好看的，化妝人事而已。總是和尚唸經、缺乏領導風格的宮澤，很多人認為結局可能是什麼都搞不成。

防止腐敗，政治改革的必要性，自民黨自不待言，一般民眾誰都了解這一點。迄今為止，如果從自民黨及日本政治的結構性體質來看，「變革與實行」很困難，幾乎是絕望，有識之士不少人持有這種看法。

表1　日本首相任期一覽表（1972～1991）

首相姓名	在任期間	在任天數
田中角榮	1972年07月～1974年12月	886天
三木武夫	1974年12月～1976年12月	747天
福田赳夫	1976年12月～1978年12月	714天
大平正芳	1978年12月～1980年07月	554天
鈴木善幸	1980年07月～1982年11月	864天
中曾根康弘	1982年11月～1987年11月	1806天
竹下登	1987年11月～1989年06月	576天
宇野宗佑	1989年06月～1989年08月	69天
海部俊樹	1989年08月～1991年11月	818天
宮澤喜一	1991年11月～	

　　在這種情況下，此次將竹下派分裂定位為「政變」，並想自此找出「變革」之芽的有識之士已經出現，雖然為數尚少。

　　五五年體制以來，日本政治是由自民黨一黨統治，進入1970年代以後，這種一黨統治被田中派到竹下派的一派統治而獨掌權力之牛耳，進行政治的營運至今。東京佐川急便事件、金丸下台、竹下派的分裂似乎是在宣告一黨及一派統治的終焉。這一點是不能忽視的。

　　記得在本小組我已發表過戰後日本在國際政治上不需戰略論的報告，接下來我想將這種邏輯延伸到日本政局，談談一些看法。

　　在冷戰結構下，日本不僅在國際政治中，而且在國內政治

（外交是內政的延長，根據這種有機關聯，沒有主體性的外交，對於國內政治也將成為一種限制的因素），也是在美國的保護傘下，以溫室政治的方式敷衍了事。換言之，政治上都任由美國，日本只需專心經濟即可萬事大吉。

　　將專心經濟的果實（中文稱為「大餅」），由政（界）、財（界）、官（界、行政官僚體系）、勞（工會）的主流合為「一體」，巧妙地進行分享，大致描繪成這種構圖是可能的。

　　雖然這樣認為，但構圖明確浮出，是在1960年安保之後，池田內閣的所得倍增計畫開始進入軌道以後之事。佐藤榮作內閣得以維持長期內閣（在任天數是戰後最長的2,798天，即7年又243天），與其分配結構趨於穩定互為表裡，似乎這一點出乎意外地被人們所忽視。

　　就經濟成長利權的再分配系統進行最巧妙的操作，與傳統的政治文化（執政黨及在野黨的合謀結構）及近代行政官僚的遊戲嗜好性向組合協調，以這樣大膽的領導方式予以推進的就是田中角榮。我認為田中是在佐藤內閣時，具備了這種綜合調整分配的能力，支持著佐藤。

　　田中界佐藤內閣時儲存的力量餘勢，壓抑了福田赳夫，而被認為是當今的豐臣秀吉，受到大眾歡迎。而且，將《日本列島改造論》〔譯註：田中角榮著，1972年6月，工業新聞社〕做為暢銷書而登場。如果說其背景與初期人氣的祕密，與前述的綜合調整分配能力有關，我應該是所言不差。

　　田中被視為利權交換與果實再分配系統整體的最高權力神甫，並受到人們的期待。

　　但破綻超乎意外地過早來臨了。對於田中角榮而言也是有陷阱的。在「洋洋得意」中自我陶醉的境地，使人們理性的判斷被粗心大意所取代。警察系統領導人出身的「有才幹的人」後藤田正晴被田中說服而被引入政界。其最大的意圖，就是對於自己的手不容易伸入的霞關（官僚的大本營）主流試行籠絡與監視。但後藤田卻出乎預想的落選，因此，他進入政界過晚，在閣僚的採用上也有時間的落差。結果，田中的意圖未能跟上情況的變化，噩運就來臨了。田中成了「看不見」的美國之手與霞關正統派官僚的「餌食」即犧牲品，結果就是身陷牢房。

　　這些先不談，此次「小政變」的最終構圖，可以描繪成反小澤包圍網vs.小澤。但一方之主小澤與他及周邊的動向，最後是有必要談一談的。小澤以27歲的年輕之姿，繼承了亡父佐重喜的遺缽，成為了代議士。從那時以來，小澤為田中角榮所寵愛，他也敬仰田中為師。最終，他是否會變得比田中還要「田中」，他一方面受到囑望，但同時也令人感到恐懼。

　　只有自治大臣經歷的小澤，就任自民黨幹事長是在1989年8月。當然不是依靠自己的實力就任如此高位。三角大福中[1]的時代結束時，竹下登與金丸信位居「一派壟斷」的中心，實權在握。

　　危機與可能性總是互為表裡出現的。

　　1989年7月參院選中，因里庫路特事件[2]與消費稅，以及當

---

[1] 指三木武夫、田中角榮、大平正芳、福田赳夫、中曾根康弘。

[2] 指1988年日本里庫路特公司（株式会社リクルート）以低價股票賄賂政府官員的醜聞事件。

時的臨時投手，宇野宗佑首相的性醜聞，相互作用，自民黨在參院允許了執政黨與在野黨的逆轉，導致大慘敗後果。在尋常的情況，的確沒有能預測黨勢較早恢復的政治狀況，因此自民黨內瀰漫著危機感。

小澤做為幹事長登場，是在參院選剛過後的8月。

使小澤的精明強悍被肯定的，是1990年2月的總選舉。做為幹事長的最大目標不是別的，正是「選舉取勝」。小澤為了勝出，有關以往選舉方式與獻金收受系統首先要予以改變。陳規舊習化的既有方式的單純繼承，做為「明日希望之星」的小澤，如沒有光輝也不會存留下來。

日後，他大膽實施了「黨營選舉」，這是自民黨結黨以來第一次的「黨營選舉」，獲得了275個議席，拯救了自民黨的危機。

選舉前，小澤幹事長向經團連會長齋藤英四郎提示，「下次選舉需要花費300億日元」，與參院選舉同樣，如果自民黨大敗，財界將如何是好，據說對其施加了壓力。對於金錢選舉的批判，使媒體界吵得十分熱鬧，在對自民黨與財界的勾結最受批判時，小澤向經團連要求將年度獻金的一部分提前交付，光明正大地向景氣較好的行業提出了特別獻金的要求，汽車（50億日圓），電機‧電子（50億日圓），金融（30億日圓），建設（30億日圓），而得以實現。他將集聚的金錢不僅做為選舉活動資金，還向各派閥及傘下議員進行分配，這就是給人留下「黨營選舉」的印象。

僅靠金錢是不能在選舉中取勝的。於是小澤展開了名為「潛

地作戰」的組織選舉。做為幹事長的小澤不去進行街頭演說等各類造勢活動，而是在全國各地走訪企業、團體，致力於國會議員與縣議員、市町村議員的後援會的聯合與調整，進行了徹底的「組織選舉」。

　　小澤從很早就鼓吹政治改革。而且，他一直沒有忘記將自己年輕的改革政治家形象向內外進行宣傳。據說為此在學習會上還付出了很大精力。他對於時代情況的認識，我們借用小澤的談話來做一介紹吧：

　　在東西冷戰下的戰後政治結構中，我們是在歐美各國給予的自由、和平之下，自在地開展經濟活動，並將取得的成果向日本人自己進行分配。這被認為是政治的工作。執政黨與在野黨相互依靠、串通，進行分配的商談就擺平了。但是，冷戰結束，蘇聯解體，美國的領導力降低，世界進入了劇烈變化的時期，因此國際社會對於日本，已開始就日本尚未承擔的、為整備自由與和平環境付出的費用負擔提出了要求。

　　以往在國際社會上沒有承擔什麼重要政治角色、並未對費用負擔有所準備的日本政治，不知道自己應該如何去做為好，一直如浸在溫泉中安於現狀的體制，應盡快從這種體制脫離。政治家要自己思考、行動，擔負起責任，這需要改變政治上的結構。

　　他沒有明說的部分，由我來延伸說明。迄今為止的五五年體

制的自民黨一黨獨裁與田中到竹下一派壟斷的舊式方法，日本雖難以在世界上生存勝出，以自民黨及社會黨兩黨為核心的合謀國會營運結構也要打破，小澤談話中的「弦外之音」提出了警告。

選舉取勝，得到財界對其力量認可的小澤，在黨內的基礎進一步鞏固，領導力也得以確立。與此平行的金竹小體制形成，並浮上檯面。

小澤乘勝向前，一面推動弱體內閣海部，同時以政治改革（其根本是把選舉制度改為小選舉區制）、支援海灣戰爭、「PKO法案」（《聯合國維持和平活動合作法》）的成立做為目標而辛勤努力。

在波斯灣戰爭支援與PKO成立取得的成果眾所周知。但重要的政治改革法案因鈴木都知事選舉反敗為勝的結果而受到挫折。小澤就都知事敗選承擔了責任，於投票日翌日（1991年4月8日）辭去幹事長職務。俗話說「禍不單行」，即災禍絕不會單獨降臨，換言之，災禍是會隨著運氣不佳而持續降臨。小澤因「過勞」而患狹心症，同年6月29日開始被迫42天的長期住院。奇怪的是，海部內閣於小澤出院，在重開政界活動後的10月5日，因政治改革三法案廢案一事不得不被迫表明下台。

如今其中原因已經明朗了。在東京都知事選舉以後，反小澤的包圍網逐漸形成。小澤借助金竹小體制，一舉引進政治改革的意圖已經表面化。而且，訣別戰後政治的戰略已經開始步入軌道，大正世代（宮澤、竹下、渡邊等）已經沒有出頭的機會，因相關人士已經注意到，有所警戒並設下防備線。

金丸與竹下之間不睦的傳言開始傳開，就是同一時刻。雖

然有姻親關係，但金丸跨越竹下（對於竹下的復權再起不予支持），為了實現小澤政權，夢想「男子美學」的上演，在推動著旋轉舞台。其包裝的外貌依然是以美辭麗句包裹的世代交替論與政治改革論，是不用贅言的。

經世會「爭風吃醋」的吵架與「離婚騷動」之內容，是竹下與小澤的實質對立，其構圖可以描畫為改革vs.守舊，大正世代vs.昭和世代。

對五五年體制的串通合謀結構尚留戀著，還有可能坐上寶座的大正世代與被小澤的精明強悍所威脅的昭和世代的「政敵」們，結成共同戰線，使小澤敗落，這可以說就是「政變」的動機吧。

可是，小澤一郎是一個真正的改革政治家嗎？還是一個高唱改革的權力主義者呢？其真正的價值只有看今天（12月18日）起步的羽田・小澤派，今後如何實質地開展政治活動而予以判斷。

總之，這次「政變」確實是對日本政界重組投下的第一顆石頭。

以社民連的代表江田五月為中心的政策集團「天狼星」、日本新黨、年輕人的政治團體「平成維新會」等，年輕人超越既定政黨框架的動向愈來愈活躍。

社民黨、社會黨的本意姑且不論，人們不能不關注羽田・小澤的動向了。

目前，日本的輿論是以「新黨期待論」為主調，這是不能忽視的。預見羽田・小澤派在最近的將來會走向集團脫黨、改革派大集結、結成新黨運動大步邁進之可能性的有識之士不少。可以

說，國際環境（包括柯林頓衝擊）在要求日本政局的重組。直至下一次眾院總選舉前，是羽田・小澤派的起步與做為「火種」是否活躍起來的關鍵時刻。會發生什麼，有待對小澤一郎與日本政局進行更深入的調查研究。

1992年12月18日正午於東京

本文係為未刊稿，寫於1992年12月18日。似為1992年12月23日於外交部長官邸的報告所撰

把大陸當作是未來最大的市場
——日本恐共？利益掛帥？

　　外交部長錢復昨天表示日本有恐共症，但事情恐怕要看兩面，日本所以如此必然是為了他們的國家利益。

　　其實如果就日本論日本而不帶情感色彩的話，可以看出日本所以如此，事實上是經過仔細計算利益的結果。我們可能逐漸感覺出日本對台北的感受正在漸漸變化。事實上日本原就沒有對不起台灣的感覺，他們為日本殖民時代的作法曾對南韓道歉，但並未就對台灣的殖民統治有過任何的歉意，甚至還有一部分日本人認為他們對台只有貢獻；而老一輩對蔣介石先生懷有感恩之心的日本人已逐漸凋零；新一代的日本人則傾向於認為現在是李登輝時代，是一個新時代的開始，過去的不應再算。

　　基於這種心態，我們恐怕要從兩個角度來看待此事：首先，台北固然是有錢，但當前全世界的經濟都不景氣時，最大的市場是在大陸，而根據最近幾份世界的經濟未來展望報告，都不約而同的也把中國當作是未來最大的市場；連柯林頓政府中的人事都受此影響，現在柯林頓的政府中有的是中國問題專家，卻連一個日本問題專家部沒有。除了美國和日本本身的經濟矛盾外，日本和美國對大陸的態度正在轉變，這是我們應注意的。在美國可能

已要打大陸經濟牌的同時，怎麼可能寄望日本往前衝？江丙坤能見到日本的通產大臣已經算是一項突破了。

另外，在政治上，日本正在希望由經濟大國往政治大國上邁進；而其中最重要的自是要獲得聯合國安理會常任理事國的席位，但由於這涉及《聯合國憲章》的修訂問題，非中共同意是不可能的，日本又怎敢在這個關鍵時刻去得罪中共？

所以在目前的情勢下看來，如果要真正改善與日本的關係，先決條件恐怕是要落在台北先與中共改善關係上。

本文原刊於《聯合報》，1993年2月20日，4版。係戴國煇口述，由記者孫揚明整理

金丸信震撼與未來日本政界勢力
重編之考察

◎ 陳進盛譯

問題所在

前日本自民黨副總裁金丸信遭逮捕事件（1993年3月6日，因逃漏鉅額所得稅）給日本社會帶來了重大衝擊，也讓日本政局陷入一陣混亂。論者在此首先提出來探討的是，金丸信震撼事件的定位問題，以及預見金丸信事件所引發的後續政治改革與政界勢力重編的走向問題。

金丸信震撼事件的定位問題

在日本政界有實力大老之譽的金丸信被捕以及威信盡失，可以說意味著以田中角榮開始，經由金丸信與竹下登一直到小澤一郎為核心的自民黨的一黨一派閥統治體制已告結束。

田中統治時代可以說是日本經濟的巔峰期，而金、竹、小的統治期則相當於是日本經濟的爛熟期。不論是其中的哪一個時期，其根源都可以追溯到日本的所謂五五年體制。

　　1955年是戰敗後的日本大體完成從戰後復興的時期，因為在世界性的冷戰結構與美日安保體制（日本接受美國提供的核子傘保護）所構成的大架構下，日本的經濟一路邁進高度成長。

　　我們可以這樣說，從田中角榮與金丸信相繼被捕所呈現出來的自民黨金權政治與腐敗結構本身，都是從所謂的五五年體制下的高度成長經濟中所培育出來的。換句話說，這種自民黨金權政治與腐敗結構本身就是五五年體制所帶來的結果。既然這是體制本身的問題，我們都應該知道，如果只是喊一喊表面的口號，並不能期待真正解決這個問題。

　　不過我們可以看出，田中角榮被捕與金丸信被捕對日本社會所造成的衝擊有很大的不同。

　　田中被捕事件在傳播媒體以「總理的犯罪」為名大力爭相報導之下，不論你願不願意，從結果來看的話，可以發現日本司法的威信獲得了提升。在這樣的社會氣氛下，一般的社會大眾不必然都把田中角榮當成壞人看待。對一般日本大眾而言，田中角榮毋寧說是一個從外國公司（洛克希德公司）把5億日圓拿回日本（以回扣金的方式拿回）的人，而這些錢田中也沒有放進他的個人口袋，而是花在自民黨的總裁選舉活動之上。因此之故，田中博得了一般日本民眾的同情，因此即使是他已經病倒，還是能以自民黨最大派閥的實際最高領導人的姿態君臨日本。而他以「首相製造者」的姿態發揮實際政治影響力，也是大家記憶猶新的事情。

　　金丸信事件則完全是事出意外的事件。金丸信本人也積極地承認犯了政治獻金上的「非」，不過卻企圖以接受輕微的罰金處

罰做為事件的結束。在傳播媒體與一般大眾看到司法部門好像在袒護金丸信的作為後大為反彈，日本的司法威信也因此掃地。

雖然金丸信事件的背後內幕還有許多還未調查清楚的地方，但檢察部門好像是為了恢復威信一般，終於以涉嫌逃漏鉅額所得稅的罪名逮捕起訴金丸信。

金丸信是竹下登派的實質派領袖，由於他沒有出面爭取擔任首相的野心，因而被一般日本人認為具有「國士」之風而尊崇他。但是，當玉匣子的蓋子打開來一看，原來是一個讓人嚇一大跳的密藏大寶箱。非但不是「國士」，實際上卻是全力在追求累積不法私財，而且居然已經累積到70億日圓的天文數字，當然要讓日本民眾啞然而憤慨不已。我們不難想到，金丸信陣營的人會對這些累積的財富用途提出各種解釋。但是，大概不會有什麼人聽得進他們的解釋吧！不只沒有人同情今天金丸信的處境，他如今幾乎已經成為人人喊打的過街老鼠，雖然從公開的社交圈躲了起來，最終還是要在法庭上成為眾人嘲笑的對象！

讓我們從一般日本民眾的角度來看金丸信事件震撼最大「效果」的定位問題。

金丸信的政治實力根源在於他是日本所謂「國對＊政治」的最高調停者（他長期擔任自民黨的國會對策委員長，負責與後來擔任社會黨委員長的田邊誠社會黨國會對策委員長進行勾結商議以推動國會的政治運作）為依據是很明確了。

＊ 即國會對策委員會，國會各黨團在黨內所設的機關，目的是應付國會活動上的一般方針或各個對策的協議決定，委員長由資深有力幹部議員擔任，是與他黨在議事營運與進行交涉窗口，也負有指導、統制自黨議員在院內活動的重責。

　　田中事件引起日本社會對於金權政治的批判。但是，對於五五年體制下的政界、官界與財界（業界）的黏連結構，以及以自民黨、社會黨、公明黨與民社黨等為核心的既成政黨國對政治（即在幕後協調勾結的政治）的真實內容，還是不容易被清楚地看到。

　　妨礙這些政治事實呈現出來的元兇之一，可以說是第四權力（政治記者俱樂部）的怠慢。

　　日本社會興起一股對政治記者的批評聲浪，質疑他們一大群人平日究竟是在做些什麼事情，竟看不到金丸信積蓄如此大筆的不義私財。

　　政、官、財加上大眾傳播媒體與在野黨（以社會、公明與民社黨為中心）的黏連結構，最後在金、竹、小的時代形成、發揮機能。金丸信事件正是這一黏連結構無法順利運轉時所「走火爆發」出來的事件。從事件發生的原理而言，應該要從這樣的角度來掌握金丸信事件的定位。

後續政治改革與政界勢力重組的趨勢

　　日本的行政改革從開始推動以來，已經過了相當長的時日，而且也取得了一定的成果。但是，與行政改革具有相當不同層次意義的政治改革工作，卻一直沒有辦法順利實施。據傳後藤田正晴法相兼副總理曾說過如下的話：「自民黨如果沒有看到地獄的話，根本不可能認真實施政治改革」。如果把這些話裡的「自民黨」改成「政治家」再來看這些話，結果會變成怎樣呢？

　　當前政局的混亂情況對於自民黨而言，或者是說對於日本的政治家而言，是否已經是地獄了呢？如果不怕引起誤會的話就讓我直說，我認為很遺憾的是，現在與地獄還有一段相當的距離。

　　　現在大家都知道，日本社會正瀰漫著一股對於政治家與政治的不信任感，外界對政界重編也寄予很大的期望。因此，為了選舉考量，政黨或是政治家都會在必要的時候，大聲喊一喊政治改革的口號。不過，日本經濟界的許多關係者認為，現在日本經濟的情況是尚有「餘裕」，景氣恢復也還有希望，也就是說還沒有形成地獄感。特別是在宮澤喜一首相的周遭，政治改革推進協議會（民間政治臨時調查會會長龜井正夫）與財界的主流人物等，似乎都期望現今的混亂局面應該可以透過體制內部部分的自我淨化作用與對既存體制進行局部修正來「渡過」的樣子。

宮澤喜一周邊者的意圖

　　如眾所周知，宮澤喜一以往被認為不是擅長於「永田町」（對於以自民黨為中心的日本政界的俗稱）政治操作的人。也就是說，他是一個與日本金權政治有相當距離的人，是一個不懂得日本式政治的「村落禮儀」的人，或者說是一個博得不喜歡沾污自己雙手「自鳴清高知識分子」之名的政治家。因此，他是一個不會自我積極爭取政權寶座的人，不對，應該說他是一個沒有能力來爭取的人才對。

　　如因應得宜，金丸信事件對宮澤喜一而言是個絕佳的機會，可以讓他將此事件轉化為有利於他所領導的政權。本來，宮澤政

權是在金、竹、小支持下成立的，因此，宮澤政權一直帶著金、竹、小的「影子」。如今在金、竹、小體制解體與金丸信被捕之下，確實是他構築屬於自己政權的大好機會。對他而言還有一個幸運的地方，就是渡邊美智雄外相兼副總理的因病辭職。

在主要政治競爭對手渡邊退一步之下，可以這樣說，只要宮澤拉住後藤田正晴，穩固政權的條件就已經相當充分了（當然，前首相中曾根康弘最近也在積極活動，大有再度復出以填補渡邊因病留下的政治空缺之意，不過由於戰後日本政治史上還沒有前首相復出的先例，我認為中曾根的復出之舉最終並不會成功）。

令人擔心的一點是，宮澤與後藤田希望藉著拉羽田孜擔任外相入閣，以切斷小澤一郎與羽田孜關係的作戰策略以失敗收場。儘管小澤・羽田派脫離自民黨的「火種」依然在悶燒中，不過隨著金丸信的被捕起訴，小澤一郎在目前情況下也不得不放緩既定的政治腳步。從當前的政治氣勢來看，承襲田中・金丸「金權政治」衣缽的小澤一郎，就是再次試舉政治改革旗號而不能輕易與之合流是目前政界的氣氛。

宮澤喜一首相4月15日捧著以擴大內需為名決定的「日本歷來最大規模的13兆2,000億日圓綜合經濟對策」為禮物訪美，與美國總統進行美日首腦會談。在美國總統柯林頓發表容忍日圓升值談話後，日圓持續升值的4月30日，宮澤正在進行澳洲與紐西蘭的兩國訪問之旅。

這一連串的舉動，應該是被譽為國際派的宮澤喜一希望藉著國際形象的提升，好成功主持東京高峰會議（7月7日起在東京舉行的八國集團經濟高峰會議）。

讓我們轉眼看內政方面，宮澤喜一也勢必會盡全力來活用皇太子德仁的婚禮（預定6月9日舉行），加上前述的綜合經濟對策的實施，希望一舉創造景氣上揚的成效。從一連串的舉動來看，宮澤喜一首相的原本企圖就是乘此之勢提升政府支持率以確保政權的穩定，進而實施屬於自己的政策。

在黃金週（指日本在4月底到5月初的連續長假）結束後的國會（休會到5月9日），政治改革相關的四法案審議攻防發展情況值得隨時觀察注意。

在黃金週連續假期之前，外界流傳著自民黨與社會黨為了讓政治改革相關法案過不了關，雙方將會同意透過協調方式在五月下旬解散國會。不過，由於緊接著有皇太子婚禮與東京高峰會等國家規模的重要儀式與活動，我們很難想像宮澤喜一會在這個時候做出提前解散國會的決定。

不過另外也有一些樂觀的看法認為，在財界與勞工界（日本勞動組合總連合會【連合】）支持下，宮澤可能在後藤田協助下致力並成功讓「為實現政治改革的妥協案」成立。

日本新黨吹起的順風

前面已經說過地獄感未成熟之事。不過，已經有日本新黨出面，提出打破五五年體制並建立新的九五年體制的呼籲。

日本新黨的代表是前熊本縣知事細川護熙。細川出生於1938年，是前熊本藩主細川家的第18代。他在東京上智大學法學部畢業後，經《朝日新聞》擔任記者歷練之後，1971年當選參議員，

之後並順利連任，任內曾擔任大藏政務次官。1982年起連續擔任兩屆的熊本縣知事，之後以「掌管權力達十年將開始腐化」為由而不尋求第三次連任。1992年5月發表「自由社會連合」的組黨宣言，並組織了「日本新黨」。在同一年7月的參議員選舉中打出「實踐的理想主義」的口號，結果讓包括他自己在內的四個人順利當選。

細川護熙在熊本縣知事任內，曾以提出「創造日本第一運動」等嶄新理念並展現出相當的行動力，而成為日本社會的話題。不過在另一方面，在地方上一談到細川在縣知事任內所留下的事蹟時，許多人都會說他只留下了一大堆的政府赤字。並且批評他只會專講一些好聽的話，無視於實際情況的意見多，還做了不少令人質疑的事情。總之，有許多人批評他只不過是一個多夢想的少爺而已。

在金丸信震撼之後，既成政黨特別惹人厭煩的當今，細川的人氣開始在都市地區的年輕人與婦女層間快速擴散，使許多立場中立到中間偏右的政治家，深深感受到他的威脅而開始恐懼起來，是誰都不能否認的。

在4月25日投票的東京都田無市市長選舉、福岡縣小郡市市長選舉與神奈川縣鎌倉市議員選舉中，日本新黨推薦的候選人全數當選。

可以看出，在社會充滿對政治的不信任感與對既成政黨不滿厭煩氣氛下，選民對日本新黨期待的是何等的強烈。

在各種關於日本政黨支持率的民意調查中，日本新黨的支持率一直是居高不下，最近的資料顯示，日本新黨的支持率都已經

超越了公明黨、共產黨、民社黨與社民連，甚至已經直逼社會黨。

　　雖然有不少人私下諷刺日本新黨只是一個社會不滿一時造就的情緒政黨，它的高人氣只是泡沫現象而已。不過，只因為社會對政治改革與政界重組有所期待的氣氛，就持續掀起「情緒政黨＝日本新黨」的旋風，各政黨相關人士都對此現象抱持著戰戰兢兢的態度。

　　六月東京都議員選舉的前哨戰已經於四月底在東京各地展開。乘勢興起的日本新黨之風，已經像春風一般地吹拂著街頭巷尾的選民。

　　可能受到日本新黨興起影響的自民黨相關人員，已經開始在設法尋找可以做為攻擊依據的細川等人的缺失。社會黨與民社黨的一些關係者也開始向日本新黨靠攏，試圖沾日本新黨熱潮之光的舉動已經大幅增加起來。

面臨存亡危機的在野黨所播的「種子」

1. 民社黨在下一次選舉中很可能成為個位席次的政黨

　　大內啟伍委員長在該黨的第38回全國大會閉幕後的記者會（4月23日）上，悲壯地說出他有覺悟必要時將解黨來重組政界的打算。另外，該黨的米澤隆書記長在大會答覆質詢時也坦率地說：「自民黨有權力和金錢。社會黨有勞工運動，而且有與政治活動直接連結的公務人員組織。公明黨有信仰心，共產黨有稱得

上是狂熱的自我犧牲的精神。與這些比較起來,民社黨有什麼呢?」從這些發言,不難讓我們感覺到民社黨的黨勢已經跌到了谷底,以及該黨領導層滿腹的危機感與悲壯感。大內啟伍委員長向羽田孜・小澤一郎頻送秋波的理由在此,可以一目了然。

2. 社民連的目標

　　至於江田五月所領導的社民連,也可以看出下一次選舉很可能是該黨的最後一次選舉。江田五月透過「天狼星」運動(可定位為政界再編為目標的準備運動),不只達到自我救濟以及救濟他人(指年輕一代的革新陣營政治家)的雙重目標,而且也試圖創造21世紀應有的「日本新政」。

　　江田五月出身東京大學法學部,學生時代就以社會黨系全學連領袖活躍於學生運動,之後進入司法界,曾歷任各法院的判事補。在父親江田三郎(前社會黨書記長,是社會黨系結構改革派的理論家)去世後,以接掌父親地盤跨入政界。

　　江田五月以他全學連與司法界的朋友為智囊,據悉對於因應冷戰結束後快速變動的國內外情勢的立國政策有過一番研究。江田五月認識到,在下次選舉前如果不能對組織新政黨有適當的準備與安排,金丸信震撼所帶來的「絕佳機會」可能就此喪失,因此他現在也正忙於播「種」。

3. 大前研一的「平成維新會」

　　大前研一是在美國受訓成長的演講專才。在個人聲望略微低落之時,他兼具挽救個人聲望之目的,創立了「平成維新會」,

似乎寄望透過動員、活用傳播媒體的力量，來創造新的日本政治潮流。大前研一雖然是乘著政界重編的風潮組織了平成維新會，但該會在最近反過來也成為推動政界重編風潮的一股力量。

結語

　　最近在日本關於政治改革與政界重編的議論甚囂塵上，關於這些議題的動向也非常活潑激烈。在此讓我想起來的是，松下幸之助生前投注莫大的個人金錢，開設的松下政經塾所養成的塾生畢業後的情況。松下老人此舉是在嘗試為日本培育新型態的青年政治菁英，可惜的是，其「成果」卻不易被「日本式政治」的土壤──用我的話來說就是「日本的村落型政治意識」所接受，目前可以說處於停滯的狀態。

　　是否能夠以日本新黨與「天狼星」運動為主軸，並加上與「平成維新會」及「連合」的合流，再吸收社會黨內的年輕一輩改革派人士組成新政黨呢？

　　另外，公明黨在池田大作的大量資金援助下，是否可能以解黨為前提，而與羽田孜・小澤一郎集團聯手組織新政黨呢？

　　各種可能的組合構想目前正在各相關人士間摸索議論中。

　　如眾所周知，不論是政治改革還是政界重編，都是得要打破所謂的五五年體制，因此，它需要有相當於近似敢於進行革命的原動力。

　　金丸信震撼為日本政治改革與政界重編的絕佳機會醞釀出很好的社會風潮與態勢。

　　以宮澤喜一為首的自民黨實權派是否能活用這樣的社會風潮呢？宮澤喜一如果能略施技巧地對這些議論打上休止符，身為自民黨總裁與日本首相的他，能在此千載難遇的機會中發揮其領導力嗎？或不能夠發揮呢？要為這種種的問題尋求答案的話，就讓我們密切注意著黃金週結束後，重新開議的國會動靜。

1993年5月1日於台北

本文係為未刊稿，寫於1993年5月1日

日本政局的現狀與展望

◎ 陳進盛譯

一、七黨一派的聯合政府何以能夠組成？

　　一部分人諷刺細川護熙領導的「非自民‧非共產」聯立政權是一個野合政權。儘管如此，細川政權現在卻是客觀存在、運作的政權。我們在這裡的相關檢討，要以該政權成立的前提做為起點。

　　在這次大選之前，因為自民黨分裂（先驅新黨與新生黨）之故，一般認為自民黨議席將占不到眾議院席次的一半。不過當時還是有許多人認為，自民黨或許不會失去政權。

　　當時這些人持如此看法的理由有：第一，日本新黨與先驅新黨的領導人都標榜中立，而且對組織非自民黨政權保持距離。第二，「集結各在野黨」的工作並不容易，而且傳統上自民黨一直都很擅長於破壞這種在野黨的集結合作，而且也必然會再次採取這種行動。

　　然而，現實政治卻因為受到「政權交替期待論」與「政界重組期待論」的熱烈氣氛（國民輿論）的推動而快速進展。在經過

幾多波折之後，由「非自民‧非共產」各方勢力所組成的聯立政權終告成立。

　　這次「非自民‧非共產」聯立政權之所以能夠成立的前提是，「日本新黨」與「先驅新黨」所共同發表提倡「政治改革政權」的相關文書（7月23日）。

（一）從政策協定文書的檢討

　　在這裡先將提倡「政治改革政權」的全文收錄於下，以供參考對照：

　　日本的政治與經濟正面臨前所未有的危機。政治改革的一再遲滯拖延，已經成爲處理當前的景氣非常事態與美日關係等重大課題的障礙，並對日本的未來發展進路持續產生了負面影響，我們對於這樣的現象深感憂慮。

　　但是，在經由國民在總選舉中的賢明判斷選擇之後，政治改革的千載難逢機會已經到來。國民對於先驅（新黨）（與）日本新黨[1]的重大期待，要我們當政治改革的牽引力，我們敬謹地加以接受，並共同確認，當前最優先的行動目標就是決心「在今年內實現政治改革」。

　　因此，在成立新政權之際，我們要跨越至今所經歷的各種政治爭議，共同提倡成立一個立足於廣泛基礎並能夠「斷然實行政

1　「先驅日本新黨」（さきがけ日本新黨）是於7月19日，由日本新黨與先驅新黨在國會組成聯立黨團的名稱。

治改革的政權」。

此一「政治改革政權」將由能夠同意以下最低要求各點的所有政黨共同組成。

一、特別國會〔譯註：日本眾議院大選後依法必須於30日內召開的國會〕或是9月召開臨時國會〔譯註：12月上旬召開的通常國會與前述的特別國會之外，所召開的其他國會〕，最遲也要在今年之內讓政治改革法案通過成立。

二、要在本年內通過的政治改革法案的要點以下面各點為基本：

　　1. 新的選舉制度是以250個小選舉區與250席的比例代表所構成的「小選舉區比例代表並立制」為基本。

　　2. 為了徹底地防止政治腐敗，要擴大連坐制，並加強相關的罰則。

　　3. 為使政治資金透明化，將導入稅額扣除制度與政黨公費補助制度，進而達到廢止企業團體的政治獻金。

　　　　更進一步的，要尋求確實實現以下的改革：

第一，為使國會的作為更容易讓國民所了解，要廢止政黨間的國對（國會對策委員會）政治、促進議員間討論議題的活性化、廢止政府委員制度、促進議員立法、改正不必要的閣僚拘束，以及導入國會按鈕投票制等，以推動國會的改革。

第二，對於政治家、官僚與企業的政、官、業黏結體制進行全面性開鍘整頓，不只要排除族議員的惡習，也要切斷與政府行政財政具有關係的企業‧團體的政治獻金。

三、特別國會之前，以黨決議確認上述改革事項的各政黨所構

成的改革聯合，將進而組織「政治改革政權」。

四、在組成「政治改革政權」下，關於景氣對策、下一個年度的預算編製等重大課題，將由合作參與聯合政權的各政黨於事先召開各黨派的協議會，來進行調整。關於我們對於當前重要政策課題的想法，將於最近的將來對外公布。

五、如果沒有能組成這樣的政權，則將全力透過超黨派的議員立法方式，希望在今年內促成政治改革法案的通過成立。

　　就像是在因應急遽發展的政局一般，握著關鍵票（casting vote）的日本新黨與先驅新黨轉而採取積極參與政權的姿態，而且提出了如上所述的參與組織聯合政府的條件，第一點本年內通過政治改革法案；第二點倡導以「小選舉區比例代表並立制」為基礎的選舉制度改革。如果單純從提倡文的內容來看的話，一開始並沒有排除自民黨參與聯合政府的意思。不過相關的人員都很清楚，自民黨應該不會接受這些內容的改革。該提倡文公布的第二天（7月24日），非自民的五黨（社會、新生、公明、民社與社民連）就迅速召開了「各黨聯絡會議」，開始向組織非自民聯立政權進行政策協議。結果，五黨都基本同意上述的提倡文內容，各黨並在27日之前做成黨內的相關決議，非自民聯立政權隨之成立。

　　在此，本文並不探討為何以自民黨為軸心的聯立政權在這時無法成立的問題。

（二）決定參加聯立政權的社會黨主流派的意圖

聯立政權中最大的政黨是擁有70個國會議席的社會黨。雖然說是第一大黨，其實也只是才剛在選舉中由原本的134席大敗的「悲慘的」第一大黨。在美蘇冷戰體制瓦解之後的世界新形勢下，社會黨建黨以來所持的理念，特別是對於《美日安保條約》、自衛隊與對韓政策等基本政策的非現實性的主張，受到了選民的嚴厲批判，導致其政治支持基礎大幅滑落。要如何跨越這個危機，是山花貞夫委員長等社會黨領導人的緊急課題。如眾所周知，社會黨在這次選舉中向選民打出取代自民黨組織政權的政黨公約口號。大家公認在山花貞夫背後支持的實力人物前委員長田邊誠，以及社會黨主要支持基礎所在的全國性工會組織「連合」會長山岸章，都曾指出「社會黨除了聯立政權的路線外，已經沒有其他生存的道路可走」。因此即使是被批評為沒有理念的「野合」，山花貞夫仍不得不做出「彈性大膽的抉擇」同意參加聯立政權，而且還親自出任新政府內的「政治改革相」（國務大臣）職位。接著是象徵社會黨基本政策一大修改的訪問韓國（日本社會黨委員長首度訪韓）行動，山花貞夫上週毅然訪韓的理由也是在此。

（三）新生黨謹慎自重的意義何在？

聯立政權裡的第二大黨是帶有自民黨竹下派與金丸信事件「影子」，也是自民黨分裂原動力的羽田孜・小澤一郎所領導的

新生黨。新生黨選舉前有36席，加上新當選的19名新人，選後一舉增加到了55席，這種黨勢的大躍進情況值得注意。新生黨的大躍進不能純以這次興起的「新黨風潮」來完全解釋，我們不可小看它所呈現出來小澤主導的新生黨「雄厚潛力」。

新生黨裡有多名具有閣僚經驗的議員，因此，在國會的首相指名中推出羽田孜角逐也並非不合理，不過小澤一郎選擇了退一步的作法，反而策劃推舉細川護熙出任首相。應該是鑑於採取過度強硬積極的態度，可能容易產生聯立政權間的障礙嫌隙之故，為防止聯立政權成立後埋下不安的因子，因此有此謹慎自重的抉擇。

另外，對新生黨而言，以這次選舉的大躍進為據，進一步鞏固黨勢基礎是引發自民黨第二次分裂所必要，因此成功組織聯立政權也是不可缺的條件。這無疑也是小澤一郎一再表示要謹慎自重的原因所在。

（四）公明黨扮演不顯眼的「黑子」＊姿態行動

這次聯立政權內的第三大黨是公明黨。新的國會議席總數51席，較選前的45微增了6席。僅從議席總數看的話，公明黨在這次選舉中可以看成是「略勝」。但是如果深入、個別分析這次選舉資料的話，可以發現公明黨所處的情況絕不是像表面所呈現的那般悠哉安閒。在當選的51人中，屬於上一屆國會議員的「前」

＊ 指在演員背後輔助的黑衣人。

議員有24人，上一屆之前的「前」議員有1人，新當選的有26人。也就是說，略微超過半數是新人當選的議員。新人占半數以上，所明白呈現的意義是，公明黨內部並不安靜，也就是黨內的新舊交替在這次選舉中加速進行。這也可以說是「新黨風潮」在公明黨內的呈現。

這也顯示公明黨如果不參加這次聯立政權的話，未來的「出路」將愈行狹窄，也就是可能無法維持既有黨勢。在選舉中以新人姿態當選的田中真紀子（前首相田中角榮的長女）在關係深厚的外國記者俱樂部演講時，說出了聯立政權的真正「黑幕」（真正的幕後推手）是創價學會（暗指該會的榮譽會長池田大作）而不是小澤一郎的話。我們應該留意這一席談話。因為她的父親田中角榮生前與公明黨有深厚的關係，而小澤一郎是田中在政壇上的直系弟子，她對日本政壇算得上是一個通曉內幕的人。

（五）日本新黨行動的巧妙

關於乘著新黨風潮興起的日本新黨，我之前曾有過詳細的分析，在此就不再贅述。不過不管怎樣，日本新黨在眾議院從沒有任何議席一下子得到35席，而且所有的當選者都是首次進國會的新科議員，從這裡該黨的「內部實情」才是應該被質詢的。

日本新黨組黨時提出的中心口號是「批判既成政黨」。而且從該黨當選議員的分布情況來看的話，像是在埼玉縣、千葉縣與神奈川縣所推出的11名候選人全數當選，在東京推出的9名候選人中也有7人順利當選，可以看出該黨在首都圈的強大聲勢。由

於這種強勢是依靠都市型浮動票所支持構成，沒有人能保證該黨在未來的選舉中還能有相似的支持度可資運用。像社會黨在上一次（1990年）的選舉中，藉著消費稅問題與里庫路特事件，獲得都會區大批自民黨批判票的支持，結果成為選舉中「唯一的勝利者」政黨。讓社會黨在上次選舉中大勝的自民黨批判票，在這次的選舉中被新黨風潮席捲而去，日本新黨應該不會不知道這種教訓。

既然日本新黨贏得眾議院的議席，今後外界將期待看到該黨的實際表現。由於組黨時日尚淺而沒有具體可行的黨政策，但在隨時處於社會大眾注目焦點下，有必要早日整理並提出有系統性的黨政策，以鍛鍊培養下一次選舉所需的實力，這是在現實政治競爭中不待贅言之事。這也讓我們想起了日本以前盛行過的所謂「女性風潮」（指前社會黨委員長土井多賀子所引發的風潮），那股風潮不久之後即迅速消退。細川領導的日本新黨沒有選擇與自民黨聯手，而選擇了非自民黨聯立政權的道路，顯然就是為了強化自己的政治實力與基礎。因為如果與自民黨聯手的話，不只日本新黨將被龐大的自民黨所淹沒，而且也會淪入違反選舉時日本新黨所提出公約的困境。在非自民聯立政權裡，山花貞夫（因為社會黨選舉慘敗與該黨主張基本政策與聯立政權的差異過大）以及羽田孜（在自民黨內的政治污點尚未完全滌清）都不可能出來與他競爭首相職位。

此時實現細川首相的情勢已經相當穩固。但不論是就自我宣傳或是鞏固政黨基礎而言，日本新黨都是應該選擇組織非自民聯立政權之途。因此連一些往日批評細川護熙是「花花公子細川」

或是「少爺細川」的評論家，也不得不對他在這次組織非自民聯立政權的剛強表現感到佩服與驚訝。

（六）「先驅新黨」與日本新黨同一步調

從自民黨分裂出來的另一股勢力為先驅新黨。先驅新黨選舉前只有10個席次，因為搭上了新黨風潮，選後增加了3席成為13席。議席數可以說是現實政治中的第一要素，只有13席的先驅新黨如果個別行動的話，顯然無法在聯立政權中扮演關鍵票數角色。如眾所周知，先驅新黨的領導人武村正義（黨代表，脫離自民黨之前的經歷在自民黨的議員裡算得上是一個異數，因為他是在地方歷任市長、縣知事之後再轉戰眾議員成功【連續擔任兩屆議員，甚至在脫黨前的自民黨內擔任過政治改革本部的事務局長職位】）的經歷與想法都與細川極為接近。因此先驅新黨為強化自己的地位，自然有必要與日本新黨採取同樣的步調，而且雙方也容易達成共識。也正因為是處於這樣的情況下，兩黨的「提倡文」才可以早早完成，並成為組織非自民聯立政權為基軸的「合縱連橫」的契機。

（七）社民連的天狼星運動會繼續嗎？

選舉後社民連維持選前的四席地位。社民連代表江田五月是前社會黨構造改革派領導人江田三郎的兒子。1960年代安保鬥爭時為東大學生，是當時社會黨系的全學連（全日本學生自治會總

連合）的領袖。畢業後進入法院擔任法官，後因父親過世，為繼承其衣缽而進入政界。其政治活動與社會黨與民社黨都保持一定的距離，為了集結年輕一輩的超黨派改革派政治家，積極推動所謂的天狼星運動。他領導社民連參加非自民聯立政權，以及他自己的入閣（科學技術廳長官・原子力委員長），可以說是當然的選擇。江田與細川等同為安保世代的旗手，他們究竟能為日本政壇掀起怎樣的一股新風潮，值得我們拭目以待。

二、關於細川政權與政界重編的未來走向問題

（一）這次總選舉的特徵

1. 儘管政壇吹起一股政治改革的熱潮，不過最終的投票率仍然創下了日本眾議院選舉的歷史新低紀錄。

2. 社會黨遭逢創黨以來的空前大挫敗。社會黨不能有效利用政治改革的失敗以及自民黨分裂導致的「敵失」，不能吸收自民黨批判票的流失的情況十分嚴重。換句話來說，這意味著以五五年體制以來做為批判勢力基軸的社會黨，已經喪失了它原本的社會機能。

3. 自民黨雖然是各方批評的主要對象，但是選舉表現依然傑出。如果不是分裂的話，其眾議院的議席將維持過半，而且也不會喪失政權。儘管如此，自民黨引發的分裂騷動本身就是個異常現象。在與社會黨不同的意義下，我們應該這樣來看長期擔任五五年體制下日本政治主軸的自民黨，那就是它先前的政治手

法已經無法因應新的日本狀況。

4. 在五五年體制下的日本總選舉，經常呈現保守（自民）與革新
（社會）對立的基本競爭態勢。從這次的選舉結果來看，這樣
的基本競爭態勢已然消失。革新的社會黨遭逢慘敗，其原本的
支持票流向了「保守新黨」（指新生黨、日本新黨與先驅新黨
三個政黨）。「保守新黨」不只吸收大批的社會黨選票，而且
在吸收都市圈浮動票上有很好的表現。結果是「總保守的大
餅」大為膨脹，充分地暗示摸索日本新政治體制的動向已經真
正啟動了。

（二）細川熱潮能夠持續維持嗎？

　　55歲出任首相的細川護熙，是繼54歲出任首相的田中角榮之
後，日本戰後第二年輕的首相。田中內閣成立時創紀錄的70％左
右的內閣支持率，是拜日本經濟長期高度成長的大眾化人氣所賜
的結果。然而，細川新政權的支持率竟然出現高達75％（共同、
每日）、77％（JNN）與83％（產經）的異常狀況。在此要順便
一提的是，田中之後的自民黨政權的支持率普通都是在30％到
40％間，宮澤喜一內閣即將下台時，支持率掉到了10％的水準。

　　首先要先談一談我對於應該如何看待細川內閣擁有如此超高
支持率的看法。

　　第一，對於厭倦自民黨長期一黨體制的日本國民而言，政權
交替總算是成功實現了，他們對於順利完成政權交替的細川內閣
自然會給予較高的評價。

　　第二，在未來前景不明的狀態下（由多達七黨一派組織的聯合政府給人的不安定感），只有細川護熙一個人的「血統」與「家世」（他是近衛文麿的外孫以及熊本藩主的後裔）是清楚明確的，這件事情給予一般民眾相當的心理安全感。

　　第三，內閣的新鮮度。與自民黨的歷任內閣大不相同，除了副總理兼外相的羽田孜是再次入閣之外，包括細川在內的其他19名閣員全是首次入閣的新人。而且其中有三名女閣員也是日本內閣史上最多的一次，也較容易獲得女性有權者的肯定。

　　第四，細川內閣的內閣人士職位安排與社會輿論向「保守新黨」傾斜及對政治改革期待相吻合，因而能博得輿論界的歡迎。

　　所謂向「保守新黨」傾斜，就是指對於未來朝新保守主義方向發展之意。雖說細川內閣的新鮮度是一個優點，但如果全是新手當政的內閣，恐怕也無法獲得日本選民的信賴。細川把有「執政黨」經驗的新生黨關係者安排擔任內閣的重要基幹位置上，像是外相（羽田孜）、藏相（大藏省官僚出身的藤井裕久）、通產相（通產省出身的熊谷弘）以及防衛廳長官等，這樣的人事安排可以讓日本財界與美國方面感到十分安心。

　　細川護熙更為聯立政權打出了「有責任的改革」招牌口號，既然內閣的最優先課題是實現政治改革，不論是否願意，相關的人事安排也必然引人關注。

　　細川不只新設立負責政治改革事務的大臣位置〔譯註：政治改革擔當大臣〕，而且為了壓制對選舉改革法案很可能有意見的社會黨，特別讓該黨的山花貞夫委員長出任該職，向外展現明確積極的政治改革姿態。與政治改革關係密切的職位還包括自治相

兼國家公安委員長與法相，結果，前一個職位細川起用社會黨的新人佐藤觀樹（51歲），法相則起用民間人士，也就是請民事訴訟權威的東京大學名譽教授三ケ月章擔任。另外，素有首相女管家之稱的內閣官房長官職位，通常是首相身邊的親信擔任，細川則請經歷背景與想法都與他相近的前自民黨政治改革本部事務局長武村正義為搭檔，向外界展示其穩重的布局。

除了與政治改革相關的內閣職位安排之外，細川更把與長期一黨執政的自民黨結構性貪污腐化關係密切的「膿」之根源的建設相、運輸相與國土廳長官職位，全部交給與自民黨長期競爭對立的社會黨人士來擔任，這種精明強幹的政治手法真是教人刮目相看。另外，細川讓參加聯立政權的各黨領導人全數入閣，以維持各黨之間均衡所展現的政治平衡感，再加上全力促成讓傳播媒體有好感的民間人士與女性入閣所展現的「細川感覺＝時代感覺」，稱得上是一次精采的政治手法表現。

在即將於9月17日召開的臨時國會（會期95天）裡，細川內閣要如何來通過政治改革關聯法案？下一個年度的預算編製、景氣對策與減稅問題等一大堆的重大國家問題要如何因應處理？這些將是細川內閣的真正考驗。

（三）自民黨再奪回政權還是再次分裂？

在目前的情況下，一般相信政治改革的相關法案將會在妥協條件下獲得通過。當然，政界的勢力重編也將會同時進行，並可能進而引發解散國會的總選舉。在這期間，金丸信逃稅事件與大

型綜合建設公司涉及政界違法獻金事件等持續揭發的話，自民黨恐怕很難避免再一次的分裂。因此，只要細川內閣不出現大的失策，自民黨奪回政權恐怕不是容易的事。我認為，在河野洋平總裁領導下的自民黨，究竟能將自我淨化與自我改革進行到怎樣的程度，將是影響今後自民黨走向的重要因素。另外，在可能影響自民黨動向的相對政治勢力方面，可能出現小澤一郎所策劃的「新・新黨」。

接著再來談一談這個問題。

（四）小澤一郎所指望的「新・新黨」的組成

如眾所周知，小澤一郎與他的智囊從很早以前就一直在思考21世紀的日本應該何去何從的國家戰略構想。根據一些有識人士之間的說法，小澤一郎與羽田孜在從自民黨出走之前，就已經與公明・創價學會（池田大作）有過認真的溝通，而且有了相當的結論共識。

新生黨與公明黨的議席合計有106席，因此我們也可以這麼說，細川聯立政權裡的第一大黨不是社會黨，而是新生黨加上公明黨。因此，如果池田大作與小澤一郎的物與心兩個層面的合作更為成熟的話，雙方統合的向心力將會大幅增強，不難預測「新・新黨」的組成可能具體出現。如此一來的話，可以預見小澤一郎的政治手腕與池田大作的「金力」結合，可能在下一次的總選舉中發揮威力。傳出一些自民黨關係者們所害怕擔心的就是這樣的情況。

　　在小澤一郎與池田大作主導下，「新・新黨」的構想逐漸成熟確定下，為了爭取組織「新・新黨」的時間，就必須確保聯立政權（細川內閣）的壽命，以利於政界重組的進行。

　　不過已經有人對於小澤一郎與池田大作的「新保守主義」裡面，隱含著法西斯主義敲響了警鐘。但是不管如何，五五年體制瓦解之後取代它的將會是一個怎樣的體制呢？另外，小澤一郎與池田大作所構想的日本新體制，究竟會以怎樣的型態展現呢？我認為都有盡早加以研究的必要。至於勢力大幅消退的社會黨，今後將再次受到「新・新黨」運動發展動向的影響與限制，則是毋庸贅言的事情。

1993年9月10日

本文係為未刊稿，寫於1993年9月10日

從零開始
——日本新黨旋風

　　儘管台灣近年來政治、社會進步良多，但自光復至今，日本對於台灣所造成的正、負面影響，仍然如龐大的陰影般籠罩著全島嶼。不少人（尤其是本省籍人士）對日本的認識是似懂非懂、一知半解的，缺乏全面性了解，僅從「形式邏輯」，外表來看問題或社會現象，並不深究其真正內涵。其一例在於日本新黨和台灣的新黨。它們雖然取名相似，但其形成背景和社會基礎卻是自內而外徹底相異，並不能僅從其表面的形式或形象去加以類推等比。

　　基本上「日本新黨」有狹義、廣義兩種解釋：狹義之新黨乃指由細川護熙所領導的，今年的大選在眾議院從零開始爭取到35個國會議席的真正「日本新黨」；廣義的則是包含了由「新黨熱」所衍生出來的副產物——先驅新黨和新生黨，此二黨皆是由自民黨所分出來，屬於新黨熱的一種支流，他們與「日本新黨」組成之背景不同。

　　日本新任首相細川本身雖然並非政壇新人（他曾任參議院議員，以及歷任過其原籍地的縣長兩任），然而以他為首的「日本新黨」議員則大多是年輕的新人，過去與自民黨少有瓜葛，其主

要的選民基礎來自於大都市生活圈中的年輕人和婦女。可歸類為
「浮動票」者。而從自民黨分出來的二「新黨」，其內部組織則
多數是資深且與自民黨有過瓜葛的國會議員，選民基礎多是建構
在地方上的。

　　何以新黨能在這次大選中，從零席位爭取到35席，而從未擔
任過眾議院議員的細川，還能夠以55歲的「年輕人」身分，當選
上日本首相？這都是自1955年自民黨創黨並執政以來從未有過的
情形。從他們所獲得的票源分析，可以讀出其中的時代氣息。來
自都市圈的年輕、中產階級、婦女票，是屬於浮動性的，過去這
些浮動的票多流向以都市型藍、白領勞動階層加上知識分子制衡
自民黨的社會黨。在這次選舉中，亦有少部分此類票源流向另外
兩個「新黨」（先驅新黨與新生黨），這意謂著日本選民已呈現
出思變、思新，但並非求革命的。可以命名為「新保守主義」。
即是在既成的秩序、體制架構中尋求其進步改革。這也正是符合
了當今世界變動的潮流（意識形態的對立消褪，代而凸顯出經濟
的競爭和爭上游的時代精神）。

　　自東歐的激變、蘇聯型共黨及政體瓦解後，世界政壇之東西
對立的意識形態已然消失。過去日本在政治的大課題上所面對的
是，如何在美國的核子保護傘下寄生之世界戰略體制謀其對抗蘇
聯，搞它的「一國和平主義」和高度經濟成長政策。1989年以來
的世界性大變動，冷戰性世界對立結構雖然解體，但波斯灣戰爭
的繼起教我們重新認知，資本主義體制亦不是「萬靈丹」。當今
的自由世界同步性經濟不景氣並警告我們，美、日、歐之間的資
本主義經濟問題仍然沒有得到解決。同時也使得美、日之間的經

濟關係愈顯緊張而矛盾加深。因此日本興起了一個未來取向的反思潮流。為迎接21世紀的來臨，日本人積極地在尋求一個新的自我定位，希望在脫離了既往美、蘇對抗中需受美國保護傘的位置後，轉變為自我獨立自主的國際角色，企圖由單純經濟大國轉型成並具政治大國的比較完美的國際性「國格」。在波斯灣戰爭中，日本捐出130億美金支援美國，繼後又參與了聯合國的PKO活動，其最大目的不外是企圖進入聯合國安保理事會，成為其中一分子的諸種行動可以得見。雖然宮澤首相的政治改革關聯法案受挫而被逼解散國會更衍生出自民黨之分裂，甚至造成在此次大選的失勢，但日本極力希求改變國際形象的國民規模性的想法依然未變。過去的社會黨是屬於一個對執政黨，只是批判、制衡並不具奪權能力的萬年性在野黨。它在五五年體制（在美國保護傘下搞其一國和平主義、經濟成長）下的「共犯」結構中謀求「經濟大餅」，扮演部分制衡角色而已。對一黨主政的自民黨揭示護憲反戰的大旗加以制衡，力求改善勞資關係的大架構中相應存在，並非真正對立，而只是分享敗戰後的「經濟美果」。如今世界局勢改觀，過去支持社會黨的都市中產階級、婦女知識分子的總體性利害關係逐漸鬆懈。勞資關係好轉，物質生活提升，社會、政治參與度擴張，意識形態的爭議逐漸消失。他們沒有地方上的「山頭」勢力劃分思想，卻是擁有更宏觀、更世界性的看法，因此他們的票也就轉向了具有衝破現狀，訴求新保守主義屬性改革的日本新黨身上及衍生出「新黨熱」。這便是日本新黨之所以能由零到35席地位的時代性主要原因。

　　日本新黨帶動日本的勢頭是「一個從零開始的、年輕、乾淨

新鮮形象」，相對於報復三十多年來已出現貪污、陳腐的自民黨，日本新黨帶頭打破了過去一黨專政、積重難返的狀況，同時符合了全體日本選民的期望。正因為如此，出身為貴族末代的細川，他是德川幕府時代熊本藩王的第18代，又有一個當過首相的外祖父近衛文麿。在政局變數頗多，不夠透明具有不確定感時，唯具「身分」、來歷清楚的細川占了便宜。適合了「新保守主義」的時代氣息及仍然講求家世背景的日本社會裡，細川的形象帶給人民安全感。其年輕、清白而高貴的外貌亦被肯定。這也是他之所以能獲得75％至83％的高度支持率的重要來由。剛就任首相的田中角榮也曾一度獲得70％左右的支持率。自民黨內閣的通常支持率多數只在30至40％而已。

日本新黨目前將面臨選民的現實性驗證考核。是否能繼續擁有高度的支持率，就要看今年〔1993〕9月17日開始的95天的臨時國會中的表現了。在這次臨時國會中，主要要討論的二個重大議題將是：第一，通過政治改革的關聯法案，其中以選舉法案的改革為最主要目標。另外，則是如何發揮明年會計年度的「預算編制權」，此項財政分配的計畫關係著往後日本人民的具體生活。

目前的內閣是過渡性的，包括了七黨一派的聯立政權，這些黨派各有不同的主張及政策，尤其像社會黨和新生黨基本上既往是水火不相容的，他們之所以會連結在一起成為「政治改革內閣」的唯一大義，乃是細川在選舉中提出的理念——衝破過去的慣性，意即打破過去自民黨一黨專政的局勢。這不單反映了普遍日本人民的心聲，也成為大選後在野不同黨派一致的意見。議

會政治中，選舉是最主要的決定性機能，因此此次國會中所謂「政治改革」不過是表面或一部分，重點仍在於選舉法案的通過。自民黨從1955年創黨執政以來，出過不少紕漏（拿回扣、關說……），已漸漸失去了在日本選民心目中的地位，在民意反映和輿論批判下，自民黨終於下台成為在野黨，而為數不少的自民黨員必須考量第四權力（大眾媒體之監督力量）和民意的批判及監督之勢頭，共同促成「選舉法案」的折衷性改革來重新尋找自我定位，這也可預見在今年年底前，此一法案必然通過的判斷理由。

如果日本新黨能夠在政治改革法案之通過，以及善於行使預算編制權的話，或許能維持其高支持率的地位，但答案為何仍屬未知。

如前所述，目前政治改革內閣中七黨一派結合的唯一大義是衝破自民黨一黨專政的體制，謀求政治改革關聯法案之通過繼而進行新選舉。一旦選舉完成後，各持不同主張的七黨一派要保持聯立是頗有困難的。甚多持新保守主義的政治家共同期待的21世紀新政局是形成兩黨制，以美國民主、共和兩黨為模型。民主黨和共和黨都是在美國特殊的資本主義結構下所形成的，實際上差異不大，訴求的也並非革命，而只是改革性的進步。日本對兩黨制的期望，也是在日本式資本主義的成熟下具有其必然性企圖的反映而已。雖然美日二國的社會結構不同，但兩黨模式皆屬於新保守主義的一種開展性前景。

無論日本未來政局如何地變，由日本新黨所觸發的年輕、清新氣息，思新思變尋求新保守主義性改革的意識和趨勢將逐漸定

型及成軌。難以忽視的是，細川來自於貴族家世所給予日本選民的某一種安全感或自尊感（相對於受辱於美方的種種壓力而引發的），都表現出日人在迎接21世紀到來的國際新情勢上追求自我改革的理想，謀出自我新定位是日本新黨和新黨熱現象的時代性中心意旨。這現象並不能類比到台灣的新黨，不僅是其組成人員的背景不同，（台灣新黨來自於執政黨國民黨，而日本新黨除細川早期擔任過自民黨參議院議員外，皆為在野的新人）。更重要的是國家認同的意識形態有頗多差異。日本的國家認同只有一個，而台灣的國家認同則有許多分歧意見，對於21世紀國際地位和社會改革的追求上，似乎尚存有保留。日本新黨冠有顯明的「帽子」，但台灣的新黨卻不見其「帽子」。民進黨已習慣於選民，不知新黨的無帽將給選民帶來何種「感覺」，深值玩味。認清兩個「新黨」的內涵性差異，或許才能讓我們在這股新黨旋風中，不致做出誤解或迷失方向感。

本文原刊於《中國時報》，1993年11月15日，39版。係戴國煇口述，由南美瑜整理

日本五五年體制的崩潰和後遺症

一、何謂五五年體制

㈠狹義（通常所言及者）的概念：1955年為起點的戰後日本政治
　的大框架（frame work）＝ "Parties System Since 1955" 主要
　內涵由自民黨和社會黨的二大黨「串通」運作的政黨政治的機
　制。實質係自民黨（1又½）vs.社會黨（½），萬萬不能說是
　兩黨之對立政治。社會黨根本沒有可能從議席數來取代一黨獨
　大的自民黨。
㈡廣義的概念：係一個巨大且複雜的混合性體制，除了政黨政治
　體制外，還包括了官僚體制、經濟體制、國民意識、大眾傳媒
　等各層面的綜合性、整體性的龐大體制。

二、問題的所在與我們關心的所在

㈠眾人皆知，維繫我「中華民國在台灣」的存在、安全及發展，
　當今的二大國家為美國和日本。我們在此研究會〔譯註：日本
　當代綜合研究會〕的主要對象放在日本。

㈡當今日本社會的動盪，政界的重編，行政、財政改革的進程，
　經濟景氣的前景，外交包括安全保障的戰略性展開的方向等，
　都與我們的安全及發展息息相關。我們不能不有所關心。

㈢對五五年體制之興衰及後遺症，和善後的全盤性狀況都需要有
　客觀性的整體及分析。這個課題該是本會同人的當務之急。

㈣今天的報告，只是個前提性概念的提示，企盼能與同人做好共
　同探討，嘗試釐清概念及擬定剖析的初步性框架和視角（view
　point）。

三、五五年體制形成的前史

㈠日本的敗戰（1945年8月15日），盟國（實質上係美國的單
　獨）占領（1952年4月28日）。

㈡單獨占領與間接統治下之「占領改革」

1. 初期（1945年8月30日，麥帥進駐東京→韓戰爆發1950年6月25
　日）

⑴非軍事化與民主化（以羅斯福新政的觀點為主流）為基調。

⑵以皇族內閣（東久邇稔彥組閣）為過渡，防止革命之發生，國
　體（天皇制）之護持→天皇的「人的宣言」。

⑶新憲法「平和憲法」的制定（1946年10月7日），公布（1946
　年11月3日），實施（1947年5月31日）

⑷民主主義的諸原則之確立

⑸農地改革

⑹財閥解體→經濟層面的非軍事化

(7)國粹主義、軍國主義者之公職革職（驅逐），超國家團體之解體。

(8)戰爭犯罪人之逮捕

(9)祕密警察之解體

2. 天皇制之虛級化（天皇制統治機構之最高性與獨立性之制約，但其機構內部的統一性，原則上仍然被維持）及官僚制度之部分性改制。

3. 草根性自發性大眾運動、政治運動之興起，有呼應占領改革之勢的興起。

㈢中共革命（1949年10月1日）和韓戰（1950年6月25日）的衝擊

1. 占領改革之後退（美軍參與韓戰，將失去亞洲之恐懼）。

2. 《舊金山和約》（單獨講和）的簽署（1951年9月8日），同日又簽署了《美日安保條約》。兩條約於次年即1952年4月28日生效。

3. 杜勒斯（J. F. Dulles，講和特使【1951年1月10日】，國務卿【1953年1月21日】）與日簽署和約前先與菲律賓簽署「共同防禦條約」（1951年8月30日）同年9月1日繼續與澳大利亞、新西蘭（紐西蘭）簽署三國間《太平洋安全保障條約》（1952年4月25日生效）。從此可窺見《舊金山和約》與美國在亞太地區簽署軍事安全保障條約藉而圍堵「中共」戰略之一斑。

4. 受到中共革命成功刺激的日本激進派蠢蠢欲動，各自摸索社會主義革命之途徑。

5. 和約生效前後被放逐的政治家、財界人士被解除「放逐令」，重新返回政界和財界（1951年6月20日）第一次名單為2,958

人。（同年7月2日）地方人士66,000人亦同時解除「放逐令」
而返回。（同年8月6日），中央級第二次解除放逐令之公布，
鳩山一郎等各界人士13,904人（同年8月16日）舊陸、海軍正規
軍官11,185人亦適用了解除放逐令而獲得自由。這些舉動當然
係呼應美方促進簽署和約的內政層面的布建（講和會議的邀請
名單排除了中共）。

6. 保守vs.革新，陣營兩極化之趨勢愈來愈分明。

(1)保守派獲得了「新力軍」（自放逐重返人士），開始主張新憲
法的改正與占領改革的更正，日本資本主義的內發性能量逐
漸展現成為潮流（後來獲得朝鮮戰爭「特需」而強有力的復
甦）。

(2)革新派喊出「和平」、「民主主義」的口號，擁護新憲法和戰
後改革來反彈保守派之復甦（反戰、嫌戰意識在支撐）。

四、五五年體制的興起

㈠日本社會黨的結黨：1955年1月18日左右兩派社會黨臨時大
會，通過了同文的有關兩社會黨統一的決議，選出統一籌備委
員；9月9日，兩派社會黨統一綱領草案之決定；10月13日社會
黨統一大會（日共被排除在外）。

㈡保守陣營受到日本社會黨結黨之威脅遂有保守政黨合併之舉。
1955年11月15日，自由、日本民主兩黨合併→自由民主黨（自
民黨）。

㈢自民黨vs.日本社會黨之局面並不久

在野黨之分裂（民社黨1960年1月24日民主社會黨結黨大
會），多黨化，自民黨一黨獨大。1960年安保改定vs.反安保
（學生運動之分裂，新左派之出現），創價學會對政界的進展
（1956年7月8日，參議員3席，1962年1月17日公明會15席，
1964年11月17日公明黨）

㈣池田勇人內閣（1960年7月19日），保守黨路線之改變（不再
主張改憲，高談經濟成長政策，國民所得倍增，與在野黨對話
之低姿勢政策）收斂了反彈能量。

另一方面更促進了在野反對勢力之分裂（激進學生運動【新
左派（New Left）】與市民運動之興起），（社會黨內部之分
歧，社會主義協會派vs.結構改革派）。

五、五五年體制之真正穩固與發揮

㈠佐藤榮作內閣之成立與長期政權（1964年11月9日～1972年7月
6日）。

㈡1960年代高度經濟成長的演出（五五年體制在經濟層面的顯
現）。

㈢大眾傳媒（尤其是電視媒體）的普及。

㈣國民意識在反對運動層面的變化（環境保護運動，福祉要求的
市民運動，革新地方自治運動，「越平連」（「給越南帶來和
平之市民聯合」運動）。這個表示著反對1960年安保的「革新
國民運動」（由革新兩大黨＝社＋總評【日本勞動組合總評議
會】）已逐漸褪色，領導力亦逐漸減退。

㈤池田內閣所植下的「寬容與忍耐」及所得倍增政策開花結果支
撐了佐藤的長期政權（自民黨之一黨專政）並演出了「經濟政
治」之時代，遂有「安保效用論」（安保條約體制可以當為發
展經濟之手段來用論）出現並浸透到基層。贊成安保之人數大
幅度增加，在野黨藉意識形態（理念先行論）的運動亦逐漸失
去其市場。

㈥經濟層面的五五年體制

1. Main Bank（主力銀行）制

2. 中小企業對大企業之承擔制（分擔承包制）：戰後、占領改革
的衝擊帶來的日本化（Japanization）之綜合性可言。日本經濟
機制＋日本企業經營機制 $\left\{\begin{array}{l}\text{美國的生產技術（高生產性）}\\\text{美國的經營管理（品管）}\end{array}\right.$

3. 長期持續僱用制。

4. 通產省主導下的產業政策。

5. 日本企業的特色（高效率＝企業一家，工資差距極小，終身僱
用）結合戰後改革的核心＝民主化作了創造性的轉化解釋＝
「結果上的平等」＝比較劣勢部門的補助金給與政策及促進
□□□□〔合股公司〕＝所得平均化＝市場的擴大＝大眾中間
層的形成＝公團住宅之普及＝電視、車子普及社會之出現。

6. 平等與效率兼容並立之日本經濟機制及日本大眾社會之呈現。

六、五五年體制之崩潰

㈠政治層面的預兆及彰顯（佐藤內閣之終了與田中內閣之出

現）。

㈡田中角榮，54歲，無學歷，「庶民宰相」，《日本列島改造論》（做其過疏地〔譯註：指人口過疏地〕開發論之夢，1972年6月）暢銷書，金權政治→再活性化vs.美國之批判。

㈢日美貿易摩擦→日美經濟貿易，美商務省之日本批判「合股公司＝日本論」（1972年）政、官、財（界）的共犯或串通結構

$$\left\{\begin{array}{l}國內產業保護政策（可以獲得工會組織之支持）\\ consensus政治＝合意政治＝共識政治\end{array}\right.$$

㈣日、中（共）建交如何解讀。

㈤中曾根內閣之登場（1980年11月）與保守革命（貿易黑字與財政紅字之矛盾）→旁流之登場（戰後政治之總決算）→國際化時代。

㈥政界再編之暗流

1980年代中葉開始：

1. 社會黨右派＋連合（日本勞動組合總連合會，1989年11月2日成立）尋求西歐式社民黨模式，讓社會黨走上務實路線，企盼捲入中道政黨及部分保守黨。

2. 財界及保守黨內改革派卻企圖把美國以都市為支持基礎的民主黨為模型，來重組保守新黨試圖捲入中道政黨＋社會黨右派＋工會。

㈦政界重編之大背景

1. 冷戰結束。

2. 蘇東波。

3. 社會黨左派之支持核心＝總評因行政改革被解體。

4. 自民黨＝一黨長期獨大政黨之腐化＋長老政治不能因應國際
化。

5. 國際化的一環＝稻米市場之自由化迫使保守黨需要轉換其支持
基盤（農村→都市）。

6. 小選舉區並立制之導入→政界重編之企圖在。

㈧聯立政權之成立與1996年之總選舉（自民、新進、民主三大黨
鼎立情勢）（1993年8月）。

本文係爲未刊稿，寫於1997年1月28日。於「當代日本綜合研究會」
的報告大綱

探討中日關係百年
——凝視21世紀

◎ **李毓昭譯**

　　離開日本一年半的期間，我保持距離，從「外面」觀察日本與日本知識分子的世界，不得不承認那是瀰漫著無力感，被「自我中心主義」污染的日本。而今日此時，變化很大又疲憊不堪的「友人」模樣，更是讓我吃驚。

　　我有兩件不成熟的看法要提出來。如眾所周知，中日關係百年來的背後有日本與第三者組成的三個同盟，目前也還存在。亦即是日英同盟（1901年3月～1921年12月）、日德義三國同盟（1939年1月，1940年9月實際瓦解），以及日美同盟（1951年9月～現今）。我們有必要思考這三個點綴日本「近代」的同盟，如何束縛中日關係，又造成了什麼樣的影響。

　　即使要深入探究此次修訂的日美防衛合作新指南原本所具有的意義時，也不能不考慮到這三個同盟的歷史定位。

　　其次，還有自由主義史觀的提倡者挑戰歷史學界時提出來的問題。本人自1960年代以來，對日本人、日本學界缺漏台灣研究（尤其日帝時代），對台灣的認識流於淺薄皮相，針對此缺失我一直敲響警鐘。然而連那些有心人士都「安居」於矢內原忠雄所

著的《日本帝國主義下之台灣》中。可說在此延長線上現今大眾
對司馬遼太郎《台灣紀行》的共鳴即是此現象的顯現，我相信這
並非言過其實。「台灣的存在」是日本人正確認識自身「近代」
的障礙，這是我認為必須要確認的。正因為這個障礙包裹著糖
衣，處理起來非常棘手。要超越時代、超越自己都不是件容易的
事，但仍值得做為努力的目標。

本文係為未刊稿，於神奈川大學外國語學部中國語學科主辦「日中関
係百年を問う──21世紀を見据えて──」（神奈川大學中國語學科
創立10周年紀念研討會）專題討論會之中發言，1997年11月26日，神
奈川大學セレストホール（16號館）

美日安保的新解釋（再定義）與《美日防衛合作新指南》

一、說在前面的幾個交代

1. 今天我來此演講的立場是個人的、學術的，與我本職（總統府國家安全會議諮詢委員）無關。

2. 浪子返台的局限性：41年在日本生活，回台後無論在生活節奏和社會環境的適應上都還在調適中，而我的國語的表達能力也未完全進入狀況。

3. 今天的講題是本人的新挑戰，未成熟之處，請多包涵。

二、講題的釐清

㈠《美日安保條約》（初步的了解）：

1. 《美日安全保障條約》（全名為「美日相互合作及安全保障條約」）。

2. 二種分歧之看法：

⑴為了保障日本安全之條約。

⑵日本有被捲入美國之戰爭的危險性的條約。

3. 雖有爭論，但日本政府認為一端發生戰事時，美軍與「自衛隊」若不具有具體的「合作與分擔」之計畫的話，根本無法執行。

4. 冷戰時期，日、美的真正假想敵為蘇聯，因此便有「若是蘇聯攻擊日本時，該如何因應」的預設問題產生。日本當局便有「共同作戰計畫」（亦可稱為戰爭計畫）之具體設想。

5. 為了策定「共同作戰計畫」之指南，也就是框架，便被稱為所謂的guideline，正式的名稱是：美日防衛合作指南。

對於《美日防衛合作指南》，兩國政府之表述有異：

⑴日本將條約與指南有意地將其「區隔」來說明。

⑵美國一貫地把它當為「一套」的東西來說明及看待。理由在於日本的戰後新憲法（和平憲法）的制約及日本政局反戰、厭戰的社會氛圍。

⑶日本政府說，它是在《美日安保條約》架構下所做的研究協議之結果而已，並非日、美間的新約定或承諾。指南只是依據《美日安保條約》，日、美雙方有關官員為了協議所設的「防衛合作小委員會（Subcommittee for Defense Cooperation，SDC）」（局長或司長級），為了確保因應緊急事態的日美共同行動研究協議，而在1976年設於安全保障協議委員會（Security Consultative Committee，SCC，即由雙方之外交部長、國務卿、防衛廳長官、國防長官為要員，最具權威之委員會）之下所做的研究報告而已。

⑷但美國的認知卻是將兩者同格並視為一套事物。即條約和指南已構成進一步的日美軍事合作，意即指南已是與《美日安保條

約》一樣，成為新的國際約定或承諾。

《美日安保條約》究竟是什麼？

日本人對《美日安保條約》之爭議：

1. 贊成者：戰敗後的日本能有今天的繁榮，安保效應、美國核子傘節省了日本的國防預算，使日本能全力投入經濟復興。先有美國才有日本，保持良好的日美關係為日本繁榮之基礎。因此堅持要《美日安保條約》來保護日本。

2. 反對者：認為美國是世界的憲兵和警察，依靠軍事霸權的美國政策才會惹發國際關係的緊張，為戰爭之原因。日本支持並支援此種美國霸權政策才會引發亞洲的緊張，提升戰爭危機。

《美日安保條約》的來龍去脈：占領、講和、安保改訂

占領

1. 日本戰敗（1945年8月15日）。

2. 美國代表聯合國占領日本，處理終戰事宜。

3. 日本的民主化，新憲法之成立於1947年。

4. 美國對日本軍國主義的看法（如珍珠港事件，對美國人而言是恨之入骨的歷史事件）與占領政策，因而才有日本新憲法之第九條（放棄戰爭；不保持戰力；不承認國家之交戰權），和平憲法，否定戰爭及依靠「武力」保持和平之觀點看法。

5. 1948年以後的情勢變化：(1)美蘇之相互猜忌；(2)1949年中共之革命成功與中華人民共和國之成立；(3)1950年6月韓戰爆發。

6. 美國在東北亞最大的戰略據點為日本之看法迅速地確立。美國

對日政策的一百八十度轉變。日本再軍備政策之開展，麥帥於1950年7月發出日本再軍備派令。

講和

7. 《舊金山和約》（1952年4月28日）與《美日安保條約》生效，《日華和約》簽訂（至1972年9月，日「中」建交而廢除，其間共25年）等的共同生效。

8. 由占領至獨立（日本的獨立與安保條約係一整批套裝【package】的交易。因為此時兩國的結盟對彼此形成利益一致）即由單獨，片面講和vs.全面講和到吉田茂路線。即走親美路線，以對抗蘇聯和中共。這是冷戰的產物，促使日本與美國結盟。

安保改訂

安保改訂（1960年）vs.空前的反安保鬥爭：

岸信介組閣（1957年），岸認為係恥辱的象徵，對日本不夠尊嚴，他認為1952年所簽之安保條約之缺陷有二：一、日本全土可以當為基地來使用；二、倘內戰，美軍可以出兵鎮壓。而美方則深怕反基地鬥爭及反美潮之高揚，企圖能獲得安定使用。

改訂的重點

1. 條約的適用地理範圍（極東地區，即遠東地區）
並未特指何地，但1960年改訂時，將它具體化，範圍愈大，對美愈有利。對此日本政府的答覆是為菲律賓以北。但新指南的中間報告成為日本之「周邊地域」。

2. 日本的防衛與遠東有事時的日、美間之角色調整。1952年時，

日本無軍事力（自衛力），但1960年已有自衛隊（全由美方承擔）。1960年規模小，由日方自己處理；規模大則日、美合作承擔。

3. 由日本提供基地及其他的方便。

4. 事前的協議。

5. 日本在地理上的優勢，即海的方便。美方主張協防，但要日本提供基地。未來戰爭是導彈、原子潛水艇、長距離轟炸機的聯合作戰。波斯灣戰爭是個例子，即以電子、電腦等高科技戰爭而言，中國大陸、北韓等於小兒科也。

基地之重要性

1960年安保，先是防衛日本，後要求日本提供基地。但指南所言是先有美軍之軍事行動，然日本應如何支援卻是問題。總之，此時之安保內涵已有相當大的差異。

關於事前協議，在1952年時是沒有的。1960年時成為岸信介內閣之賣點。以此制衡美國，不然容易被美軍獨自的軍事行動捲入戰爭。但岸之霸氣與祕密主義及其以往的鷹派形象惹起反彈，本為賣點也不成其賣點了。此事在國會有關中間報告的答辯中，外交部的局長非常清楚地表明，美方從未有要求與日方事前協議過。當然這位局長同時亦補充地說，不曾有過需要事前協議之事例出現。其實這是胡說的。眾人皆知，B52在越戰時自日本飛去，波斯灣戰爭時，對伊拉克也自日本飛過去。日本當局狡辯說，不是直接飛去，而是經過第三地（關島）再去轟炸。由日本經過關島只是移動，並非戰鬥作戰行動，故無需事前協議。

在此，我們需要以台灣海峽危機（1996年3月，總統選舉時）的美軍獨立號航空母艦，由橫須賀出動為例來做個考察。斯時，日本外交部北美局長在參議院外務（交）委員會答辯說：獨立號出動之事態並不是從事直接戰鬥為目的之軍事行動（1997年6月12日）。其實，美方不會照會，日本又無力也無意制衡美方才是事實也。

安保體制

1. 國際環境（美蘇冷戰之持續），助長主張安保必要論。在日本普遍反蘇但親中共之弔詭（謫），也就是「以德報怨」的反映。

2. 日本國內社會氛圍的變化：
   由原先的反安保，至1960到1980年代所得倍增的快速經濟成長，產生社會上的中流意識，政治保守化，學運、勞工運動退潮、勞資協調等現象加上中共之失敗。於是肯定安保，肯定自衛隊，成為社會主流價值觀。

舊指南（1978年）的出現

1970年時，本來該有重新檢討安保（十年為期），但執政者因怕多惹事，多此一舉，引來麻煩，遂利用自動延長方式，以偷天換日的「偷吃步」手法，蒙混過關。實際上是亦步亦趨地走上日美軍事同盟之路。因此才會出現了1978年之《美日防衛合作指南》（即所謂的「舊指南」）。舊指南可以說是配合「自動延長」之美日安保附加的一些具體方針。

安保的新解釋（再定義）之背景

《日美安全保障共同宣言——邁向21世紀之同盟》（1996年4月17日）

　　背景：1990年波斯灣戰爭——日本在軍事上的國際貢獻。日本分擔經費為110億加20億美金（聯合國出兵之基金）。該次戰爭，總經費為600億美金，其中480億是由日本、德國、沙烏地阿拉伯、科威特、韓國共同負擔。美國出資120億美元。而日本的追加20億美元是支援多國際軍中之阿拉伯諸國之參與。

波斯灣戰爭之啓示或教訓

1. 實驗戰爭（電子、電腦武器的運用）。
2. 蘇聯崩潰後之領導權的較量，（中共天安門事件），聯合國共同出兵為名。
3. 美軍已無法單獨出兵（正當性與財政負擔）。
4. 一般老百姓之受害深。其背後乃係伊斯蘭教vs.基督教。阿拉伯圈vs.美、英之對立和較量的結果。
5. 布希因而失去了政權，柯林頓得以逸待勞當選。
6. 柯林頓政權以波斯灣戰爭為鑑，策定新世界戰略。

1993年3月至1993年9月 bottom up review（宮澤政權→舊聯立政權）

1. 蘇聯之威脅→地域霸權（伊拉克之事例）。
2. 同時有可能發生兩個戰爭：(1)中東（伊拉克或伊朗）；(2)朝鮮

半島。

3. 迴避美軍單獨扛下大任，動員安保理事會，財政與電腦方面必須仰賴日本。

4. 朝鮮半島，美、韓、日同盟軍的建構。

北韓核武開發疑惑（慮）之呈現（二個開發基地）

1. 美、北韓交涉（自原子爐取出燃料棒）
2. 先制攻擊之有關討論（包括北韓反擊之可能性）
3. 1994年，美方已決定用溝通來和平解決。
4. 美、北韓間之緊張（卡特總統與金日成會談，1994年6月）而緩衝（和），1994年10月美、北韓同意簽定協定。

奈伊之角色（Nye initiative＝奈伊主導）

1. 美國防部助理部長奈伊（1994年11月）訪日，向日提出日美安保已有欠陷，不能有效地運作。籌劃制定東亞戰略報告。
2. 籌劃制定United States Security Strategy for the East Asia-Pacific Region（簡稱為East Asia Strategy Report＝EASR【東亞戰略報告】之第一次1990年4月，第二次1992年7月。在此前，美國防部已有二次有關東亞太平洋安保戰略報告書之發表。

安保的新解釋（再定義）

　　本來，預定在1995年11月的APEC（大阪），柯林頓訪日時，公開發表《美日安保共同宣言》（也就是新解釋，再定義）。但柯因故無法訪日。9月發生了意外事件，沖繩少女被美

軍強暴事件，反基地、反安保運動再起。美國防部長裴利緊急訪日，表面上是道歉，真正的目的在於安撫日本保守派政治家，防止其動搖，破壞了美方的預定計畫。

相關事件發生時間的確認

1. 奈伊是一系列動作（1994年11月訪日）
2. 日本新防衛計畫大綱（1995年1月28日在閣僚會議的決定），其目的是在配合奈伊initiative及report的。
3. 奈伊Report（東亞戰略報告）（1995年2月27日）
4. 李總統訪問康乃爾母校，1995年6月7日中共展開文攻武嚇（1995年7月21～26日，8月15～25日）
5. 1995年9月沖繩少女暴行事件。
6. 裴利訪日鼓勵與道歉。
7. 大阪APEC，柯林頓因故未訪日（1995年11月）
8. 台灣海峽危機（1996年3月5～8日），總統直選（3月23日）
9. 新安保，新定義新解釋，橋本、柯林頓會談所發表（1996年4月17日）。
10. 新指南中間報告（1997年6月7日）
11. 新指南最終報告（1997年9月23日）

三、我們（中華民國在台灣）當今的關心焦點所在

1. 有關新指南的「適用範圍」（「日本周邊」有事）有無包括台灣海峽之爭論（戰術性考量）。

2. 新解釋與新指南之大背景為何？（戰略性考量）

3. 與台灣海峽「危機」的關聯。

4. 「曖昧」與「透明」之間。

與台灣的關聯

在此中間我們有了李總統之訪康乃爾大學之舉（1995年6月7日）。

第一次中共文攻武嚇（1995年7月21～26日，8月15～25日）飛彈演習

我們習慣於只自台灣看問題。究竟中共上述之舉與美國之上述戰略籌劃規定之一系列舉措有何關係？這是今天來向諸位先進請教的關鍵點。

第二次，1996年3月5～8日，基隆、高雄外海之導彈演習

我們多數人只自總統直選而來解釋，這是否足夠？

最近我看了曹聚仁之女兒曹雷所寫的〈父親原來是密使〉（《聯合報》3月8～10日）。我關心者不在密使郭宗義而是在毛澤東對金門砲戰之戰略思考（曹利用郭宗義名義，在新加坡《南洋商報》發出獨家大新聞）。

我想提出的是兩次的中共演習，它的基本策略是否沿襲毛之金門砲戰，另兼有摸美國東亞安保戰略之底的意圖。這個也是我要向我們政大諸先進請教的。

四、日本國內的反應與今後的手續和政局

1. 贊成者。

2. 反對者。

3. 質疑者。

　　以上圍繞著四個焦點（日美同盟；憲法；集體自衛權；有事法制）而有所爭論。

⑴江藤淳〈日本，第二次敗戰〉（《文藝春秋》，1998年1月號）

⑵田久保忠衛〈日本『保護國』化之陰謀〉（《正論》，1998年1月號）與自由史觀，教科書問題。

⑶自立外交之道（前印度大使野田英二郎）。

五、周邊諸國之反應

1. 中國大陸。

2. 韓國。

3. 馬來西亞。

4. 印尼。

5. 菲律賓。

6. 新加坡。

六、暫時的結語——期待與討教

1. 對日觀點的偏頗和混亂（知日、親日、媚日之間）。
2. 日本研究的欠缺（自我誤解瀰漫了社會）。
3. 速食麵文化的陷阱（journalism和academism之界線）。
4. 片斷和綜合之間。
5. 綜合安保概念建構的緊迫性（文化安保、經濟安保、軍事安全保障能力）。
6. 「自我」的確立與未來之選擇。

本文係爲未刊稿，於政治大學外文系之演講大綱，1998年3月16日

日本小淵內閣的誕生與今後日本政局
——診斷與預測

自民黨在參院選舉慘敗所展現者為何？

　　五年來重新在自民黨單獨政權下所舉行的日本第18屆參議院通常選舉於7月12日投開票。結果自民黨不但沒有能夠保持改選議席61，反而減少了17席，僅獲得44席而已。日本各大報都如《朝日新聞》大同小異地大標其題：「自民慘敗、首相將辭職」（《朝日新聞》7月13日），報導自民黨之敗績。

　　其實，只要用心分析其內涵，我們不難窺知，數字上所標誌的自民黨慘敗並沒有錯，但這次的慘敗對日本的政局並不致給自民黨帶來「致命傷」。理由如下：第一，日本國會本為兩院制，主要決定權在於眾議院。自民黨在眾議院仍然掌握過半數席次。故往後在眾議院未改選前仍然可以主導政局；第二，五五年體制下的第一在野大黨社會黨已不存在，主要殘餘勢力的社民黨又在改選中，從12席減少了7席僅選上5席。至於次要殘餘勢力之「新社會黨」，僅有的現職三人都是需改選的對象，結果全數敗下陣來；第三，此次的贏家：(1)為創黨初次參選國政選舉之民主黨，不但獲得了改選席次之全數＝17席，另加贏了9席成為參院第二

黨；⑵為共產黨，改選席次僅有6席，但斬獲了15席次。它不只打破了過去最高紀錄的13席次，已躍進為參議院第三黨；第四，日本的工會組織早在1989年已把「總評」與「同盟」藉大團結之名解散並重組了「連合」。其主流則支持了民主黨。已往支持左派社會黨則看著社會黨之右傾性解體轉而投票給共產黨；第五，小澤一郎自淨性解散了新進黨而成立之自由黨，則自5席改選席次增加了1席之6席，但尚不易成氣候。

　　從自民黨分裂出來的一部分結為自由黨（小澤一郎），自社會黨跳出來的穩和派及自小澤一郎分道揚鑣的舊新進黨之民主派人士，聯合結成了民主黨。自符號化的政黨新名，如民主黨和自由黨等來觀察「新黨」者，仍然逃不出「自由民主黨」之既有大框框，卻是值得人人尋味無窮的現象。

　　日本的媒體借題發揮，大喊日本政局危機論，但自民黨有關人士卻無動於衷，仍然老神在在，他們關注的只是經濟景氣之走向和外國——尤其是美國之「關切、焦慮」之眼神。甚至於頗多人士認為此次的敗因只在於第一，投票率比前屆（1995年之44.52％）增加了14.32％成為58.84％，帶給自民黨不利；第二，自民黨自誤在選區擁立過多候選人，結果誘發了黨內「互咬皆墨」之局；第三，「惡評」只能維繫75天，若能挨過此期間，把經濟的實況轉佳，自民黨篤定還可維持其優勢；第四，五五年體制崩潰及新世態所析出的「無黨派」選民之動態是浮動的，多為「一時性」，激情過後將如泡沫般地消失其能量，將不至於轉化為「造反」衝力；第五，民主黨等在野黨與媒體，搖旗吶喊、呼籲眾院之解散及選舉，大可不必聽此噪音，能拖就拖，只要換了

內閣裝一下新門面可也。

總裁選舉所演的舊戲碼

　　自民黨敗下陣的第二天，橋本首相便宣布辭職。親我方資深議員山下貞則造訪了橋本，並責備他「哪有因參院的敗選而鬧辭職之理」。其實橋本已走頭無路，再也支撐不下去了。為了保留些許「晚節」之名亦非宣布下野不可了。他在黨內欠缺友朋及班底，連派閥龍頭之地位都不曾有過。人人誤解了他，認為他是一位難得的「政策通」，其實不然。他只是反應快，善於應付官僚，尤其是大藏省的高層官僚而已。但泡沫經濟露出破綻後，大藏省的威信日薄西山，既往由大藏省主導的日式企業經營，日式資本主義方式已失效，金融證券制度大改革（big bang）遲遲未能上軌道，連泡沫經濟時期的後遺症都難於善後。一句話，橋本之「靠山」已面臨崩潰之邊緣。連訪問他國（中國大陸）的同盟國首腦＝柯林頓美國總統一直在不顧禮節地放話，要橋本負起「責任大國」首相之責，加快步伐恢復日本的景氣，暗示搞不好世界大恐慌很可能由日本為發源地而有禍害亞太及北美洲，甚至及於全世界之可能。

　　原本頗多黨內人士亦誤認他的相貌和敏銳的語言及反應有利於選舉，但這一次的選舉卻披露了他的負面。選前他所宣示的金融、經濟政策不但欠缺內涵，又有朝令夕改之嫌，遂失信於選民，終於惹了禍。

　　另，我們不難發現，自外看日本，和日本人本身自內看日本

之間具有頗大的認知差距。日本人本身根據客觀的標誌認為日本的經濟成長率雖低，但它的GDP占全世界的16％。個人儲蓄率及外匯存底額仍然世界第一。它的出口競爭力頗高，貿易收支保持著高額的黑字，同時它對外仍舊係最大的債權國。日本保持世界第二位（僅次於美國）經濟大國的地位，不該有問題的。受過高水平教育且已具惰性及自求多福氣氛日益升高的選民，是不願有「劇變」的，反而必然地走向保守軌道。

多數日本人認為日式溫和式改革的步伐可資迎接新世紀的來臨。日本人不曾懷疑過他們的百年老店，尤其是銀行或證券投資公司會有倒閉之事。他們一直認為他們的大藏省科班出身的官僚群是冠於全世界的高廉能人群。他們不曾質疑過泡沫經濟的後遺症是無底洞近似「黑洞」，將他們的稅金吞沒無厭。他們把亞洲金融風暴只當著對岸之火來觀望，以為日本不至於惹禍。

但外面的觀察家卻認為日本欠缺「責任大國」的自我認知，日本只要美國的「保護傘」，卻不願有任何擔當。它的社會行政機制不夠透明，國民的稅負、醫療費負擔等過重，拖累了經濟景氣，超低利率及年金（終身俸）制度已面臨運作之困難，逼使國民益趨儲蓄以備萬一，更加冷卻了市場經濟。日本政府之政策上怠慢不但失信於自國國民，更有失信於全世界之虞。當為成熟的經濟大國，不敢邁進一步盡其「說明責任」（accountability）是難以說服他人的。

橋本便在此內外夾攻，詭譎多變的困窘情勢下辭職。在橋本兩屆內閣主導政局的小淵派（實質的背後老闆為竹下登）及宮澤派（實質的檯面上人物為前黨幹事長加藤紘一）和渡邊派（實質

檯面上人物為前黨政調會長山崎拓）的三路人物，立即準備抬出小淵來「過渡」企盼保持其主導優勢。眼看著小淵接班快速成為氣候時，梶山靜六不得不「脫藩」（脫離小淵派）而立，跳出來與小淵競選總裁。理由無他，若小淵順利組閣時，其最大「仇敵」的野中廣務將就任官房長官（等同內閣司令塔一類之靈魂人物），梶山必遭架空冷落之勢頗為明顯，梶山不能坐而待斃故也。當然具有職業軍人資歷背景的梶山本身不可能說出前揭理由。他擺出的冠冕堂皇理由是「敗選」的理由總結尚未見到時，已由輔選責任者們來「搓圓仔湯」方式主導決定繼任者是不該的，所以我＝梶山必須站出來。

另一個大派閥的三塚派，本來不看好梶山會冒險跳出來，若自告奮勇提前擁立候選人與小淵對峙，在大勢已定不可有勝選機會之際，弄巧成拙將成非主流，並有被逼坐冷板凳之可能。但梶山一出，情勢激變，擁立自派＝改革派新星小泉純一郎，既可以拉住反小淵的青壯派人士，大可降低梶山的聲勢，順送人情給小淵派，那有何樂而不為之理，遑論小泉一直是與加藤紘一、山崎拓等人結YKK連線之頭號人物。果然，小泉出馬時向加藤表態，自己是為防衛並凝集組織（三塚派）而出，行家當然心知肚明，小泉及三塚派為何而出，為誰而戰之奧妙。

7月24日，自民黨選總裁的老戲上台，一次投票則定局。開票結果，小淵225票，梶山為102票，小泉僅獲84票（小派閥總人數87票）。唯一出人意料者為梶山能超過100票並躍居第二位，選前，人人預料梶山將只有吊車尾之份。

一向被稱為女強人，有話直說的田中真紀子眾議院議員（故

田中角榮首相之女）在總裁選前曾月旦過三位候選人，不過是凡人（小淵）、軍人（梶山）、「變人」（怪人、小泉）之戰，老戲重演，沒有什麼看頭。評得夠絕，既叫人捧腹又教人莞爾。

小淵內閣的特色

日本政界人士，普遍地認為小淵為好人，善於協調並整合眾人，但欠缺「果斷」和「領航」能力。尤其面對「經濟危機」的當今，小淵不曾歷經過經濟相關閣僚，頗受質疑，故鮮有人看好他能夠突破當前困境並扭轉乾坤。尤其甫用選票把自民黨拉下馬的選民當然不會期待他和自民黨的，因而民調對自民黨及小淵內閣的支持率迄今偏低而不揚。《紐約時報》早先評小淵為「變涼的義大利披薩餅，欠缺精采」，繼而穆迪公司又藉「日本經濟呈現深刻的結構性缺陷」而有調降日本評等之舉。

雖然小淵揭櫫了「經濟再生（重建）內閣」，一方面破了戰後史之例，任命宮澤喜一回鍋為大藏大臣。另自民黨邀請了著名經濟未來預測小說家堺屋太一入閣為經濟企畫廳長官。他本名為池口小太郎，曾經是通產省之官僚，近年來從宏觀的視野總結了日本經濟之歷史，並大膽地描繪出日本經濟之未來圖像，頗得好評。

小淵又錦上添了一大一小兩花。「大花」則任命甫當選不分區參議員的有馬朗人（前東京大學校長）為文相。「小花」則是一點紅的野田聖子郵政大臣。值得關切的是新就任外務大臣的高村正彥。此人雖屬小派閥河本派，但具有律師資格及經濟企畫廳

長官之履歷，卻在上一屆橋本內閣回鍋就任小淵外務大臣之外務政務次官，可稱為小淵外交之老搭檔。明眼人立即不難洞察小淵對自己未來的政績按算為何。

經濟金融面則仰賴宮澤及堺屋同時創設「經濟戰略會議」來解困，自己則掌控比較熟悉的外交來「留名」。其實要在外交上求實現「願景」，與企圖在經濟層面謀取解圍並樹立政績同屬艱難。

政界生態將有何變化？

參議院選舉仍舊有一股五五年體制崩潰後，近五年來的自民黨vs.非自民黨之暗鬥在。結果所呈現的確是自民日益走向日薄西山之路。民主黨在此次大躍進背後卻都有「連合」打出的「以民主黨為基本軸」的選戰策略效應，趁這一次的勝利，連合已有創建新政治團體之動作。但頗多人士認為民主黨還在發育階段，往後能否成長尚待觀察。不管如何，民主黨已明確地擺出非自民非共產之基本導向。

梶山及其支持者不曾意料到他能得到102票，並確保第二位。選前，只被評估能獲得50票該知足，吊車尾將是難逃的。自小淵派脫藩尚能獲得超派閥的青壯派反小淵勢力之「超額」支援，教人驚醒。小選舉區制已逼使舊派閥之老思維方式逐漸有解體之勢。派閥的舊架構雖然仍在，以政策為凝集劑的政策集團又日益得逞。梶山將不至於吃回頭草，只能自組政策集團以備小淵之後。102票中的青壯派票能否正式轉化為他的支持者，事態並

非很明確，但有其萌芽卻是可肯定的。另一個龍頭人物山崎拓，已宣告以他為中心的青壯派自渡邊派分出，新創政策集團「近未來研究會」，山崎派已成現實。宮澤喜一重挑藏相大任，促成加藤紘一順利接收宮澤派之龍頭地位已明朗化。參議院大選之結果既給自民黨內部帶來重組派閥之新氣象，又給非自民派新黨和小黨的重新整合之契機。

在此次選舉全軍覆沒的先驅新黨人士已發覺，1993年來雖然只是小黨，先是在非自民聯立政權期，後又在自、社、先驅三黨聯立政權時，入閣扮演了「關鍵性少數」之角色。1996年的舊民主黨結黨時，菅直人（為現民主黨代表）及鳩山由紀夫（現民主黨首腦之一）的相繼離去而大失元氣。黨內多位人士已認清自黨之時代性角色已結束，該解散重新尋找新路是為上策的共識已表露無遺。

另，值得關切的是創價學會＝舊公明黨系人士之動向。眾議院的舊公明黨因受小澤一郎之自由黨震撼，只好趁新進黨之解體另立「新黨平和」。眼看自民黨之敗選，重新認知：第一，若能再次整合舊公明黨勢力，可在策定政策時掌握「關鍵少數」角色；第二，在本屆大選之比例代表部分獲得的票數已超過舊公明黨時期，在下屆眾議院選舉時，不需仰賴民主黨等在野黨勢力之選舉協力又可大幹一番。因而開始尋求參議院中的公明黨與眾議院的「新黨平和」重新合併，成為繼自民、民主黨之第三極勢力。

如前述的剖析，我人不難發現，自民黨內部派閥已開始為後小淵內閣而呈現重組及暖身之各種動態。在野黨方面又有了為取

代日薄西山的自民黨圖謀合縱連橫之舉。

小淵內閣所面臨的外交困境

　　日本戰後史，日本歷來只能在美日安保＝美日同盟之大框框下搞它的有限性「外交」。但如來佛給小猴子箍上的緊箍咒卻一直束縛了日本。日本好不容易躍升為經濟大國後，一直懷有陸續解開它的緊箍咒的夙願。田中角榮嘗試過，但掉進陷阱，翻了船。從而人人知悉美日同盟＝緊箍咒除了如來佛的美國，沒有任何人能夠代為解開。

　　但蘇聯解體，冷戰結構崩潰，鼓勵了日方人士。日方主流勢力認為，只要忠誠地守住美方所主導的美日同盟為大前程，日方又可藉「經濟大國」所具有的相關籌碼來向美方周旋。五五年體制時期，自民黨對美國大可讓社會黨扮演黑臉角色，白臉卻由一黨獨大的自民黨來自演。

　　隨著蘇聯及冷戰結構的一同解體，社會黨又走向自我解體之軌跡。眾人皆知，自民黨又難免分裂，日薄西山。

　　失去了國內的黑臉，日方試圖次求於外。即尋已不足為「毒」之俄羅斯來代替，既可謀其能源開發之利，亦可在2000年時與俄簽和約解決北方四島的領土紛爭懸案。

　　橋本與小淵的北方外交在策定完美日新安保及《美日防衛合作新指南》之大前提下，大力地開展是有目共睹的。

　　但美國並不是好惹的對象。新當選的柯林頓總統，立即開展了亞太的新戰略構想。

在訪中國大陸頻頻誇讚江澤民及朱鎔基。弦外之音為何？日
人開始疑神疑鬼，柯卻不忌諱地批判了日本，打壓著日本。日本
經濟的窘境充分地呈現了日本對美的籌碼已失去大半，教人焦
慮。既往的親美派日本人已展開反彈性批判美國的論調，值得我
人注意。

美日雙方政界人士一概認為小淵內閣將是短命內閣，縱使能
維繫俄國對橋本、小淵的「和善」態度，將無濟於事。

在圍繞日本內外的大變局中，我們如何穩住我們的陣腳並以
自立自強、不卑不亢的態度來因應，做好對美、日新外交是燃眉
之急。

戴國煇1998年8月6日定稿

本文係為未刊稿。為擔任國家安全會議諮詢委員時，所提出的「當代
日本綜合研究」專案研究成果報告

日本政情近況之剖析

「新指南」極待完成立法

（一）小淵首相將於五月黃金假期訪美，將攜有關立法，以便對其交代。「新指南」的立法工作雖經去年日本政府內閣會議通過後迄今已一年矣，未有任何動靜。「新指南」產生的背景，主要是依據1994年的奈伊報告（Nye Report）的精神，由美國總統柯林頓於1996年4月訪問日本時與橋本龍太郎在東京簽訂《日美安全保障共同宣言——邁向21世紀之同盟》，其間由於1995年3月的台海危機，致使柯林頓的訪日行程稍有延遲。現在小淵惠三首相即將於4月29日啟程訪美，5月3日將在華府會見柯林頓總統。「新指南」在本屆國會中能否順利立法通過，使小淵首相在會見柯林頓總統時能帶去做見面禮。因此「新指南」完成國會立法工作便成為日本政府當今的迫切課題。

（二）重建金融有關法案及1999年度總預算已順利通過，本屆會期的重大議案有利「新指南」相關法案之立法。本屆日本國會主要是忙些什麼？共有三點：第一，應付亞洲金融風暴的問題；第二，銀行呆帳的處理問題；第三，金融重建法通過的問

題。日本政府的年度總預算，預計本月（3月）17日可以通過。
這可說是戰後日本政府通過預算案最快最順暢的一次，它比神戶
大地震時那一次還要快。

「自・自聯立政權」成立之效應

　　日本國會是參眾兩院制。日本憲法規定有關條約或預算，只
要眾議院獲得過半數（300席）的通過，參議院只有照樣通過、
照單全收的份。但若是牽涉到立法的事，則必須要在參眾兩院均
要有過半數的通過才能算完成立法工作。

　　（一）可以說審議「新指南」的國會情勢大致穩定，但公明
黨之「有條件」的合作是個變數。而目前日本國會的生態是，眾
議院方面執政的「自・自聯盟」（自民黨與自由黨的聯合內閣）
擁有過半數的席次。但是在參議院方面，「自・自聯盟」的席次
則尚欠十席，因此問題便來了。這中間變數很多，而公明黨的角
色舉足輕重，它成為關鍵少數，可以左右政局。而美國並扮演幕
後黑手，是它推動「自・自聯立政權」的成立。

　　（二）公明黨已掌握了關鍵的少數之優勢（其真正的決策人
士為池田大作）。只要公明黨的閣員拉得住，公明黨不至於走上
全面否決之路。至於公明黨，它本來是參加新進黨的，新進黨解
散後它又恢復本來的公明黨面貌繼續運作。公明黨在參議院成為
關鍵少數票，因此如何使公明黨配合便是「自・自聯立政權」
重要課題。公明黨為了選擇與「自・自聯立政權」合作，必須
要對自己的選民負責，而公明黨的選民大部分是下層的貧窮階

層較多，於是公明黨為了顧全大局，兩面討好，只好採用「閣外合作」的方式進行。這是日本政壇的奧妙之處。他們採用case by case的方式合作。這次則以「地域振興券」（公明黨提出之方案）——即以7,000億日圓關照弱勢老人，從15至65歲，每月發給2萬日圓做為補貼，以此做為鞏固公明黨票源的方法而獲得執政聯盟的認可，獲得通過。這是首要的象徵意義。

（三）東京都知事選舉與「新指南」的關聯。即將於下月（4月）舉行之東京都知事（市長）選舉具有風向球的作用，可以測出各政黨間的起伏變化，政治人物的興衰更替，政黨間的重組等現象。此次東京都知事選舉，迄今有七個候選人參選。首先，當過自民黨內閣的外相柿澤弘治表明積極參選的意願，但是卻遭到自民黨的勸退。原因何在？主要是因為柿澤的個人形象和知名度都不差，但是由於他一向批評公明黨，而公明黨在東京都內至少有60至80萬票的實力，自民黨提名柿澤的話恐遭公明黨的抵制而敗選，誤了大事，即前述「自‧自聯立政權」需要與公明黨做閣外合做的大事，方有可能通過「新指南」在國會的立法工作。

在此情況下，自民黨找來了明石康（68歲）為候選人，他曾任日本駐聯合國大使，高知名度，應相當被選民接受。

其他，尚有知名的作家石原慎太郎，也是有名的大右派，經常主張向美國說NO，向大陸採強硬路線，他原任國會議員，現在由其兒子接任，他的呼聲亦高。

民主黨方面則是鳩山由紀夫兄弟檔擺明要出馬競選，加上共產黨候選人，連新民黨亦派出女性候選人出馬。各政黨紛紛推出

心目中人選，全是希望不要在此次攸關各政黨生存興衰息息相關的選舉中缺席，而致使黨的基盤在地方上崩潰，便造成參選爆炸的現象。

此次選舉的最大意義，應解讀為自民黨力求勝選，挾其餘威，聯合自由黨、公明黨，在參議院通過「新指南」的立法。這是此次選舉背後的重要指標意義所在。

（四）小澤一郎在北京的發言（2月28日，與中共第六號人物尉建行會晤）的另一種解讀。

自由黨黨首也是「自‧自聯立政權」另一位首腦的小澤一郎於2月28日訪問北京，沒有見到江澤民，只見到中共第六號人物尉建行。但是3月3日早稻田大學校長奧島孝康一行卻能見到江澤民，這中間的微妙關係，值得玩味。

小澤一郎在日本素有敢說敢做的美名，他也是強硬路線的代表人物之一，著有《日本改造計劃》〔《日本改造計画》〕一書，曾造成轟動，一時洛陽紙貴。自民黨第一次被拉下馬，小澤是幕後策籌人物，他思路清晰，自尊心強，曾是田中角榮和竹下登的首席愛將。

小澤此次到北京，據稱曾與尉建行展開激烈的言詞辯論。原因無他，他主張「新指南」的「周邊有事」範圍包括了中國大陸與台灣。中共認為這是日本帝國主義復辟的象徵，也是干涉中國內政的作為，必須加以反對。但是小澤一郎在日本又逐漸恢復聲望之際，日本人喜其有實踐力且果斷的強硬作風。中共為了避其銳，所以江澤民故意迴避不見他，以免當面發生言語衝突，彼此下不了台，雙方關係鬧僵了便不好。這是一種解讀。

　　另外一種解讀則與小澤一郎的後台老闆──日本前首相竹下登有關，而公明黨的幕後決策者池田大作也有關聯。

　　（五）竹下登與池田大作之大陸關係

　　竹下登與池田大作二人與中國大陸的關係都不錯。竹下登重視與大陸的經貿關係。授權北京到上海的新幹線得標是其目標，而池田大作則意在獲取諾貝爾和平獎。與大陸關係和兩岸關係搞好，有助於提高其聲望，俾助其達成願望。過去日本在爭取長江三峽水壩發電廠的得標是失敗了，被中共卡掉。而北京到上海的高鐵則機會甚濃，原因是德國的高鐵出過大車禍，降低了得標的機會。目前日本援外款項據悉是掌控在竹下登之手。竹下登在與中共討價還價之時，希望能打小澤一郎牌（黑臉），之後向中共邀功，希望在「新指南」的修法過程能重視中共方面的意見，找出彼此可以接受的平衡點。竹下登以白臉姿態出現，這是日本政壇慣用的手法，日本以此手法在「五五年體制」中，自民黨與前社會黨聯手合作，以互扮黑臉的手法，成功地與美國周旋從中獲利達成目的。而池田大作則希望藉此法「閣外合作」的模式向中共邀功，甚至希藉機遊走兩岸，促進和平統一，功德圓滿而獲諾貝爾和平獎是其努力目標；而在這一點上來看，公明黨應不會在「新指南」立法過程中給小淵惠三太大難堪才是。而「新指南」的最後出爐相信亦必定會事先取得中共方面之諒解，得出可為彼此接受的方法。這種推論在國內有此看法的人並不多。

　　（六）關於「新指南」的相關立法

　　過去「新指南」沒有法源依據，因此必須予以補正。新指南的來龍去脈，應追溯到奈伊報告，延展到「美日安保新解釋」。

即1996年4月17日美國總統柯林頓與日本首相橋本龍太郎共同簽署公布的《日美安全保障共同宣言——邁向21世紀之同盟》所構成的兩國防衛合作指導方針。「新指南」則是在1997年9月24日完成。這一系列的思維和戰略部署，應可被解讀為冷戰後美國欲掌控東北亞安全保障的龍頭地位之思維主軸。因此如柯林頓在大陸上海口述「新三不」，是說給大陸當局聽，應付一下場面而已。相同的他到日本與韓國所作所為，用意相同。對北韓目的一樣，說是為確保東亞安全而盡心盡力，講開了無非是要當東北亞地區龍頭老大，以便掌握主導權，維持其世界警察的領導地位。因此目標安保是美國在全球戰略部署中配套布局的一部分。倘若美日安保的立法工作無法完成的話，則此間在東北亞整體的安保體制便無法建立起來。

面對即將到來的21世紀，世界各國紛紛建置其面向21世紀的戰略部署。因此從以下幾個最近發生的事情，如果能夠將其劃上虛線，串連起來看，便可以有一個比較清晰的輪廓，讓我們知道應如何來建構我國的安全戰略部署。

第一，波斯灣戰爭可以說是美國在展現內政外交及整頓世界新秩序的一個新方略。也可說是美國軍火庫大清倉的實驗戰爭，以促進軍火工業的進步，以及產業的升級。

第二，去年北韓試射飛彈或人造衛星的「大浦洞事件」和TMD（戰區防禦飛彈系統）的建立構想。它促使了日本重新檢討TMD研發的重要性，日本方面馬上同意撥款350億日圓做為研究經費，開始研發工作。4月29日小淵惠三即將訪美，5月3日將與柯林頓會談，這些都是會被提及的重要課題。

　　第三，各類三角關係的防衛網絡之建立，如美、日、中三角關係，美、中、台三角關係，美、日、南韓的三角關係，美、中、北韓的三角關係的個別紛紛建立，卻是以美國為馬首是瞻的全球戰略部署的區域和防禦系統的布建工作。

　　第四，俄羅斯戰鬥力減弱，影響力式微，但其北極熊的陰影，仍然籠罩全球，目前北約與南斯拉夫開打，北極熊的影響若隱若現，即為一例。

　　總之，吾人可以從這個後冷戰時期的大背景裡，從此間的構圖中，思考「新指南」立法與台灣安全的關係，從中或可以探知我們在整體戰略布局中的自我定位問題。

平面媒體變化之徵兆

　　（一）《讀賣》成為第一大報（1,000萬份），並收購了中央公論社，把該社月刊雜誌《This is讀賣》廢刊，以《中央公論》代替。

　　（二）《朝日》退為第二大報（約800萬份），（前任松下宗之因肺癌而病故，其前輩社長廣岡知男、渡邊誠毅、一柳東一郎、中江利忠一概為東京大學出身）。本來箱島信一的「好對手」為神塚明弘（東京大學出身，為總部門常董）。以往《朝日》之社長一概出自編輯、任過編輯部門的常董，但長期（四年半）擔任勞務部門（管理勞務及工會）的常董。從此可窺知，《朝日》亦需要改善其財務狀況，從而有所舉才。目前，《朝日》加強其月刊雜誌《論座》與美國的Council on Foreign

Relations Inc. 訂了長期契約，譯載*Foreign Affairs*。（按：該誌有關論文前幾年主要係由《中央公論》譯載的）。

（三）《讀賣》非常明確地標榜改憲，但《朝日》仍然保持「護憲」（亦可以說藉「擴大解釋憲法」來因應修憲之現實需求）。

（四）其他新刊（或者非老字號）的雜誌：《選擇》、《*Foresight*》、《外交（Forum）論壇》、《*Voice*》及《世界週報》等之編輯方式及內容，都在力求迎接21世紀之來臨而有所改變，值得我人關注。

本文係爲未刊稿。係戴國煇口述，由蔡禎昌整理，講於1999年3月16日

譯者簡介

李尚霖

1971年生。輔仁大學日文系畢業，日本一橋大學言語社會學博士。現爲開南大學應日系助理教授。譯有：《單身寄生時代》（新新聞文化）、《伊斯蘭的世界地圖》（時報）、《陰翳禮讚》（臉譜）等。

李毓昭

1961年生。中興大學社會學系畢業。曾任出版社編輯，現爲專職譯者。譯有：《銀河鐵道之夜》（晨星）、《顏面考》（晨星）、《霍去病》（實學社）等。

林彩美

1933年生。中興大學農經系畢業，日本東京大學農經系博士課程修畢。旅日長達40年，中華料理研究家，曾主持梅苑中華料理研究室（日本）二十餘年。致力於梅苑書庫的保存與研究，長期投入《戴國煇全集》的編譯工作。
著有：《中菜健康瘦身法》（文經社）、《新灶腳的健康料理》（文經社）等；主編：《戴國煇文集》；策劃：《戴國煇全集》等。

陳進盛

1957年生。台灣大學政治學研究所碩士，日本東京大學研究，台灣大學政治研究所博士班肄業，專攻國際關係與政治。曾任報社記者、編譯與撰述委員。譯有：《人體大揭密》（時報）、《工作雞湯Ⅰ——縱橫21世紀職場的成功祕訣》（天下雜誌）、《李登輝與台灣的國家認同》（共譯，前衛）等書。

劉俊南

1930年生。日本中央大學經濟系畢業。曾任中國通信社總編輯，現爲日本中國語翻譯社董事長。譯有：《周恩來傳》（上下，岩波書店）、《周恩來與我》（NHK）、《毛澤東側近回想錄》（新潮社）。

劉淑如

1970年生。淡江大學日文系畢業，日本北海道大學文學研究所博士。研究領域爲日治時期台灣文學、日本近代文學，現任南台科技大學應用日語系助理教授。譯有：《夢境366天——現代解夢手記》（遠流）、《透析企業價值組合策略》（遠流）；〈動畫／動作／物語〉等。

劉靈均

1985年生。現爲台灣大學日文所碩士生，專攻日本殖民地時期詩歌，並任中國文化大學推廣教育部、台北市立成淵高中等兼任講師，兼職日語口譯及筆譯工作。譯有：《第九屆亞洲兒童文學大會論文集日文版》（共譯，台東大學）、《歐洲統合史》（共譯，五南）。

蔣智揚

1942年生。台灣大學外文系畢業，美國西海岸大學電腦學碩士。曾任職大同公司，現專業翻譯。譯有：《不老——新世紀銀髮生活智慧》（遠流）、《閒話中國人》（馥林）等

（以上依姓氏筆畫序）

日文審校者・校訂者簡介

◆日文審校

于乃明

1953年生。東吳大學東方語文學系畢業，日本筑波大學歷史、人類研究科博士課程修畢，同大學社會科學系法學博士。曾任政治大學日文系系主任、外文中心主任，現爲政治大學土耳其語文學系代理系主任、外語學院院長。研究專長爲日本歷史、日本近代史、中日外交史。

著有：《小田切萬壽之助的研究——明治、大正時期中日關係史的一面》、《現代日文》等；〈中日韓歷史、文化名詞的譯與不譯〉、〈翻譯與跨文化研究——以《寒寒錄》中文譯文爲例〉、〈中日関係史の一側面——近刊盛承洪『盛宣懷と日本』の新史料を中心に（1908.9.2～1908.11.25）〉、〈歷史經驗與文化衝突——談日本首相參拜靖國神社〉等。

吳文星

1948年生。台灣師範大學歷史研究所博士。曾任美國哈佛大學及史丹佛大學訪問學人，東京大學、京都大學等校外國人客員研究員及招聘外國人學者，歷任台灣師範大學進修部教務主任、歷史學系主任、文學院長，現爲台灣師範大學歷史學系教授、台灣教育史研究會會長。研究專長爲台灣近現代史、中日關係史。

著有：《日據時期在台「華僑」研究》、《日治時期台灣的社會領導階層》、《台灣史》等；〈東京帝國大學與台灣「學術探檢」之展開〉、〈札幌農學校と台灣近代農學の展開——台灣總督府農事試驗場を中心として——〉、〈京都帝國大學與台灣舊慣調查〉等論文一百餘篇。

林水福

1953年生。日本東北大學文學博士。曾任輔仁大學外語學院院長、日文
系主任、所長；高雄第一科技大學副校長、外語學院院長；興國管理學
院講座教授；東北大學客座研究員等，現爲台北駐日經濟文化代表處台
北文化中心主任。專攻平安朝文學、近現代文學，兼及台灣文學、翻譯
學。

著有：《他山之石》、《現代日本文學掃描》、《源氏物語的女性》
等；譯有：遠藤周作《影子》、《沉默》等；谷崎潤一郎《夢浮橋》、
《細雪》等。並於《文訊》雜誌開設東京見聞錄，《聯副》開設東京文
化現場專欄。

林彩美

（簡介略，見前述）

邱振瑞

作家和日本思想文化研究者，現任教於文化大學中日筆譯班，並從事翻
譯及創作。

著有：短篇小說集《菩薩有難》；譯有：山崎豐子、松本清張、宮本輝
等小說，鶴見俊輔《戰爭時期日本精神史》（行人）。

徐興慶

1956年生。日本九州大學文學博士，現爲台灣大學日文系教授兼系主
任、所長。專長及研究領域爲中日交流文化史、日本近現代思想史、日
本文化史。

著有：《近代中日思想交流史の研究》（京都：朋友學術叢書）《東亞
文化交流與經典詮釋》、《朱舜水與東亞傳播的世界》、《東亞知識人
對近代性的思考》等。

張隆志

1962年生。台灣大學歷史系碩士畢業，美國哈佛大學歷史與東亞語言研

究所博士。現為中央研究院台灣史研究所副研究員。研究專長為台灣社會文化史、平埔族群史、比較殖民史、台灣史學史及方法論。

著有：《族群關係與鄉村台灣：一個清代台灣平埔族群史的重建和理解》；《坐擁書城：賴永祥先生訪問紀錄》（合著）、《曹永和院士訪問紀錄》（合著）；〈殖民現代性分析與台灣近代史研究〉、〈殖民接觸與文化轉譯：一八七四年台灣「番地」主權論爭的再思考〉與"Re-imagining Histories from Different Shores"等中英日文學術論文多篇。

湯廷池

1931年生。台灣大學法律系畢業，美國德州大學奧斯汀分校語言學博士。曾任台灣師範大學英語系暨英研所教授、清華大學外語系暨語言學研究所教授兼主任、元智大學應外系教授兼主任、東吳大學日研所客座教授等。現為輔仁大學外語學院野聲講座教授。致力於華語、英語、日語與閩南語的語文教學與研究工作。

著有：《漢語詞法句法》(共五集)、《英語認知語法：結構、意義與用法》（共三集）、《日語語法與日語教學》、《閩南語語法　究試論》、《語言學、語言分析與語言教學》等二十多本專書。

（以上依姓氏筆畫序）

◆ 校訂

許育銘

1965年生。政治大學歷史研究所碩士，日本立命館大學文學博士。曾任交通大學、政治大學兼任助理教授，現為台灣國立東華大學副教授兼系主任。研究專長為東北亞史、中日關係史、台日關係史、日本史。

著有：《台灣史重要文獻導讀》（共同編著）、《汪兆銘與國民政府：1931至1936年對日問題下的政治變動》；〈從「宋子良工作」看抗日戰爭期間「和平工作」與「特務工作」之交錯〉、〈戰後台琉關係再建的過程：以1975年前後為中心〉等。

戴國煇全集（全27冊）‧各冊內容

戴國煇全集 14
【日本與亞洲卷二】

著　作　人　　戴國煇
策劃／總校　　林彩美

編 輯 製 作　　財團法人台灣文學發展基金會
　　　　　　　10048台北市中山南路11號6樓
　　　　　　　02-2343-3142
編 輯 委 員　　王曉波　吳文星　張錦郎　張隆志
　　　　　　　陳淑美　劉序楓（依姓氏筆畫序）
主　　　編　　封德屏
執 行 編 輯　　江侑蓮　王為萱
美 術 設 計　　不倒翁視覺創意

出　　　版　　文訊雜誌社
發 行 人　　王榮文
發 行 所　　遠流出版事業股份有限公司
　　　　　　　10084台北市中正區南昌路二段81號6樓
　　　　　　　（02）2392-6899
　　　　　　　http：//www.ylib.com

排　　　版　　浩瀚電腦排版股份有限公司
印　　　刷　　松霖彩色印刷事業有限公司
初　　　版　　民國100年（2011）4月
定　　　價　　全27冊（不分售）精裝新台幣16,000元整
ISBN　978-986-87023-8-7（全集14：精裝）
　　　　978-986-85850-4-1（全套：精裝）

國家圖書館出版品預行編目（CIP）資料

戴國煇全集 . 13-14，日本與亞洲卷／戴國煇著 .
－－ 初版 .－－ 台北市：文訊雜誌社出版；遠流
發行 , 2011.04
　　冊；　公分
ISBN　978-986-87023-7-0（第1冊：精裝）.－－
ISBN　978-986-87023-8-7（第2冊：精裝）

1. 史學　2. 文集

607　　　　　　　　　　　　100001710